몸의 연대기

동아시아 몸의 역사와 철학

몸의 연대기

초판 발행일   2021년 7월 27일

지은이   정우진
펴낸이   유현조
편집장   강주한
편 집   온현정
인쇄·제본   영신사
종 이   한서지업사

펴낸곳   소나무
등록   1987년 12월 12일 제2013-000063호
주소   경기도 고양시 덕양구 대덕로 86번길 85(현천동 121-6)
전화   02-375-5784
팩스   02-375-5789
전자우편   sonamoopub@empas.com
전자집   blog.naver.com/sonamoopub1

ISBN 978-89-7139-357-4   93150

(재)한국연구원은 학술지원사업의 일환으로 연구비를 지급, 그 성과를 한국연구총서로 출간하고 있음

몸의 연대기

동아시아 몸의 역사와 철학

정우진 지음

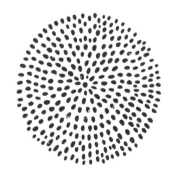

소나무

책을 펴내며

이 책은 『동의보감』, 『동의수세보원』 그리고 감악산 백련사의 나한도로 대표되는 한국적 몸의 연원을 동아시아 몸 담론의 전개라는 관점에서 고찰한 결과물이다. 통시적 관점을 전제했으나 특정한 시기의 사회·정치·경제적 맥락을 중시하는 역사학자들의 연구 방식과 달리 몸의 탄생과 변화를 추동한 수행론과 의학 자체의 논리에 초점을 맞췄다. 더불어 몸을 보는 관점을 중시함으로써 수행론과 의학의 전개에서 특정 신체관이 지니는 의미와 철학적 특성이 드러나도록 했다.

나는 이런 서술 방식을 통해 사실에 토대하면서도 사태를 조망하는 시선을 제안할 수 있다고 보았으며, 깊지만 좁은 범위에 머무르는 경향이 있는 연구 풍토의 단점을 보완하고 싶었다. 치밀성을 위해 거시적 관점을 포기한 연구는 새로운 통찰을 주지 못하고, 통찰을 주지 못하는 연구는 현실적 의의가 높지 않다고 생각했기 때문이다. 그러나 지나치게 관점 자체에 천착하지 않음으로써 논의가 시대정신으로 연결되지 않도록 했다. 독자를 전문 철학의 영역으로 끌고 들어가는 상황을 피하고자 했기 때문이다. 이 책의 부제 '동아시아 몸의 역사와 철학'은 이런 배경에서 연유한다.

사상사적 맥락에서 보면 동아시아 몸의 여정은 주로 도가·도교의 토대 위에서 전개되었다. 불교는 수행론과 의학 그리고 몸의 원형이 성립된 이후에 들어왔으므로 별 다른 영향을 미치지 못했다. 중국 지성의 주류였던 유학은 몸과의 연관성이 높을 듯하지만, 사실 유학은 몸 담론에 별다른 영향을 미치지 못했다. 도덕적 자아라고 할 수 있는 심을 중시하면서 몸을 구성하는 핵심 개념인 기를 방기하다시피 했기 때문이다. 외부와 끝없이 소통하는 기는 자아의 경계를 흐리기 때문에 유학자들로부터 터부시되었다. 물론 기는 우주 생성론의 영역에서 일정한 역할을 담당했고 성리학의 도덕형이상학에서도 악의 담지자로서 필수 개념이었으나, 이런 흐름이 자연으로서의 기와 몸에 대한 관심으로 이어지지는 않았다. 유학의 몸은 생물학적이기보다는 사회·정치적 맥락의 몸이어서 자연으로서의 몸에 초점을 맞춘 이 책에서는 유학의 몸에 대해 자세히 다루지 않았다.

2016년 타이완에서 돌아온 직후 철학과 송유례 교수님의 제안으로 대학원에서 몸을 주제로 공동 수업을 하게 되었다. 이 책의 초안은 그 수업에서 작성되었다. 본래는 연단술 관련 책을 먼저 집필하려 했는데 그 수업으로 순서가 바뀌었다. 가까운 장래에 동아시아의 연단술사를 다룬 책을 저술할 수는 없을 듯하다. 모든 것이 인연이리라. 곧이어 같은 주제로 한국연구원에서 사업비를 지원받아 저술에 힘이 붙었다. 김상원 원장님이하 여러 연구원들, 거칠고 부족한 제안서에 과분한 가점을 주신 익명의 심사위원, 그리고 최종 원고를 꼼꼼히 읽고 교정할 부분을 일러 준 평가위원들께 감사드린다.

수행은 동아시아의 몸을 직조한 씨줄이다. 도교 수행론에 관한 앎 중 많은 부분을 은사이신 김수중 선생님과 타이완의 샤오덩푸蕭登福 선생님에게 배웠다. 두 분 선생님의 건승을 기원한다. 의학은 동아시아 몸의 날줄이다. 한의학의 토대를 경희대학교 한의과대학의 원전학교실原典學敎室에서 얻었다. 정창현 교수님과 여러분께 감사드린다. 의철학의 영역으로 이끌어 주신 권상옥 선생님께도 특별한 감사의 말씀을 드린다.

이 책의 중·후반 작업을 고향인 충북 음성 생극에 소재한 음성문화예술체험촌에서 진행했다. 어지러운 마음을 다스리고 글에 몰두할 수 있었다. 고향이 탕자를 받아들여 넉넉하게 품어 준 덕분이다. 안명수 촌장님의 배려와 음성군의 지원에 감사드린다. 더불어 지루한 글쓰기 중에 말벗이 되어 준 음성문화예술체험촌 소속 작가분들, 그리고 수레의 산 산책길에 만났던 모든 생명의 행복과 평안을 기도한다.

2020년에는 인류의 건강을 걱정하고 사람이 건설해 온 모든 것의 의미를 반성하게 만드는 일이 여럿 있었다. 이 책은 몸과 마음이 나뉠 수 있으면서도 나뉘지 않는 관계라는 점을 암묵적으로 보여 준다. 기후 변화와 코로나19 팬데믹은 몸을 정신의 대상으로 그리고 피지배자로 본 결과라면 이 책은 그런 파괴적 관점에 대한 대안을 일부 제시하고 있다. 이 점이 잘 전달될 수 있기 바란다.

경희대학교 법학부속관 연구실에서
2021년 유월 정우진

차례

I

한국의 몸

『동의보감東醫寶鑑』을 펼치면 가장 앞에 「서序」가 있다. 그리고 이어지는 「집례集例」에서 허준은 집필 의도와 중심 사상 그리고 서명이 '동의보감'인 까닭을 서술하고 있다. 일반적으로 「집례」는 현대의 일러두기와 유사한데 『동의보감』「집례」는 개인적인 느낌이 나는 두 번째 서문 같다. 이 글에서 허준은 『동의보감』의 '동의'가 중국의 의학을 북의와 남의로 나눈 것에서 기인한다고 말하고 있다.

허준의 말을 한국의 고유성을 인정하지 않는 종속적 태도라고 비판할 수 있겠으나, 나는 한국을 넘어 동아시아 의학을 선도한다는 입장을 피력한 것이라는 해석에 동의한다. 허준의 시선은 이 땅에 갇히지 않았다. 이 책의 부제 '동아시아 몸의 역사와 철학'에도 이처럼 한국의 몸을 동아시아의 맥락에서 보는 관점이 깔려 있다.

한의학은 서양의학에 대한 동양의학이라는 관점에서 탐색되거나, 동아시아 의학의 전개라는 맥락에서 연구될 수 있다. 마찬가지로 한국의 몸도 동서양의 비교사적 또는 비교철학적 관점에서 탐색되거나, 동아시아 몸의 전개라는 맥락에서 연구될 수 있다. 나는 한국의 고유성에 천착하지 않고 동아시아 몸의 전개라는 관점에서 탐색될 때 한국의 몸이 보다 능동적이고 적극적인 위상을 차지할 수 있다고 본다.

한국의 몸은 동아시아 몸을 견인했던 수행과 의학을 성공적으로 결합

했고, 단지 선언에 그쳤던 유학이 의학의 철학이라는 구호를 실제로 구현
했다. 모두 최초의 일이었다. 혹자에 따라서는 수행론의 의학적 차용은
단순한 답습이라고 폄하할 수 있겠으나, 동아시아의 인간관을 보여 주는
구체적 사례로 또는 한국의 수행이 종교의 경계에 갇히지 않았음을 보여
주는 증거로도 볼 수도 있을 것이다. 문제는 해석이다.

1. 『동의보감』

『동의보감』은 처방집일 뿐이다. 다루고 있는 내용도 대부분 기존의 의서에서 따온 것이다. 『동의보감』보다 대략 30년 전에 출간된 명대 이천李梴의 『의학입문醫學入門』이 대표적이다. 참고는 문제가 되지 않는다. 의학이 경험의 누적에 토대한다는 점을 생각해 볼 때 이것은 특이한 일이 아니다. 『동의보감』이 기존의 처방집과 온전히 또는 상당히 다른 내용을 다루고 있다면, 한의학의 주류가 될 수 없었을 것이다.

중국 의서의 내용을 적지 않게 차용한 『동의보감』은 별것 없는 그저 그런 책에 불과한가? 『동의보감』을 탄생시킨 한국 한의학 자체의 발전 과정과 간신히 찾아낼 수 있는 한국만의 특성을 강조함으로써 약간의 위안을 얻는 것으로 만족해야 하는가?

그렇지 않다. 한의학사를 전체적으로 개관하면 『동의보감』의 가치를 알 수 있다. 그런데 『동의보감』의 가치를 충분히 설명하기 위해서는 이 책 전체가 필요하다. 어떤 의미에서 보면 이 책의 현실적 목적 중 하나는 『동의보감』의 가치에 관한 대답이라고 할 수 있다. 앞머리에 해당하는 이곳에서 이 점을 충분히 설명하기는 어렵다. 그러나 단서조차 말하지 않을 수는 없다. 〈신형장부도身形藏府圖〉를 보자.

현대인이 생각하는 건강한 몸은 사실 서양의 조각상 등에 보이는 근육질의 몸이다. 그리스의 미론Myron이 제작한 〈원반 던지는 사람〉의 몸은 보디빌더의 그것과 흡사하다. 〈원반 던지는 사람〉을 보다가 『동의보감』 앞

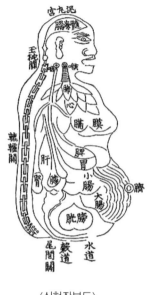

〈신형장부도〉   〈원반 던지는 사람〉(로마 시대 복원품)

부분에 실려 있는 〈신형장부도〉로 시선을 옮기면 괴이한 느낌이 든다.

〈신형장부도〉는 팔다리가 없이 몸통 안에 오장육부가 그려져 있다. 〈원반 던지는 사람〉은 신체의 외형에 초점이 있는데 반해, 〈신형장부도〉는 신체의 내부를 강조한다. 또 다른 차이점은 〈원반 던지는 사람〉이 근육질의 몸을 보여 줌에 반해 〈신형장부도〉의 몸은 복부 비만이라는 핀잔을 들을 정도로 배가 나와 있다는 것이다. 어떻게 보아도 건강하다고 할 수 없을 듯하다. 그러나 병리가 아닌 생리를 묘사하는 〈신형장부도〉의 몸은 당연히 환자의 몸이 아니다. 오히려 익히 알려져 있듯이 수행자의 건강한 몸을 상징한다. 〈신형장부도〉의 불쑥 나온 배와 적절히 찐 살은 충만한 생명력을 상징한다. 동서양의 몸은 왜 그토록 다를까?

신체관의 차이를 지적하지 않을 수 없다. 신체관의 차이는 당연히 치료에도 영향을 미친다. 구리야마 시게히사栗山茂久는 서양의 사혈 요법과 동양의 침술을 비교하면서 병인에 대한 생각이 서로 달랐다고 말한다. "사혈과 침술은 모두 사람들이 병드는 경향을 강조했다. 그러나 병인에 대한 생각은 달랐다. 침술에서는 거의 언급되지 않는 부패가 사혈가의 몸 이미지에서는 문제시됐다. 사혈가는 질병을 특별한 부패로 받아들였다."[1] 요컨대 사혈은 과잉으로 인한 부패가 궁극적 병인의 이미지임에 반해, 침술에서는 그렇지 않았다는 것이다.

그는 흥미롭게도 동서양의 성교에 대한 입장에서도 동서양 병인관과 유사한 점을 찾을 수 있다고 말한다.

> 성교에 대한 관점에도 같은 차이가 보인다. 갈레노스는 여성이 성교를 하지 않아서 여성씨앗이 적체되면 생리를 하지 않는 경우보다 더 위험할 수 있다고 주장했다. 예를 들어, 성교를 하지 않는 여성은 히스테릭해지고 심지어는 질식사할 수도 있다. … 중국인들도 섹스와 병의 관계를 걱정했지만 억눌린 정을 걱정하지 않았다. 의사와 방사들은 사정에 예방의 특성이 있다고 말하지 않았다. 반대로 정의 소실에 집중했다. 그들은 지나치게 많은 성교를 근심했지, 부족을 걱정하지 않았다.[2]

---

1. 구리야마 시게히사, 『몸의 노래: 동양의 몸과 서양의 몸』, 정우진·권상옥 옮김(서울: 이음, 2013), 226쪽.
2. 구리야마 시게히사, 『몸의 노래: 동양의 몸과 서양의 몸』, 226쪽.

서양인과 반대로 동양인은 생명의 소실로 인한 '부족'을 병으로 보았다. 한약을 상징하는 보약의 존재는 이 점을 상징하는 것처럼 보인다. 생명의 씨앗이라고 할 수 있는 정精의 소실을 병으로 보았던 동양인에게는 〈신형장부도〉에서 묘사하고 있는 복부 비만의 사내가 이상적으로 보였을 것이다. 정리해 보자. 두 가지 생각을 도출할 수 있다. 첫째, 몸은 생명을 담고 있는 그릇이다. 둘째, 생명을 유출하지 않아야 한다.

그렇지만 이것으로 모든 것을 설명할 수 있을까? 왜 팔다리가 없을까? 왜 장부 중심일까? 그리고 기운이 모이는 곳이 아랫배인 까닭은 무엇일까? 척추에 있는 세 개의 관, 머리에 있는 니환궁泥丸宮은 도대체 무엇이고 왜 그려져 있는 것일까? 수해뇌髓海腦에는 어떤 이야기가 담겨 있을까? 배꼽에 물결치고 있는 것은 무엇일까?

2. 백련사 극락전의 나한도

몸은 하나라도 신체관은 여럿일 수 있고, 누구도 하나의 신체관에 고착되어 다른 신체관을 배격할 권한을 지니지는 못한다. 신체관은 맥락에 따라 다르고 신체관을 주장하는 이들은 결국 코끼리를 만지는 장님이나 마찬가지이기 때문이다. 보디빌더가 씨름 선수나 스모 선수의 몸을 잘못되었다고 말할 수 없는 것처럼 무용가가 레슬링 선수의 몸이 이상하다고 말해서도 안 된다.

그러나 특정한 문화권에는 다양한 신체관을 하나로 묶어 주는 원형이 있다. '생명을 담고 있는 그릇'이 동아시아 신체관의 원형이다. 모든 동양의 신체관은 이 원형의 파생물로서 수행론과 의학의 영역에서 구축되었다. 수행론과 의학의 신체관은 서로를 차용하고 극복하면서 동양 신체관에 관한 이야기를 풍성하게 만들어 왔다. 그리고 한국의 몸을 낳았다.

한국 한의학의 신체관은 크게 유가의학과 도가의학의 신체관으로 나눌 수 있다. 뒤에 살펴볼 『동의수세보원東醫壽世保元』의 몸은 전자를, 이미 소개한 『동의보감』의 〈신형장부도〉는 후자를 대표한다. 수행 방면의 신체관은 각 수행법에 따라 일종의 체조인 도인導引, 성애의 기교인 방중房中, 동양 수행론을 대표하는 내단內丹, 호흡술의 일종인 태식胎息, 주로 체내 신체內神을 상상하는 존사存思수행의 신체관으로 나눌 수 있다.

동아시아 수행법이 내단으로 귀결되었다고 보면, 내단 신체관의 성립에 영향을 끼친 방중의 신체관이 주목될 만하지만, 그동안 주목받은 것은

『황정내경경黃庭內景經』에 보이는 존사수행이었다. 존사수행은 몸 안에 다양한 모양의 신이 있다고 가정하므로 인상적이고 호기심을 자극하는 측면이 있기 때문일 것이다. 그러나 국내에는 존사수행의 신체관을 나타내는 유산은 미미하고 내단수행을 상징하는 자료의 존재는 뚜렷하다. 덕분에 국내에서 행해진 존사수행의 몸에 관한 기존의 연구는 사실 한국의 몸과는 무관한 것이나 마찬가지였다. 그러나 백련사 나한도로 인해 상황이 바뀌게 되었다.

제천 감악산에는 백련사라는 작은 절이 있다. 그 절의 극락전 안에는 네 폭의 목판에 그린 나한도가 있다. 이 벽화는 각각 떼어 낼 수 있게 되어 있으므로 본래부터 극락전에 있었는지는 알 수 없다. 다른 건물에 있었을 가능성도 배제할 수 없다. 각 그림에는 나한이 둘씩 앉아 있는데, 그중 두 개의 그림이 내단수행 또는 태식수행과 관련 있다. 하나는 얼굴을 뜯어내고 본모습을 드러내는 모양이고, 다른 하나는 뱃속에서 부처를 꺼내는 모습이다. 전자를 껍질을 벗는 것과 같다는 뜻에서 탈화도脫化圖라고 해 보자. 뒤의 그림은 도태도道胎圖 또는 성태도聖胎圖라고 불린다.

탈화도와 도태도는 상호 여관된 것으로 보인다. 억측하자면 도교의 신선이 자신의 본모本貌 즉 나한의 모습을 드러내고 나한이 태식수행을 해서 더 뛰어난 존재인 부처로 변모한다는 이야기가 전제되어 있는 듯하다. 요컨대 수행자 일인이 자신을 고양시키는 과정을 도교에서 불교로 그리고 소승에서 대승으로의 전개라는 맥락과 결부시켜서 설명하고 있는 셈이다. 탈화도는 도교에서 불교로의 고양을, 도태도는 소승에서 대승으로의 고양을 각각 묘사한다.

이 나한도에 관한 세부 정보는 정확하게 보고된 바 없고, 백련사는 몇 번이나 중건·중수를 거친 탓에 배경에 있을 법한 역사도 자세히 알 수 없다. 그러나 이런 유형의 그림은 일찍부터 중국학 연구자들의 관심을 받아 왔다. 동양과학사가로 유명한 니덤Joseph Needham은 자신의 저서에 백련사 극락전의 그림과 유사한 나한상 사진을 실어 두었다.[3]

그러나 이 사진은 나한도가 아니다. 나한상이다. 두 개 모두 절에 있었던 것으로 나한이 주인공이다. 나한은 틀림없는 불교의 캐릭터이지만, 이 그림의 뿌리는 도교 문헌이다. 오른쪽의 도태도는 유화양柳華陽의 『혜명경慧命經』에 있는 〈도태도〉를 본뜬 것이다. 추정컨대 청대의 문헌인 『혜명경』의 〈도태도〉는 작자를 알 수 없는 명 말의 문헌 『성명규지性命圭旨』의 〈영

니덤의 책에 실린 탈화도(왼쪽)과 도태도(오른쪽)

---

3. Joseph Needham, *Science And Civilization in China*, vol.2, Cambridge University Press, 1956, p.422; *Science and Civilization in China*, Vol.5: part6, Cambridge University Press, 1995, p.233.

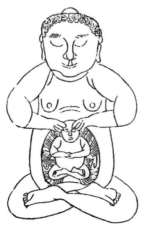

『혜명경』의 〈도태도〉　　　　『성명규지』의 〈영아현형도〉

아현형도嬰兒現形圖〉를 모방한 것으로 보인다.

　　백련사 나한도의 탈화도는 〈영아현형도〉에 나오는 것과 유사하게 수염이 긴 선인이 얼굴을 찢고, 도태도의 주인공인 나한이 자신의 모습을 드러내는 모습이다. 『성명규지』의 〈영아현형도〉에 토대해서 탈화도를 그리고 『혜명경』을 보고 도태도를 그렸을 수도 있다. 즉 백련사의 나한도를 그린 이가 두 문헌의 그림을 하나의 이야기로 묶었을 가능성이 있다. 어쨌든 뿌리는 『성명규지』다.

　　〈도태도〉와 〈영아현형도〉는 수행자가 자신의 몸에서 신성한 생명 즉 성태聖胎를 만드는 과정을 보여 준다. 성태는 수행을 통해 변화된 수행자 자신을 상징한다. 16세기 문헌인 『성명규지』와 18세기 유화양이 저술한 『혜명경』은 내단수행 문헌이다. 그러므로 『혜명경』의 성태는 내단수행에서 목적으로 하는 변화된 자신을 상징한다고 말해야 할 듯하지만, 그렇게 말하면 절반만 맞다. 내단수행에서는 굳이 성태를 그려 낼 필요가 없기 때문이다. 『혜명경』의 수행이 내단에 한정되지 않는다는 뜻이다.

아래 그림도 『혜명경』에 실려 있다. 오른쪽 그림은 〈출태도出胎圖〉라고 불리는 것으로 의념意念을 통해 만든 성스러운 존재가 밖으로 나오는 모양을 묘사하고 있다. 이런 이미지는 신을 상상하는 수행법인 존사수행에서 연원한다.

존사수행의 연원이 되는 문헌으로는 후한 말 태평도의 소의경전이라고 할 수 있는 『태평경』을 꼽지만, 사실 존사수행이 체계적으로 논의된 최초의 문헌은 상청파의 핵심 경전인 『상청대동진경上淸大洞眞經』이다. 위 그림은 모두 『상청대동진경』에 실려 있는 것으로, 『혜명경』의 〈출태도〉와 흡사하다.

유화양이 〈출태도〉를 그릴 때 어떤 생각을 했겠는가? 존사수행을 염두에 두고 있었음이 분명하다. 내단수행만이 아니다. 사실 성스러운 태아

〈출정화신도出定化神圖〉　　　　〈출태도〉

제일존군帝一尊君　　　　　　　중앙사명장인군中央司命丈人君

라는 이름은 태아처럼 호흡하는 것을 목표로 하는 태식胎息호흡법에서 유
래한다. 백련사 극락전의 도태도에서는 『동의보감』의 〈신형장부도〉에서
볼 수 없는 존사수행과 태식수행의 몸을 엿볼 수 있다.

　감악산 백련사의 나한도가 없었다면 한국의 몸 이야기는 좁은 의미의
내단수행과 한의학에 한정되었을 것이다. 백련사 나한도의 연원을 찾아
그곳에 숨겨져 있는 이야기를 발굴하면, 주목받지 못했던 뇌가 어떻게 몸
의 중요 부위로 부각되었는지 알 수 있고, 존사수행에 가려져 있던 태식
수행의 몸을 확인할 수 있으며, 태식수행과 내단수행의 몸 사이에 있었을
법한 갈등과 전승의 단서도 엿볼 수 있다. 백련사 나한도는 한국 신체관
의 이야기를 풍성하게 해 주고 몸에 관한 상상력을 넓혀 주며 문화적 지평
을 확장시켜 준다.

3.『동의수세보원』

『동의수세보원』의 몸을 구성하는 요소는 크게 넷으로 나뉜다. 하나는 귀·눈·코·입의 감각기관이고, 둘은 폐·비·간·신의 사장四藏이고, 셋은 턱·가슴·배꼽·복부의 체간 전면부이며, 넷은 머리·어깨·허리·엉덩이의 후면부다.[4] 즉 감각기관과 오장 그리고 몸의 전면부와 후면부로 나뉜다. 이제마는 감각기관을 선을 좋아하는 것이라 하고 사장을 악을 싫어하는 것이라고 한다. 몸통의 전면부를 앎을 담당한다고 하고 후면부를 실천을 담당한다고 말한다. 그러므로 감관, 사장, 몸의 전면부와 후면부의 넷은 다시 둘씩 묶을 수 있다. 선악에 관한 성향이 소재한 감관과 오장이 함께 묶이고, 지행을 담당하는 몸의 전면부와 후면부가 함께 묶인다. 그런데 몸의 전면부와 후면부에는 지행이라는 소임 외에 또 다른 특성이 있어서 감각기관 및 사장과 구분된다.

> 귀는 좋은 소리를 좋아하고 눈은 좋은 색을 좋아하며 코는 좋은 냄새를 좋아하고 입은 좋은 맛을 좋아한다. … 폐는 나쁜 소리를 싫어하고 비장은 나쁜 색을 싫어하며 간은 나쁜 냄새를 신장은 나쁜 맛을 싫어한다. … 턱에는 교만한 마음이 있고 가슴에는 자긍하는 마음이 배꼽에는 자랑하

---

4. 오장이 익숙한 현대인에게는 사장이라는 표현이 이상하게 여겨질지 모르겠으나, 이 책의 본문에서 확인할 수 있듯이 동아시아 몸의 역사를 고찰하면 육장도 등장한다. 장을 몇 개로 할 것인가는 확정되지 않은 것이었고, 상황에 따라 임의적으로 바뀔 수 있었다.

는 마음이 배에는 과시하는 마음이 있다. 머리에는 자기 마음대로 하는 마음이, 어깨에는 사치하는 마음이 허리에는 나태한 마음이 둔부에는 욕심이 있다.[5]

맹자는 도덕적 본성이 심장에 있다고 하고, 심장을 큰 몸(대체)이라고 하면서 감관은 욕구가 있는 작은 몸(소체)이라고 했다.[6] 이런 사유 방식, 본성을 도덕적 성향과 욕구로 불리는 성향으로 나눠 몸에 분속分屬시키는 방식을 이제마의 의학에 적용해 보자. 비도덕적 성향은 감관이 아닌 몸의 전면부와 후면부에 속한다. 그런데 턱 등에 속하는 것이 비도덕적이라는 것은 분명하지만, 선악이 도덕적 개념이 아닐 수 있다는 점에 주의해야 한다. 입은 맛있는 음식을 좋아한다는 말에 다름 아닐 수 있다. 감관과 사장의 관계에 대해서도 신중해야 한다. 병렬적으로 기술되어 있지만 병렬적이라고 단정해서는 안 된다. 사장의 성향이 감관에 반영되어 있다고 해석할 수도 있기 때문이다. 이 해석은 몸의 전면부와 후면부에 대한 설명에 토대한다.

인용문의 자랑하는 마음은 자랑하고픈 성향을, 교만한 마음은 교만한 성향을 말한다. 즉 몸의 전면부와 후면부에는 도덕적 성향과 상반되는 성향이 있다. 그런데 턱에 있는 교만함은 마음에서 연유한 것이다. 교만한

---

5. 『東醫壽世保元』: 耳好善聲, 目好善色, 鼻好善臭, 口好善味. … 肺惡惡聲, 脾惡惡色, 肝惡惡臭, 腎惡惡味. … 頷有驕心, 臆有矜心, 臍有伐心, 腹有夸心. 頭有擅心, 肩有侈心, 腰有懶心, 臀有慾心.

6. 『孟子』「告子章句上」: 從其大體爲大人, 從其小體爲小人,… 耳目之官不思, 而蔽於物. 物交物. 則引之而已矣. 心之官則思, 思則得之, 不思則不得也. 此天之所與我者.

마음이라고 하고 있다! 그렇다면 사실 비도덕적 성향의 연원은 심이라고 해야 할 것이다. 이 점은 조금 뒤에 다시 확인할 것인데, 우선 이 관계 즉 심과 턱 등의 관계에 집중해 보자. 사장과 감관의 관계에서도 같은 구도를 적용할 수 있을 것이다. 그렇다면 감관의 성향은 사장의 성향이 연유한 것이라고 해석할 수 있다. 어쨌든 성향을 중심으로 몸을 보고 있다는 것은 분명하다. 동아시아 신체관에서 유가 신체관이 차지하는 의미는 미미하지만, 어떤 유가 신체관도 성향과 발현을 중심으로 직조되어야 할 것이다.

이제마는 성향이 발현되는 메커니즘을 설명하기 위해 순順과 역逆이라는 개념을 사용했다. "선한 소리는 귀에 순하고 선한 색은 눈에 순하다. … 악한 소리는 폐를 거스르고 못난 색은 비장을 거스른다."[7] 순한 것을 따르지 않고 역한 것을 따르는 경우에는 몸의 질서가 무너진다는 것이 핵심이다. 그런데 순자도 순과 역을 사용했다. "간사한 소리가 사람을 감촉하면 역기가 응하고, 역기가 모습을 드러내면 어지러움이 생겨난다. 바른 소리가 사람을 감촉하면 순기가 응하고, 순기가 모습을 드러내면 다스려짐이 생겨난다."[8] 순자는 반응이 감촉에 따라 자연스럽게 생겨난다고 말하고 있다. 사람에게 특정한 성향이 있어서 어떤 자극에도 그 성향대로 발휘된다고 말하지는 않는다. 중립적이다. 이제마는 다르다. 그는 도덕적 성향의 발현이 아니라 자연적 성향의 발현에 관해 언급하면서 그런 성향에 위배되었을 경우 어지러움이 생긴다고 말한다.

---

7. 『東醫壽世保元』: 善聲, 順耳也. 善色, 順目也. … 惡聲, 逆肺也. 惡色, 逆脾也.
8. 『荀子』「樂論」: 凡姦聲感人而逆氣應之, 逆氣成象而亂生焉. 正聲感人而順氣應之, 順氣成象而治生焉.

이제마는 사람이 도덕적 성향을 지니고 있다는 맹자의 입장과도 다르다. 맹자는 사람이 특정한 상황에 놓이면 특정한 반응을 보인다고 말한다. 즉 물에 빠지려는 아이를 보면, 측은히 여기는 마음이 자연스럽게 생겨서 자신도 모르게 아이를 구해 준다는 것이다.[9] 맹자는 사람들에게 도덕적으로 발현되는 성향이 있다고 말한다. 이제마와 맹자의 차이점으로는 우선 이제마는 자연으로서의 성향을, 맹자는 도덕적 성향을 말한다는 점을 들 수 있다. 즉 이제마는 기호嗜好를, 맹자는 가치적 도덕성을 말한다. 그러므로 이제마는 성향에 위배되면 문제가 발생한다고 말한다. 그렇다고 이제마가 도덕적 성향을 언급하지 않는 것은 아니다. 도덕적 성향을 말하지 않는 신체관을 유가적 신체관이라고 할 수 있을까?

동아시아 신체관에서 오장은 특별한 위상을 지닌다. 그것은 마치 감자나 고구마 같은 뿌리식물의 뿌리와 같이 생명과 생명의 성향을 담고 있다. 또는 씨앗과 같다. 그러므로 오장에 성향이 있다는 말은 이상하지 않다. 씨앗에 식물의 유전자가 들어 있는 것과 같기 때문이다. 그러나 어떻게 감각기관에 모종의 성향이 있다고 할 수 있을까? 또는 감관으로 드러난다고 할 수 있을까? 생명이라고 할 수 있는 기氣가 오장에 담겨 있고, 오장과 감관이 연결되어 있다고 가정하기 때문일 것이다. 즉 사장에 담겨 있는 생명이 감관을 타고 외부와 교류한다는 생각 때문이다. 이제마는 기가 사장에 담겨 있음을 명시한다.

<hr />

9. 『孟子』「公孫丑章句上」: 今人乍見孺子將入於井, 皆有怵惕惻隱之心. 非所以內交於孺子之父母也, 非所以要譽於鄉黨朋友也, 非惡其聲而然也.

호연한 기는 폐·비·간·신에서 나온다. 호연한 리는 심장에서 나온다. 인·의·예·지라는 사장의 기를 확충하면 호연한 기가 이곳에서 나온다. 비鄙·박薄·탐貪·나懦의 심장의 욕구를 분명히 변별하면 호연한 리가 이곳에서 나온다.[10]

호연지기는 도덕성이 구족되어 마음에 어떤 거리낌도 없이 떳떳한 상태다. 이 상태에서는 모든 언행이 도덕성에 온전히 부합하고 마음은 이루 말할 수 없이 뿌듯함을 느낀다. 인의예지는 사장의 기가 지니고 있는 잠재적 성향이다. 결국 사장은 도덕적 성향의 소재지이기도 하다. 호연지기는 사장의 기운이 띠고 있는 도덕성과 도덕성의 온전한 발휘를 방해하는 인욕이 잘 정리되고 선별된 상태를 일컫는다. 이제마의 논리에 따르면 기는 도덕성의 발현을 위한 토대다. 기를 악의 근거라고 하는 성리학과 다르다. 그런데 이제마는 사장을 기준으로 사람을 넷으로 유형화한다. 익히 알려져 있는 태양인, 태음인, 소양인, 소음인이 그것이다.[11]

폐가 크고 간이 작은 이는 태양인이고, 간이 크고 폐가 작은 이는 태음인이며, 비가 크고 신장이 작은 이는 소양인이고, 역으로 신장이 크고 비장이 작은 이는 소음인이다. 사장은 본성의 토대이므로 사장의 차이는 도덕성의 차이라고 할 수 있는데, 사장은 결국 기의 그릇이므로 도덕성의 차이는 기의 차이라고 할 수도 있다. 각 장의 기운이 온전히 발휘되지 않

---

10. 『東醫壽世保元』: 浩然之氣, 出於肺脾肝腎, 浩然之理, 出於心. 仁義禮智四臟之氣, 擴而充之, 則浩然之氣, 出於此也. 鄙薄貪懦一心之慾, 明而辨之, 則浩然之理, 出於此也.

11. 『東醫壽世保元』: 肺大而肝小者名曰太陽人, 肝大而肺小者名曰太陰人. 脾大而腎小者名曰少陽人. 腎大而脾小者名曰少陰人.

는 것은 기 자체의 문제가 아니라 심장에 있는 욕심 때문이다. 그는 이런 욕심의 결과 비도덕적으로 되는 사람의 유형을 비루한 이, 나약한 이, 천한 이, 탐욕스러운 이의 넷으로 나눈다.[12]

그런데 심이 자신의 역할을 잘 수행하면 욕심을 제어할 수도 있다.[13] 즉 심장은 욕심의 소재지인 동시에 도덕적 수행 주체다. 심장 자체에 본래부터 존재하는 욕심은 폐·비·간·신 네 개의 장에 있는 도덕성이라는 기의 잠재적 성향의 발현과 경쟁하기도 하는데, 심장은 역으로 자신에게 있는 욕심을 제어함으로써 사장에 있는 도덕성의 기운이 잘 발현되게 만든다. 심장은 옳고 그름을 판별할 수 있다. 도덕 주체의 기능을 담당하는 심장은 특별한 위상을 지닌다. 이제마는 심장의 위상을 태극에 비유한다.[14] 그처럼 대단한 심장이 왜 도덕성의 연원이 아닐까? 왜 도덕성이 사장, 정확히 말하면 사장에 들어 있는 기에 있다고 한 것일까?

심을 주체로 보았다는 점에서 이 질문의 답을 찾을 수 있다. 즉 이제마는 자의식이 비도덕적 성향의 연원이라고 보았던 듯하다. 사장에는 각기 다른 도덕성과 각기 다른 기운이 분속해 있다. 이와 달리 심장은 도덕적 수행 주체로서 욕심을 제어하고 도덕성의 발현을 추동해야 한다. 따라서 이제마의 심장에는 기운이 들어 있지 않다. 매우 독특한 생각이다. 동아시아 신체관의 원형은 기운을 담고 있는 그릇이고 심장은 그런 기운이 흘러나오는 샘물과 같은 역할을 담당하기 때문이다. 심장은 기의 연원이

---

12. 『東醫壽世保元』: 人趨心慾, 有四不同. 棄禮而放縱者名曰鄙人. 棄義而偸逸者名曰懦人. 棄智而飾私者名曰薄人. 棄仁而極慾者名曰貪人.

13. 『東醫壽世保元』: 存其心者, 責其心也. 心體之明暗, 雖若自然, 而責之者淸, 不責者濁.

14. 『東醫壽世保元』: 五臟之心, 中央之太極也. 五臟之肺脾肝腎, 四維之四象也.

어야 한다. 이제마는 다르다. 이유가 무엇일까? 자연과 도덕을 구분하면서 도덕/비도덕의 문제를 심장에 전속시켰다고 해석할 수 있다. 이 해석에 따르면 사장에 들어 있는 기운은 본래 도덕적 성향으로부터 중립적인데, 심의 기능에 의해 도덕화되는 것이라고 할 수 있다. 호연지기가 그 결과다.

이제마는 자연으로서의 사장을 폐와 간 그리고 비와 신으로 짝 지운다. 앞서 보았듯이 폐와 간은 태양인과 태음인을 구분하는 기준이고, 비와 신은 소양인과 소음인을 구분하는 기준이다. 오장의 오행 배당에 따르면 간과 폐는 몸의 좌우에 위치하고 비와 신은 중앙과 북방에 위치하는데, 심장을 제하면 비장이 위에 신장이 아래에 있다고 할 수 있고, 폐와 간도 폐가 위에 간이 아래에 있다. 따라서 양과 음에는 이런 위상의 구도가 반영되어 있을 것이라고 추정할 수 있다. 즉 위에 있는 폐는 간에 비해서는 양하고 간은 폐에 비해서는 음하다. 비장은 신장에 비해서는 위에 있으므로 양하다. 그런데 왜 간과 폐, 비와 신을 함께 묶었을까? 오장의 오행 배당에 따르면 간과 폐는 체간의 양옆에 자리하고 있어서 짝이 되기 때문이다. 즉 금에 해당하는 폐는 서쪽에, 목에 해당하는 간은 동쪽에 있어서 서로 대응한다. 이제마는 이런 점을 고려했을 것이다.

다른 해석도 가능하다. 이제마에 따르면 폐대간소한 태양인은 슬픔의 기본 정서가 노여움의 감정으로 나타나고, 간대폐소한 태음인은 즐거움의 기본 정서가 기쁨의 감정으로 나타난다. 비대신소한 소양인은 노여움의 기본 정서가 슬픔의 감정으로, 신대비소한 소음인은 기쁨의 기본 정서가 즐거움의 감정으로 나타난다.[15] 그런데 이제마는 슬픔과 노여움의 기운은 위로 올라가고 즐거움과 기쁨의 기운은 아래로 내려간다고 말한다.[16]

음양의 기준은 기운의 상승과 하강을 따라 정해졌을 가능성도 있다. 즉 태양인과 소양인은 슬픔과 노여움의 정서적 성향을 보이므로 기운이 상승하고, 태음인과 소음인은 기뻐하고 즐거워하는 정서적 성향을 지니고 있으므로 기운이 내려간다는 점에 근거했을 가능성도 있다. 물론 장의 위치와 장에 들어 있는 기운의 성향이 모두 고려되었을 수도 있다.

그런데 이제마는 특이하게도 폐와 간에 호흡을, 비장과 신장에 곡식의 출납 기능을 배속한다. "폐는 날숨을 쉬고 간은 들숨을 쉰다. 따라서 간과 폐는 기액을 호흡하는 문호다. 비는 곡식을 받아들이고 신장은 곡식을 내보낸다. 따라서 신장과 비장은 수곡의 출납을 관장하는 창고와 같다."[17] 의학적 신체관과 수행 신체관을 대별하는 기준 중 하나는 곡식을 먹는가에 있다. 따라서 사장에서 간폐와 비신을 호흡과 곡식 즉 천기와 지기의 흡입에 배당한 것은 특이한 일이다. 내단호흡에서는 간과 폐가 각각 좌우에서 기운의 순환을 담당한다. 이제마가 이 점을 염두에 두고 있었다면, 그가 수행과 의학의 신체관을 결합시켰다고 평가할 수도 있을 것이다. 연원을 중심으로 이제마의 신체관을 고찰하는 것은 몹시 복잡한 작업을 요한다.

---

15. 『東醫壽世保元』: 太陽人哀性遠散而怒情促急. 哀性遠散, 則氣注肺而肺益盛. 怒情促急, 則氣激肝而肝益削. 太陽之臟局, 所以成形於肺大肝小也. 少陽人怒性宏抱而哀情促急. 怒性宏抱, 則氣注脾而脾益盛, 哀情促急則氣激腎而腎益削. 少陽之臟局, 所以成形於脾大腎小也. 太陰人喜性廣張而樂情促急. 喜性廣張則氣注肝而肝益盛, 樂情促急則氣激肺而肺益削. 太陰之臟局, 所以成形於肝大肺小也. 少陰人樂性深確而喜情促急. 樂性深確則氣注腎而腎益盛, 喜情促急則氣激脾而脾益削. 少陰之臟局, 所以成形於腎大脾小也.
16. 『東醫壽世保元』: 哀怒之氣上升, 喜樂之氣下降.
17. 『東醫壽世保元』: 肺以呼, 肝以吸, 肝肺者, 呼吸氣液之門戶也. 脾以納, 腎以出, 腎脾者, 出納水穀之府庫也.

이제마는 사장에 들어 있는 기운의 움직임을 병리학의 맥락에서 설명한다. "슬픔의 기운과 노기가 역으로 움직이면 폭발해서 위로 쏠리고, 즐거워하고 기뻐하는 기가 역으로 동하면 제멋대로 일어나서 기운이 아래로 쏠린다. 위로 올라가는 기운이 무질서하게 움직여 기운이 위로 쏠리면 간과 신장이 상하고, 아래로 내려가는 기운이 제멋대로 움직여 아래로 쏠리면 비와 폐가 상한다."[18] 간과 신은 폐와 비에 대해서는 아래에 있는 음한 장이고 폐와 비는 간과 신장에 대해서는 양한 장으로 위에 있다고 해서 이처럼 말한 것이다. 그는 기존의 의학에서는 음식과 외인이 질병이 된다는 것만 알았고 마음이 병이 된다는 것을 알지 못했음을 지적한다.[19]

유가 윤리학에서 정서의 적절성은 도덕적 옳음과 관련된 문제다. 즉 불쌍한 사람을 보면 측은한 마음이 드러나야 하고, 옳지 못한 일을 보면 부끄러워하거나 분노할 줄 알아야 한다. 맹자는 정서적으로 적절히 반응하지 못한다면 사람이 아니라고까지 말한다.[20] 따라서 유학자의 마음이 병이 된다는 것을 알지 못했다는 것은 도덕적 문제가 병인임을 알지 못했다는 말과 같다. 이미 말했듯이 그리고 주지하듯이 유가 윤리학은 도덕성의 소재와 발현이 골간을 이룬다. 『동의수세보원』의 신체관은 성향과 반

---

18. 『東醫壽世保元』: 哀怒之氣逆動則, 暴發而竝於上也. 喜樂之氣逆動則, 浪發而竝於下也. 上升之氣 逆動而竝於上, 則肝腎傷. 下降之氣, 逆動而竝於下, 則脾肺傷.

19. 『東醫壽世保元』: 蓋古之醫師, 不知心之愛惡所欲, 喜怒哀樂偏着者爲病, 而但知脾胃水穀, 風寒暑濕觸犯者爲病. 그러나 감정이 병인이 된다는 것은 일찍부터 알려져 있던 사실이다. 감정이 병인이 될 수 있다는 점을 강조한 말로 해석해야 할 것이다.

20. 『孟子』「公孫丑章句上」: 無惻隱之心, 非人也, 無羞惡之心, 非人也, 無辭讓之心, 非人也, 無是非之心, 非人也.

응이라는 유가 윤리학의 기본 구도를 의학적 맥락에서 재해석한 것이라고 평가할 수 있다. 물론 수행과 의학은 목적이 다르다.

의학의 모델이 질병에 든 사람임에 반해 수행은 그렇지 않다. 수행은 정상인을 정상보다 높이 고양시키는 것이고, 의학은 정상 상태를 회복토록 하는 것이다. 모두 자신의 질적 변화를 목적으로 하지만 방향이 다르다. 그러나 경계는 명확하지 않다. 정상의 기준이 어디인지 생각해 보라. 더군다나 질병의 치료가 더 나은 쪽으로 자신을 변화시킬 수도 있고, 자신을 고양시키려는 노력이 질병을 치료할 수도 있다. 그러므로 수행과 의학은 종종 뒤섞이기 마련이다. 이제마는 수행과 의학의 경계를 좀 더 과감하게 넘나들었다. 감정은 수행과 의학의 경계를 쉽게 무너뜨린다. 그 결과 유가 수행론이 의학의 일부로 들어왔다. 그런데 사실 한의학은 유학이 아닌 도가 철학과 가깝다.

동아시아에 유가 수행론에 근거한 의학이 있었던가, 이제마의 『동의수세보원』 이전에. 동아시아 몸의 역사는 도가·도교의 역사다. 이제 이 책의 여정은 동아시아의 몸이 시작되던 때로 거슬러 올라가야 할 것으로 보이지만, 그전에 몸을 보는 현대인의 서구적 편견을 극복하고 동아시아 몸의 외연을 정하는 작업이 선행되어야 한다.

II

몸과 마음

서양인의 몸이 아닌 우리의 몸을 보고자 할 때 우선 극복해야 할 두 가지 편견이 있다.

첫째, 우리가 그들과 다르다는 편견이다. 이것은 주로 내용과 관련되어 있다. 심신이원론은 몸과 마음이 독립된 존재라는 뜻이다. 몸은 마음이 없어도, 마음은 몸이 없어도 존재할 수 있다. 이상해 보일 것이다. 마음과 몸의 상호작용은 양자를 고립된 존재가 아닌 것처럼 보이게 만들기 때문이다. 상식적으로 보이는 마음과 몸의 관계를 설명하는 것이 심신이원론의 난점이다. 동양의 지성은 상호의존성을 강조해 왔다. 마음과 몸 그리고 사람과 우주는 다양한 맥락에서 상호의존적이다. 무엇인가 독립적으로 존재한다는 것은 동양과는 어울리지 않는다. 그렇다면 동양 전통에는 심신이원론적 사고방식이 없거나 있더라도 소수의 생각에 불과하지 않았을까? 그렇지 않다.

둘째, 우리가 그들과 같다는 생각이다. 이것은 주로 문제의식과 관련되어 있다. 동양의 철학자들도 심신관계에 대해 많은 고민을 했을 것이라는 생각도 동양에 심신이원론이 없었다고 속단하는 것과 마찬가지로 엉뚱하다. 인류는 비슷하다. 많은 것을 공유한다. 어떤 것은 보편적이라고 할 수 있다. 그러나 똑같지도 않다. 인류는 심신이원론적 사고를 피할 수 없었던 것처럼 보이지만, 심신이원론이 모든 문화권의 공통된 핵심 주제는 아니었다. 다른 주제와 마찬가지로 몸에 관해 이야기할 때도 또 몸을 고찰하기 위한 예비 작업으로 심신관계를 고찰할 때도 이와 같은 두 가지 상반되어 보이는 편견을 피하기 위해 노력해야 한다. 어떻게 할 것인가? 편견을 씻어 내야 한다.

심신이원론과 심신일원론을 비판적으로 검토함으로써 편향을 극복하고 목표를 분명히 정하는 것이 이 장에서 할 일이다. 먼저, 심신이라는 표현이 적절한지 생각해 볼 것이다. 간단한 개관만으로도 신身이 물리적 몸을 지칭하기에는 적합하지 않은 글자임을 알 수 있다. 신은 몸이 아니라 오히려 자아를 의미하는 경우가 많다. 둘째, 심신일원론이 성립 가능한지 확인해 볼 것이다. 그동안 심신일원론을 주장한 국내의 연구는 신유학을 정립한 송대의 주희 철학에 국한되었다. 주희를 벗어나면 심신이원론을 암시하는 수많은 자료를 확인할 수 있다. 주희는 동아시아의 대표 철학자 중 한 명일 뿐, 동아시아 철학 자체를 대표하지 않는다. 또한 그의 철학 체계에는 작지 않은 그림자가 있다. 동아시아 지성사에는 심신일원론과 심신이원론을 지지하는 자료가 병존한다. 어떻게 해야 할까?

심신관계론의 배후에 있는 가정을 검토해 봐야 한다. 심신관계론은 정신과 물질의 관계에 대한 인간적 탐색이다. 즉 그 배후에는 정신과 물질의 이원론적 관계가 전제되어 있다. 이원론자의 설명에 따르면 정신과 물질은 다른 존재다. 이처럼 정신과 물질을 세계를 구성하는 두 개의 독립된 실체로 보는 구도가 먼저 정지를 가설하고 그로부터 움직임을 설명하려는 입장과 상호 함축적이라고 가정해 보자. 그리고 이런 관점이 심신이원론에 투영되어 있다고 생각해 보자. 동아시아의 주류 지성은 세계가 언제나 변하고 있다고 생각했다. 변하고 있다는 말에는 시작으로서의 원인과 종점으로서의 목적이 부재하다는 뜻이 들어 있다. 세상은 그 자체로 자족적이어서 외부에서 다른 존재가 개입할 필요도 없다. 요컨대 심신의 구도로는 동양의 인간관을 설명할 수 없고 인간관의 배후에 있는 세계관도 이해할 수 없다. 새로운 구도를 찾아내야 한다.

생각해 보자. 어떤 사람이 임종을 맞고 있다. 죽기 직전의 몸과 죽은 직후의 몸을 비교해 보라. 둘 사이에는 물질적 차이가 없다고 가정할 수 있다. 그러나 둘 사이에는 극복할 수 없는 간극이 있다. 전자에는 생명이 있고 후자에는 없다. 생명이 양자를 가른다. 생명을 포착한 개념어가 기氣다. 기는 모든 생명의 연원이자 생명 그 자체다. 동아시아인들은 정지되어 있는 물질이 아니라 변화하고 있는 생명에 주목했다. 그들은 주로 생명을 보았으므로 아지랑이나 구름 등에서 연원한 글자인 기에 초점을 맞췄다. 기는 세계에 편재하다. 몸을 쉼 없이 출입하면서 우주와 이어 준다. 우주와 이어진 몸은 우주의 리듬에 따라 공명한다. 그러나 생명 작용의 독특한 현상으로 나타난 심이 심리 현상의 중심이 됨으로써 몸을 기준으로 나와 세상을 나누는 습성이 생겼다. 몸의 생명 작용으로 등장한 심이 오히려 자신이 몸의 주인이라고 말하곤 했다.

이처럼 존재를 개별화하는 심은 욕망의 근원으로서, 변화를 목적하는 수행론의 극복 대상이다. 심과 기는 우주적 존재와 개별적 존재를 상징하고 심을 극복하고 기의 편재성을 회복하는 것이 동아시아 수행론의 주요한 목적이었다. 춘추·전국 시기의 문헌을 일견하면 심과 기가 당대의 주요 논제였음을 알 수 있다. 우선 상반된 두 구절만 생각해 보자. 노자는 마음이 기를 부리는 것을 억지스럽다고 말하며 마음을 비우고 배를 채우라고 권했다.[1] 맹자는 지志 즉 심心이 기의 장수이며 말에서 의미를 얻지 못하면 마음으로 사려해서 깨우치라고 했다.[2] 노자는 기를, 맹자는 심을 중시했다. 당연히 예라는 인간의 질서를 중시하는 맹자와 오히려 자연을 중시하는 노자의 차이를 확인할 수 있다. 그러므로 동아시아 인간관에서는 심신관계가 아니라 심과 기의 관계를 물어봐야 한다. 더불어 기를 담고 있는 그릇으로서의 육체에 관해 질문해야 한다.

심과 기의 논쟁이 주요한 문제였다면 그리고 기가 심리생리적이라면 동아시아의 몸은 생명과 생명을 담고 있는 그릇의 결합체로 규정할 수 있다. 육체는 그릇에 불과하다. 그릇이 중요한가? 그렇지 않다. 그릇과 마음을 구분하지 않았는가? 그렇지 않다. 구분했다.

---

1. 『道德經』 제55장: 心使氣曰强; 『道德經』 제3장: 是以聖人之治, 虛其心, 實其腹, 弱其志, 强其骨.
2. 『孟子』 「公孫丑上」: 夫志, 氣之帥也; 『孟子』 「公孫丑上」: 不得於心, 勿求於氣, 可, 不得於言, 勿求於心, 不可.

1. 몸과 마음

마음

현대의 한국인은 심신心身이라는 표현을 몸과 마음의 번역어로 자연스럽게 받아들이는 듯하다. 동아시아의 몸과 마음에 관해 연구하는 이들도 심신이라는 표현을 별다른 반성 없이 사용하는 경향이 있다. 예를 들어, 에임스Roger Ames 등이 엮은 『몸으로서의 자신에 관한 아시아의 이론과 실천Self as Body in Asian Theory and Practice』에 실린 엘빈Mark Elvin의 논문은 "Tales of Shen and Xin: Body-Person and Heart-Mind in China during the Last 150 Years"이다. Shen은 신身이고, Xin은 심心이다. 또한 임헌규와 주재완 등 동양의 몸과 마음에 관한 논의를 전개한 국내 학자들도 심신이라는 표현을 사용하고 있다. 예를 들어 임헌규의 논문 중 한 편은 「주자의 심신관계론과 현대의 심리철학」이고, 주재완의 논문은 「심신 문제의 주자학적 해결에 대한 과정철학적 고찰」이다.

주자 철학에 한정되지 않고 보다 넓은 맥락에서 동아시아의 몸과 마음 문제를 다루는 논문들도 심신이라는 표현을 사용했다. 예를 들어, 유아사 야스오湯浅泰雄의 『몸과 우주身體の宇宙性』를 리뷰한 이승건과 안용규의 논문은 「유아사 야스오의 동양철학적 심신관」이고, 동양 의학의 기 개념을 중심으로 이 문제를 고찰한 최복희의 논문은 「동양 철학에서 기 개념과 심신 이론의 현대적 의미」다. 그러나 우리가 말하는 몸, 전통적인 동양의 몸이 서양 철학 전통의 심신관계론에서 말하는 'body'에 부합할까? 그보다 서양 철학의 'mind and body'를 번역할 때의 '심신'이라는 표현이 적절한가? 먼저 말하자면 심신관계론의 심신이 완전히 잘못된 번역어는 아니다. 그러나 온전히 부합하지도 않는다. 보다 나은 번역어를 조합해 내거나 생각해 볼 수 있다.

사실 번역은 사소한 문제다. 심신보다는 심체心體 또는 심형心形이 보다 적절하다고 보는 것은 몸과 마음에 관한 본격적 고찰을 위한 예비 작업에 불과하다. 본질적 문제는 동양의 마음과 몸, 특히 몸이 심신관계의 신과 부합하지 않는다는 점에서 발생한다. 동양의 몸이 서양의 몸과 다르다는 사실은, 서양의 심신관계가 동아시아의 지성을 읽어 내기에 적합한 구도가 아니며 동양의 인간관과 세계관을 왜곡시킬 가능성을 함축하고 있다. 심신관계가 결국 '사람이란 무엇인가'라는 질문에 대한 대답이라는 점을 생각해 보자. 동양의 몸과 서양의 몸이 다르다는 것은 사람을 보는 서양과는 다른 동양적 프레임의 존재를 암시한다. 그 프레임을 찾아냄으로써 이 책의 주제인 몸의 경계를 정하는 것이 이 장의 목적이다. 서양의 관점을 배제하고 동양의 몸과 마음을 고찰해 보자.

동아시아의 심은 작게는 세 가지, 크게는 네 가지의 의미를 지닌다. 하나는 기관으로서의 심 즉 심장이다. 한의학의 오장에 속하는 심장이 대표적인데, 맹자가 심이라는 기관은 생각한다고 할 때의 심도 여기에 해당한다.[3] 기관으로서의 심은 심장 이식수술이라고 할 때의 심장心臟이라는 체간의 상부 중앙에 위치한 근육덩어리를 상기시킬 것이다. 그러나 뒤의

---

3. 『孟子』「告子章句上」: 心之官則思.

해부에 관한 설명 등에서도 알 수 있듯이, 동아시아의 관점은 구조적이기보다는 기능적이다. 이 말은 심장과 같은 신체기관이 물리적 기관이라기보다는 기능적 복합체에 가깝다는 의미다. 사실 심장心臟이라는 단어에서도 이 점을 눈치 챌 수 있다. 물리적 기관이라면 육달월 부가 붙은 臟이라고 하는 것이 적절하다. 藏이라는 글자를 사용한 배후에는 생명을 저장하는 기능을 중시하는 태도가 전제되어 있다.

이런 특성은 특히 한의학의 중요 기관 중 하나인 삼초三焦에서 분명히 확인할 수 있다. 몸의 수액 대사를 담당하는 삼초라는 기관은 몸통의 위쪽에서 아래로 수액을 흘려보내는 역할을 한다.[4] 정의상 삼초는 체간 전체에 걸쳐 있어야 한다. 당연히 정확히 대응하는 기관이 없다. 그럼에도 불구하고 삼초는 육부 중 하나의 위치를 점하고 있다. 한의학의 육부는 위·대장·소장·방광·담·삼초의 여섯으로 되어 있다. 삼초라는 무형의 기능을 특정한 기관으로 지칭하는 태도에서 구조보다 기능을 중시하는 동아시아인의 사유 방식을 엿볼 수 있다. 심장도 삼초처럼 모종의 기능을 담당하는 기능 복합체다.

물론 기능 복합체라는 말이 물리적 기관이 아니라는 뜻은 아니다. 삼초는 다양한 기관의 유기적 관계에 의거한 기능 복합체이고, 심장도 심장이라는 물리적 기관에 한정되지 않는 기능 복합체로서 독립된 하나의 물리적 기관이라고 할 수 없다는 의미일 뿐이다. 특기할 점은 기능 복합체로서 심장은 혈기의 순환이라는 물리적 기능뿐 아니라 심리적 기능도 담

---

4. 『難經』「三十一難」: 三焦者, 水穀之道路, 氣之所終始也; 『素問』「靈蘭秘典論」: 三焦者, 決瀆之官, 水道出焉.

당한다는 사실이다. 즉 맹자가 말하고 있듯이 심은 사유를 담당하는 기관이기도 하다. 사실 유기체에서는 구조적으로 독립적인 기관은 존재하지 않고, 층위가 다른 단위(조직과 기관 또는 분자와 조직 등)에서는 질적으로 다른 특성이 나타난다. 예를 들어, 사람이라는 유기체에는 유기체를 구성하는 심장이나 폐 같은 기관에 없던 현상이 나타난다. 따라서 기능 복합체로서 심장이 특정한 물리적 기관과 정확히 대응하지 않고 사려나 계산 등의 심리적 작용을 한다고 해도 기능 복합체로서의 심장을 심신관계론의 신에 포함시키는 데는 문제가 없다. 요컨대 심장으로서의 심은 마음이 아니라 몸이다.

　둘째는 마음에 일어나는 현상으로서의 심이다. 현상으로서의 심은 인지적 현상과 정서적 현상으로 대별할 수 있다. 희로애락의 감정은 정서적 현상으로, 사려·판단·계산·숙고 같은 것은 인지적 현상으로 나눌 수 있다. 인지적 현상은 두말할 것도 없이 현상으로서의 심에 속한다고 해야 할 듯하다. 그러나 사려는 떠오른다기보다는 의지적으로 수행한다고 말해야 할 것이다. 이 점은 자동적으로 현현하는 희로애락의 정서와 비교해 볼 때 비교적 분명히 알 수 있다. 정서는 숙고나 계산처럼 의지를 수반하는 심리적 현상과 달리 자동적으로 떠오른다. 인지와 정서는 모두 심리적 현상이라고 억지스럽게 말할 수도 있겠으나, 엄밀히 말하면 맹자가 말한 측은히 여기는 마음은 심리적 현상이고 사려는 심의 작용이라고 해야 할 것이다. 사려로 대표되는 인지적 기능과 희로애락으로 대표되는 정서적 현상은 모두 마음에 속한다. 그런데 동아시아 전통에서도 서양과 유사하게 마음을 이성적인 능력으로 한정하는 경우가 있다. 마음을 이성적 능력으로 한정하면 감정은 마음에 속하지 않는다. 당연히 몸에 속하지도 않는다. 감정을 어디에 포함시켜야 할까?

셋째는 주체로서의 심이다. 소박하게 말하면 심신관계론에서 심은 몸의 행동을 지시하고 신체기관인 감각기관에서 수용한 정보를 취합·판단·정리하는 역할을 한다고 규정할 수 있다. 몸은 마음을 대리하거나 마음을 위해 예비 작업을 하는 존재로서 아무래도 종속적으로 이해되는 측면이 있다. (물론 현재의 인지과학적 성취, 특히 체화된 인지 관련 논의를 고려하면 이런 생각은 어리석고 고집스러운 편향에 불과하다.) 수행을 중심으로 하는 동양 지성에서는 주체로서의 심이 몸보다는 마음을 통어하는 역할을 한다. 성리학에서 말하는 심통성정心統性情에서의 심이 바로 주체로서의 심이고, 성정은 각각 마음의 성향과 현상이다. 주체로서의 심이 몸이 아닌 마음의 현상과 성향을 통제한다는 측면에 초점이 맞춰져 있다면, 심신의 구도는 동양 지성을 읽어 내기에 적절하지 않다. 그런데 주체로서의 심은 사실 직전에 말한 인지적 기능에 다름 아니다. 즉 심장이라는 기능 복합체의 기능이다. 이것은 가장 작은 의미의 마음이다. 뒤에 살펴보겠지만 이런 마음은 기에 대비된다.

끝으로 성향으로서의 심이 있다. 성향으로서의 심은 성性이라고 불린다. 대체로 수행의 대상 즉 주체로서의 심이 수정 또는 양육하고자 하는 대상이다. 성향은 당연히 마음에 속한다고 해야 할 것이다. 性이라는 글자 자체가 타고난 마음 즉 '忄(心)+生'이지 않은가? 성을 물리적이라고 할 수 있을까? 작은 의미의 마음 즉 이성에 부합하는 마음에는 포함되지 않는다. 이 마음은 성을 수정의 대상으로 삼으므로 성을 포함하지 않기 때문이다. 넓은 의미의 마음에는 정서의 성향이 포함된다. 동양에서의 성은 정서가 발생하는 성향으로 대표되는데, 정서는 당연히 넓은 의미의 마음에 포함되기 때문이다. 정서의 성향은, 예컨대 특정한 상황에서 슬픔을 느꼈다면 그런 슬픔이 발생할 성향이 있었다고 할 때의 그것이다. 물론 성향은 정서 자체는 아니다. 그리고 정서의 성향이 아닌 성향도 있다. 그렇다면 성은 몸에도 포함되는가? 순자는 공경을 체體한다고 했다.[5] 체는 물리적 육체다. 공경을 체한다는 것은 몸의 움직임이 공경스럽게 된다는 뜻이다. 그렇다면 몸에도 성향이 있게 된다. 사실 배가 고파 무엇인가를 먹고 싶어 하는 것은 몸의 성향이라고 해야 하지 않는가?

뒤에 다시 보겠지만, 맹자는 도덕적 성향은 심장에 속하고 욕구라고 불리는 성향은 눈·귀·코·입 같은 감각기관에 속한다고 말했다. 그러나 모든 성향이 육체로서의 몸에 속하지는 않는다. 맹자는 측은히 여기는 마음 즉 측은지심으로 나타나는 도덕적 성향이 심장에 있다고 했는데, 감정으로 발현되는 성향이 물리적 기관으로서의 심장에 있다는 말을 축자적으로 받아들이기는 어렵다. 그렇다면 가능한 해석은 하나뿐이다. 맹자는 사람을 구성하는 요소 중 무엇인가를 배제했다! 그것은 육체도 아니고 인지적 작용도 아니며 정서적 현상도 아니다. 맹자는 기를 말하지 않았다. 물론 호연지기 등의 개념에서 알 수 있듯이, 기를 중요한 개념으로 사용하는 인상을 준다. 그러나 맹자 철학을 개관하면 호연지기 등은 그의 철학 체계 속에 포함되지 못하고 겉도는 개념임을 알 수 있다. 즉 호연지기를 제해

---

5. 『荀子』「修身」: 體恭敬.

도 그의 철학에는 문제가 생기지 않는다. 군불 때는 부지깽이인가? 맹자의 기는 중요하면서도 중요하지 않은 이상한 개념이다. 이런 기이해 보이는 태도의 배경에 대해서는 뒤에 설명할 기회가 있을 것이다. 우선 성향 중 몸의 성향이 아닌 어떤 것은 기의 성향이라고 정리해 두자.

심이라고 불리는 것 중 어떤 것은 몸에 속하고 어떤 것은 마음에 속한다. 그중 이성에 대응하는 것도 있다. 주체로서의 심이 그것이다. 따라서 심을 'mind and body'의 'mind'에 대응시키는 것이 불가능하지는 않다. 불가능하기는커녕 이성으로서의 심은 심 개념 전체를 대표한다고도 평가할 수 있다. 유가의 역할이 컸다.

몸

심신관계라는 표현에서 신은 육체를 가리킨다. 그러나 현대어 '자신'을 생각해 보라. 나 자신이라고 할 때의 자신은 몸이 아니라 자아를 가리킨다. 신은 본래 몸이 아니라 자신이라는 뜻으로 사용되던 글자다.[6]

왕이 어떻게 내 나라를 이롭게 할 수 있는가라고 말하면 대부는 어떻게 나의 집안을 이롭게 할 것인가라고 하고, 선비와 서인은 어떻게 자신을 이롭게 할 것인가라고 말합니다.[7]

---

6. 이상선은 신에 정신적이고 도덕적인 요소가 있다고 해석하면서, 물리적 몸인 신에 기와 지 등이 결합되어서 그런 특성을 지니게 되었다고 보았다. 이상선, 「맹자의 신체 개념과 호연지기」, 《동서철학연구》 64, 한국동서철학회, 2012, 109쪽. 그러나 신이 본래 몸을 가리키는 글자였는가? 맹자의 신은 물리적 신체와 달리 육체와 정신을 결합한 총체로서의 자신을 가리키는 의미로 사용되었다.

저의 대에 이르러서 동쪽에서 제나라에 패하여 장자가 그곳에서 죽었습니다.[8]

"대대로 지켜 온 곳이다. 내가 어쩔 수 있는 것이 아니다"라고 말하곤 죽음을 무릅쓰고 떠나지 않았다.[9]

임금께서 자신을 가볍게 하여 먼저 필부에게 간 것은 왜입니까?[10]

예문은 모두 『맹자』에서 인용했는데, 신은 자신이라는 의미에 가깝다. 육체가 아니다. 맹자의 자아는 사회적 맥락에서 규정된다. 맹자의 신은 사회적 자아를 가리키는 글자다. 장자는 당연히 다르다. 도가에서도 사회적 책무를 부정하지는 않으나, 그것이 본질이라고 보지는 않기 때문이다. 그래도 자아라는 뜻을 잃지는 않았다. 장자의 신은 '몸'과 '자신'에 걸쳐 있다.

그 몸이 이러저러한 이라도 자신을 길러 천수를 마칠 수 있다.[11]

독督을 따라 기준으로 삼으면 자신을 보존할 수 있고 생명을 온전히 할 수 있다.[12]

---

7. 『孟子』「梁惠王章句上」: 王曰, 何以利吾國? 大夫曰, 何以利吾家? 士庶人曰, 何以利吾身?
8. 『孟子』「梁惠王章句上」: 及寡人之身, 東敗於齊, 長子死焉.
9. 『孟子』「梁惠王章句下」: 世守也, 非身之所能爲也. 效死勿去.
10. 『孟子』「梁惠王章句下」: 何哉, 君所謂輕身以先於匹夫者.
11. 『莊子』「人間世」: 夫支離其形者, 猶足以養其身, 終其天年.
12. 『莊子』「養生主」: 緣督以爲經, 可以保身, 可以全生.

일의 실정을 따라 행하고 자신을 잊는다.[13]

삼가고 삼가라. 너 자신을 바르게 하라.[14]

사회적 자아를 가리킨다고 말하기 어렵다는 점을 제하면 대체로 맹자의 용례와 부합한다. 신이 '몸'을 함축하고 있다고 볼 수 있는 경우도 있지만, 물리적인 몸만을 가리킨다고 단언할 수 있는 경우는 드물다. 좀 투박해 보일 수 있으나 신은 몸과 마음의 총체로서 자신을 가리킨다고 규정할 수 있다. 에임스의 신에 관한 정의는 이것과 정확히 부합한다.[15] 슈스터만Richard Shusterman은 신을 사회적 관계와 배움·경험·행동과 반성을 통해 축적된 습관, 가치 그리고 성격에 의해 정의된 개인적인 사람 또는 특별한 사회적 자아라고 명시했다.[16] 약간의 차이가 있기는 하지만 신이 심신 총체로서의 인간을 가리킨다는 점은 틀림없다. 신은 심신관계론에서 심과 대비되는 의미로 사용될 수는 있으나, 억지스럽다. 심신관계의 물리적 몸을 나타내기에 적합한 글자가 있을까?

몸과 관련된 단어로 신 이외에도 체體, 형形, 구軀 등이 있다. 현대 한국인은 구를 종종 시체 즉 죽어 있는 몸을 나타내는 단위로 사용한다. '시체 몇 구가 발견되었다'는 투의 말을 들어 봤을 것이다. 그러나 『순자』「권

---

13. 『莊子』「人間世」: 行事之情而忘其身.
14. 『莊子』「人間世」: 戒之, 愼之, 正汝身也哉.
15. Roger T. Ames, "The Meaning of Body in Classical Chinese Philosophy," *Self as Body in Asian Theory and Practice*, Thomas P. Kasulis, Roger T. Ames and Wimal Dissanayake eds. (New York: University of New York, 1993), p.165.
16. 리처드 슈스터만, 『몸의 의식』, 이혜진 옮김(서울: 북코리아, 2010), 16쪽.

학」편과 『맹자』에서 다른 용법을 확인할 수 있다. 『순자』「권학」편에서는 "입과 귀 사이는 네 치일 뿐이니, 어떻게 칠 척이나 되는 몸軀을 아름답게 만들 수 있겠는가"[17]라고 했다. 입과 귀가 네 치에 불과하다는 것은 자신을 변화시키는 데까지 이르지 못하고 단순한 지식에 그친 배움을 칭하는 말로, 인용문은 그런 배움으로는 몸을 아름답게 변모시킬 수 없다는 뜻이다. 『맹자』에는 "재주 있는 소인이 군자의 대도를 배우지 못하면 구를 죽이고 말 것"[18]이라는 말이 있다. 이때의 구는 물리적 몸에 틀림없는데, 체에서도 보이는 약간 복잡한 문제가 있다. 심신관계에서 앎은 심의 관할이고 원칙적으로 신은 앎과 무관하다고 간주된다. 그러나 구는 앎의 능력을 지니고 있다.

이 점은 체體도 마찬가지여서 체에도 앎의 능력이 있다고 간주된다. 앞서 말했듯이 순자는 「수신」편에서 공경을 체득한다고 말했다.[19] 그러므로 동아시아적 관점에서는 몸이라고 해도 앎의 능력을 배제할 수 없음을 알 수 있다. 순자는 단순히 지식을 쌓는 식의 배움을 경시하고 있는데, 그가 경시한 앎은 마음으로만 익히는 지식으로서의 앎이다. 그러므로 어떤 측면에서 보자면 동아시아의 공부는 오히려 몸을 통한 배움을 중시했다고도 할 수 있다.

이 문제는 다른 기회에 더 말하기로 하고, 우선 정리하자면 순자의 몸은 현대인이 마음에 전속되어 있다고 생각하는 앎의 능력을 분담한다고

---

17. 『荀子』「勸學」: 口耳之間則四寸耳, 曷足以美七尺之軀哉.
18. 『孟子』「盡心章句下」: 其爲人也小有才, 未聞君子之大道也, 則足以殺其軀而已矣.
19. 『荀子』「修身」: 體恭敬而心忠信.

할 수 있다. 게다가 습득된 앎은 몸의 변화를 추동한다. 『대학』에서는 공부가 물리적 몸에 변화를 일으킨다는 점을 명시하고 있지 않은가.[20] 순자도 이 점을 확인해 준다. 이상적인 공부는 몸으로 행동으로 나타난다.[21]

『장자』에는 구軀가 모두 다섯 번 보이는데 그중 세 번은 형形과 함께 쓰였다. 내편에는 구가 한 번도 보이지 않는다. 형구形軀는 확실히 외형으로서의 몸을 가리킨다.[22] 그리고 다음 예문에서 구는 물리적 몸을 의미함에 틀림없다. "큰 짐승이 자신의 몸을 숨길 곳이 없다."[23] 이곳의 구는 앞서 말한 시체를 나타낼 때의 용례와 부합하는 측면이 있다. 짐승을 가리키기 때문이다. (데카르트가 동물을 기계 또는 시체처럼 생각했다는 점을 상기해 보라.) 구의 용례는 사람과 짐승 사이에 모종의 차이점을 부여하고 있었다는 점을 상기시킨다. 그런데 어떤 예문에서 구는 물리적 몸에 한정되지 않는다. "알지 못하면 사람들이 나를 어리석다 할 것이고, 지혜가 많다면 도리어 나 자신을 수심에 젖게 만들 것이다. 어질지 못하다면 사람들을 해롭게 할 것이고, 어질다면 도리어 나 자신을 수심에 젖게 만들 것이다."[24] 그러므로 구를 물리적 몸이라고 단언할 수는 없지만, 용례의 빈도를 보면 심에 대비되는 글자로서는 신보다 적합하다. 물론 짐승과 시체라는 냄새를 풍기고 있으므로 심구라는 병렬적 표현은 혐오감을 유발할 것이다. 몸과

---

20. 『大學』: 富潤屋 德潤身 心廣體胖.
21. 『荀子』「勸學」: 君子之學也, 入乎耳, 箸乎心, 布乎四體, 形乎動靜.
22. 『莊子』「達生」: 入山林, 觀天性., 形軀至矣, 然後成見鐻, 然後加手焉.汝得全而形軀, 其而九竅.
23. 『莊子』「庚桑楚」: 巨獸無所隱其軀.
24. 『莊子』「庚桑楚」: 不知乎? 人謂我朱愚. 知乎? 反愁我軀. 不仁則害人, 仁則反愁我身.

마음은 모두 살아 있는 사람을 읽어 내기 위한 개념이어야 하지 않은가?

형形은 『맹자』에 세 번 나오는데, 한 번은 '드러나다'라는 뜻의 동사로, 두 번은 모양이나 생김새라는 뜻으로 사용되었다. "안에 (덕을) 지니고 있으면 반드시 밖으로 드러나기 마련이다. 그 일을 했는데도 공을 이루지 못한 이를 나는 일찍이 보지 못했다."[25] "하지 않는 것과 하지 못하는 것의 모양은 어떻게 다릅니까?"[26] "생김새와 피부 색깔은 천성이다."[27] 형은 몸과 인접한 의미로 사용된 경우에도 몸보다는 몸의 객관적 형상이라는 뜻에 가깝다. 『장자』에서는 형의 용법이 조금 다르다. 먼저, 밖으로 드러난다는 뜻으로 쓰이기는 했다.[28] 그러나 단순히 외형이라는 의미보다는 마음에 상대되는 몸의 뜻으로 사용되었다.[29]

형을 마음에 대비되는 것으로 볼 수 있다는 점은 분명하다. 장자의 형은 몸을 대표하는 글자다.[30] 맹자에게는 체가 몸을 대표하는 글자다. 장자의 형이 맹자에서는 체로 표현된 까닭은 무엇일까? 장자와 맹자의 신체관에 두 사람의 세계관이 반영되어 있기 때문이다. 지나가기 전에 장자는 몸을 뼈와 감관 등의 소통로 그리고 육장으로 구분했다는 점을 지적해 둔다.[31] 장자의 몸은 외형과 외형을 지지하는 골격 그리고 외부와 소통하는

---

25. 『孟子』「告子章句下」: 有諸內, 必形諸外. 爲其事而無其功者, 髡未嘗覩之也.
26. 『孟子』「梁惠王章句上」: 不爲者與不能者之形何以異?
27. 『孟子』「盡心章句上」: 形色, 天性也.
28. 『莊子』「齊物論」: 不見其形, 有情而無形.
29. 『莊子』「齊物論」: 形固可使如槁木, 而心固可使如死灰乎?…其寐也魂交, 其覺也形開, 與接爲構, 日以心鬪.
30. 『莊子』「逍遙遊」: 瞽者無以與乎文章之觀, 聾者無以與乎鐘鼓之聲. 豈唯形骸有聾盲哉?
31. 『莊子』「齊物論」: 百骸九竅六藏, 賅而存焉, 吾誰與爲親?

감관 및 생명을 담고 있는 주머니로 되어 있다. 어떤 모습이 생각나는가? 뒤에 확인할 수 있듯이 육장에는 생명이 담겨 있다. 거칠게 말하면 몸은 생명이 거주하는 집이다. 생명은 몸에서도 특히 '장'에 거주하면서 몸을 드나든다.

맹자에서 분명히 몸의 의미로 사용되었다고 판단할 수 있는 글자는 체다.[32] 체의 용례를 검토하면 맹자 신체관의 골격을 알 수 있다.

① 기름지고 단 음식이 입에 부족해서입니까? 가볍고 따뜻한 옷이 몸에 부족합니까? 아니면 채색이 눈에 보기에 부족해서입니까?[33]

② 무릇 지는 기의 장수요, 기는 몸을 채우는 것이다.[34]

③ 사람들에게 사단이 있는 것은 사지가 있는 것과 같다.[35]

④ 경대부가 어질지 않으면 종묘를 보존하지 못하고, 사서인이 어질지 못하면 사체를 보존하지 못한다.[36]

⑤ 자하·자유·자장은 모두 성인의 체 중 하나를 가지고 있다. 염유·민자·안연은 모두 갖추었으나 미약하다.[37]

---

32. 장자는 조금 다르다. 장자에서는 체보다 형이 몸을 대표한다. 그러나 형과 체는 대체할 수 있다. 『莊子』「大宗師」: 墮肢體, 黜聰明, 離形去知, 同於大通, 此謂坐忘.
33. 『孟子』「梁惠王章句上」: 爲肥甘不足於口與? 輕煖不足於體與? 抑爲采色不足視於目與.
34. 『孟子』「公孫丑章句上」: 夫志, 氣之帥也, 氣, 體之充也.
35. 『孟子』「公孫丑章句上」: 人之有是四端也, 猶其有四體也.
36. 『孟子』「離婁章句上」: 諸侯不仁, 不保社稷, 卿大夫不仁, 不保宗廟, 士庶人不仁, 不保四體.
37. 『孟子』「公孫丑章句上」: 子夏子游子張皆有聖人之一體, 冉牛閔子顔淵則具體而微.

⑥ 이것은 이른바 입과 몸을 기른다고 하는 것이다.[38]

⑦ 하늘이 장차 이 사람에게 큰 임무를 내리려 할 때는 반드시 먼저 그의 마음과 뜻을 고달프게 하고 그의 근골을 수고롭게 하며 그의 체와 부를 배고프게 한다.[39]

①에서는 체를 입이나 눈과 같은 감각기관과 구분하고 있다. ②와 ⑦을 보면 체는 몸 전체를 가리키거나 부분을 가리킨다. 기가 체를 채우고 있으며, 체는 근골과 다르다. ⑦에서는 체와 피부가 복합어로 사용되었다. 체는 피부와 피하조직이고, 기가 근골과 피하조직의 사이를 채운다는 것이 맹자 신체관의 대강이다. 장자의 신체관과 비교해 보자. 둘은 대략 부합한다. 장자에서 형이 담당했던 역할을 맹자에서는 체가 담당하고 있을 뿐이다. 체를 지탱하는 것은 근골이다. 체 안에 기가 담겨 있다.

③과 ⑤에서 덕을 체라고 말한 것은 특기할 만하다. 덕과 성이 대응한다고 가정하면, 자연적 본성도 체라고 할 수 있을 것이다. 본성이 자리 잡고 있는 부분은 심장이어야 할 듯하지만, 맹자는 식색 같은 생물학적 욕구와 도덕적 본성의 위치를 구분했다. 마음의 성향이 몸의 특정한 부위에 있다! 이런 생각은 더욱 발전해서 감정이 오장에 분재한다고 말해졌다. 『황제내경』에서도 확인할 수 있지만 『동의수세보원』은 더욱 드라마틱하다. 앞에서 본 바와 같다. 동아시아의 몸은 단순한 육체가 아니다. 앎과 성향을

---

38. 『孟子』「離婁章句上」: 此所謂養口體者也.
39. 『孟子』「告子章句下」: 故天將降大任於是人也, 必先苦其心志, 勞其筋骨, 餓其體膚.

분유하고 있으므로 어떻게 해도 심신관계의 신에 온전히 부합하지는 않는다. 그저 대략 대응할 뿐이다.

미뤄 뒀던 질문, 장자의 형과 맹자의 체에 대해 생각해 보자. 장자는 자연스러운 마음에 인위적 질서를 아로새기는 일체의 행위를 비판했다. 생김새를 강조하는 것은 특정한 성향의 강조와 상통한다. 역으로 특정한 모양을 강조하는 것은 모든 사물을 하나로 만들어 버리는 '제물齊物'과 무한한 변화를 강조하는 장자의 철학과 어울리지 않는다. 장자가 몸을 나타내기 위해 주로 형을 사용한 까닭이다. 형은 본성에 구애되지 않고 외양 그 자체를 우선시하지도 않는다. 오히려 어떤 내적 속성의 드러남이라는 의미를 강하게 함축하고 있다. 내적 속성의 변화에 따라 바뀔 수 있고 변화에 따라 새로운 속성을 지닌다는 의미다. 고정된 속성을 가지고 있다고 생각하는 입장에서는 형 자를 선호하기 어렵다. 이런 해석은 장자 당시에 이미 맹자에서 확인할 수 있는 체의 유가적 용법이 정립되어 있었음을 암묵적으로 가정한다. 장자와 맹자는 서로를 인용하지 않으므로 둘 사이의 관계를 확인할 수는 없다. 그러나 장자의 반유가적 태도는 유가 철학의 유행을 전제하지 않고는 설명할 수 없다.

앞서 말했듯이, 신은 자신이라는 의미가 강하다. 더 살펴보자. "자신을 가벼이 하여 필부에게 먼저 예를 갖추는 것은 왜입니까?"[40] 물론 마음과 대비되는 의미에서의 몸으로 쓰인 예도 있기는 하다. "월나라 사람들은 머리를 짧게 자르고 몸에 문신을 한다."[41] 그러나 마음과 대비되는 의미

40.『孟子』「梁惠王章句下」: 何哉, 君所謂輕身以先於匹夫者?
41.『莊子』「逍遙遊」: 越人斷髮文身.

에서의 몸이라는 뜻으로는 적절하지 않다. 이런 의미에 가까운 것은 체다. "너의 몸을 놓아두고 총명을 버려라."[42] 체는 보다 구체적으로 몸통을 의미하기도 한다. "사지와 몸통을 버리고 총명을 내쳐라."[43] 여러 가지를 함께 묶어서 체라고도 한다. "누가 사생과 존망이 일체임을 알겠는가?"[44] 요컨대 심신보다는 심체 또는 심형이 몸과 마음을 표현하기에 더 적절하다. 물론 한계가 있다. 몸을 가리키는 어떤 글자 어떤 단어도 앎의 능력을 분유하고 있다. 심신관계의 신에는 그런 특성이 없다. 따라서 심신관계의 신과는 온전히 부합하지 않는다.

몸과 마음

도덕성은 심장에 있다. "군자가 본성으로 삼는 것은 인·의·예·지로서 심장에 뿌리박고 있다."[45] 그러나 욕정과 같은 생물학적 욕구의 위치는 심장이 아니다.

> 그 대체를 따르면 대인이 되고, 소체를 따르면 소인이 된다. … 눈과 귀라는 기관은 사려하지 않고 외물에 가리기만 할 뿐이다. 눈과 귀가 외물과 만나면 서로를 끌어당길 뿐이다. 심장이라는 기관은 사려한다. 생각하면

---

42. 『莊子』「在宥」: 隨爾形體, 黜爾聰明.
43. 『莊子』「大宗師」: 墮肢體, 黜聰明.
44. 『莊子』「大宗師」: 孰知死生存亡之一體者.
45. 『孟子』「盡心章句上」: 君子所性, 仁義禮智根於心. 이곳의 심은 심장의 기능 즉, mind라고 번역될 수 있는 마음이 아니다. 이 점은 아래의 대체와 소체에 관한 논의에서 밝혀질 것이다.

얻고 생각하지 못하면 얻지 못한다. 이것은 하늘이 내게 준 것이다.[46]

대체를 주체로서의 사려하는 마음이라고 하는 해석도 있다. 그러나 틀렸다. 대체를 따른다고 한 글을 보라. 대체가 사려하는 마음이라면 사려하는 마음을 따르는 마음은 또 무엇인가? 대체는 주체로서의 사려하는 마음이 아니라 도덕성과 도덕성이 뿌리박고 있는 심장이다. 인용문에 이어지는 다음 글에서도 이 점을 확인할 수 있다. "맹자가 말했다. 모두 귀해지고자 하는 마음이 있고, 모든 사람에게 귀한 것이 있다. 다만, 사려하지 않을 뿐이다."[47] 귀한 것은 귀해지고자 하는 마음과 다르다. 귀해지고자 하는 것은 마음이고, 귀한 것은 이미 주어져 있는 대체다. 대체는 인·의·예·지이자 인·의·예·지의 도덕성이 뿌리박고 있는 심장이고, 소체는 심장이 아닌 몸의 다른 부위이자 그곳에 뿌리박고 있는 생물학적 욕구다.

체는 심이 아니다. 그러나 몸과 마음이라고 할 때의 마음과 무관하지 않다. 맹자의 체는 성향을 지니고 있기 때문이다. 맹자는 외모도 천성이라고 보았다.[48] 특정하게 생긴 것이 특정한 성향을 갖는다고 가정해 보자. 맹자가 체를 성이라고 말하는 것은 우선 이런 뜻이다. 그러나 몸 자체의 성향이라는 의미도 있다. 반복적 연습에 의해 자동적으로 움직여지는 몸의 양상은 몸의 앎과 성향을 증명한다. 맹자는 본성의 위치가 몸이라고 보았다. 앞에서도 말한 것처럼 사실 여기에는 이상한 점이 있다. 식욕과

---

46. 『孟子』「告子章句上」: 從其大體爲大人, 從其小體爲小人,…耳目之官不思, 而蔽於物. 物交物. 則引之而已矣. 心之官則思, 思則得之, 不思則不得也. 此天之所與我者.

47. 『孟子』「告子章句上」: 孟子曰, 欲貴者, 人之同心也. 人人有貴於己者, 弗思耳矣.

48. 『孟子』「盡心章句上」: 孟子曰, 形色, 天性也, 惟聖人然後可以踐形.

색욕의 성향은 몸에 있다고 해야 할 것처럼 생각되지만, 감정을 일으키는 성향도 육체에 있는가?

사실 몸에 체화된 성향처럼 무의식적 반응에서 확인되는 성향을 제한 여타의 성향은 몸이 아니라 몸에 담겨 있는 생명에 있다. 물론 이 생명도 넓은 의미의 몸에 포함된다. 사람이 육체와 육체에 담겨 있는 생명 그리고 주체로서의 심으로 구성되어 있다고 가정해 보자. 넓은 의미의 몸에는 육체와 생명을 포함시킬 수 있다. 맹자는 심에 초점을 맞추면서 생명 즉 기를 은폐했다. 생명은 몸과 마음에 걸쳐 있다. 그러므로 넓은 의미의 몸은 생명과 육체를 포괄하고, 넓은 의미의 마음은 사려하는 심과 생명을 포함한다. 생명은 다양한 정서적 현상 그리고 성향의 토대다. 맹자는 사람을 구성하는 필수 요소인 생명 즉 기를 은폐하고 본성이 몸에 있다고 말했다. 그 까닭은 무엇일까?

우주의 리듬에 공명하는 기는 개체화의 역방향 즉 개체의 밖으로 확장하는 속성이 있다. 예를 들면, 여러 사람이 함께 공명하는 경우를 생각해 볼 수 있다. 그 상황에서 사람들은 개체라기보다는 전체로 존재한다. 수행 주체를 강조하는 맹자는 개체성을 약화하는 그러므로 주체성과 길항하는 기의 위상을 낮추려고 했다. 그러므로 맹자의 입장에서 보면 성향은 기 즉 생명이 아닌 몸에 있어야 한다. 그런데 그는 도덕성을 위해 성향 일반을 두 가지로 구분했다. 자연적 욕구도 성향 즉 본성이지만, 맹자는 욕구를 본성에서 몰아냈다. 그에게 욕구는 명命이다. 맹자는 욕구를 감관에 좌정하고 그것을 소체 즉 작은 몸이라고 했다. 심장 즉 대체는 사려하는 기능을 한다. 심장에서 측은지심 같은 도덕심리적 현상도 발생한다. 심장에 있는 사려하는 심은 외물에 끌리는 감관을 제어할 수 있다. 단연코 몸의 군주다.

맹자 당시에는 생명이 몸 그중에서도 심장에 있고 감관을 통해 유출된다는 생각이 유행하고 있었다. 뒤에 확인하겠지만 『관자』「내업」편 등에 비교적 분명한 근거가 있다. 맹자도 이런 생각을 갖고 있었다고 가정해 보자. 심장은 혈기의 중심이어야 한다. 심장이 혈기의 중심이라는 생각은 고대 중국 문헌의 곳곳에서 발견된다. 혈관이 아닌 경맥 중심의 신체관을 묘사하고 있는 『황제내경』에서도 이 점을 명시하고 있다. "심장이 맥을 주관한다."[49] "심장은 몸의 혈맥을 주관한다."[50] "심장은 혈맥의 기를 저장한다."[51] 맹자도 이런 생각에 익숙했을 것이다. 그는 심장의 사려하는 기능이 혈기의 운행에 영향을 미친다고 생각했다. '지志는 기의 장수'라는 말은 이것을 간명하게 표현한 것이다.[52] 감관에는 이처럼 사려하는 기능이 없다. 외물과 만나면 끌려갈 뿐이다. 맹자의 몸에서 일어나는 사태를 간단히 그려 보면 체라는 외형 속에 있는 심장의 사려하는 기능이 주인처럼 혈기의 운행을 제어하는 양상이다.

장자는 다르다. 장자에게는 주인으로서의 심의 존재가 희미하다. 몸의 기는 자유롭게 유영하고 우주의 리듬에 발맞춘다. 심으로 표현되는 자의식 등에 의해 안으로 뭉치는 힘이 강하면 기는 몸 밖으로 헤엄쳐 나가지 못하고 공명하지 못한다. 그러므로 장자의 몸은 밖으로 개방되어 있는,

---

49. 『黃帝內經』「九鍼論」: 心主脈.
50. 『黃帝內經』「痿論」: 心主身之血脈.
51. 『黃帝內經』「平人氣象論」: 心藏血脈之氣也.
52. 『孟子』「公孫丑章句上」: 志者氣之帥也.

개체적 성향이 희미한 양상을 보인다. 요는 심과 기다. 맹자에게서 강조되었던 심을 장자는 비판적으로 다룬다. 예를 들어 그는 마음으로 듣지 말고 기로 들으라고 말한다.[53] 역으로 맹자는 고자를 논박하면서 말로 이해되지 않으면 마음으로 이해해야 한다고 말한다.[54] 심의 역할을 어떻게 인식하고 있었는지 알 수 있다. 심은 몸을 안으로 뭉치게 한다. 맹자 철학에는 적합하지만 장자와는 어울리지 않는다.

요컨대 몸과 마음의 관계는 철학자의 입장에 따라 다르다. 특히 성향의 문제에서 차이점이 두드러진다. 맹자는 성향이 육체에 있다고 말했는데, 무의식적인 몸의 성향을 부정할 수는 없지만, 성향은 사실 생명의 성향이지 육체의 성향은 아니다. 그러므로 맹자는 이상한 이론화를 진행한 셈이다. 그에게 기는 신비한 체험을 가능하게 해 주는 무한한 힘을 가지고 있는, 그러므로 통제하기 쉽지 않은 우주적 생명이었을 것이다. 맹자는 확장되는 마음을 몸 안으로 밀어 넣었다. 장자는 달랐다. 개체성의 소실이 곧 죽음임을 생각해 보라. 그는 과감하고 배짱이 있었다. 기의 역할을 인정했다. 개체화를 촉진하는 마음이 부재하다면 기는 개인을 우주로 만들어 버린다. 장자에서는 오히려 심이 은폐되거나 기부된다.

맹자　‘심’-체-(기)

장자　(심)-체-‘기’

---

53. 『莊子』「人間世」: 無聽之以耳而聽之以心, 無聽之以心而聽之以氣.
54. 『孟子』「公孫丑上」: 不得於心, 勿求於氣, 可, 不得於言, 勿求於心, 不可.

2. 심신일원론과 심신이원론

심신일원론

몸과 마음이 독립된 실체가 아니라고 하는 동양의 일원론적 해석은, 그 역사가 오래되었다. 선교사들을 통해 중국 사유를 소개받은 이들 중에도 중국 철학에 대한 일원론적 해석을 시도한 이들이 있었다. 라이프니츠와 볼테르를 들 수 있다. 그 뒤로 고대 중국인의 생활을 환상적으로 묘사한 그라네Marcel Granet, 동양 전통 과학이라는 영역을 정립한 니덤도 중국의 세계관을 일원론적으로 해석했다. 최근의 학자로는 한국에도 익히 소개된 줄리앙François Julien과 에임스를 들 수 있다. 한국에서 일원론적 해석을 시도한 학자로는 세 분을 들 수 있다. 김영식과 유인희는 주희의 기 개념에 존재하는 정신적·도덕적 특성을 지적한 후, 물질과 생명 또는 물질과 정신 사이의 불연속은 존재하지 않는다고 해석했다.[55] 임헌규의 해석도 다르지 않다.[56] 몸과 마음은 독립된 실체가 아니다. 양쪽을 아우르는 기 때문이다.

주자는 리를 제한 세상의 모든 것이 기로 구성되었으며 모든 것은 기에서 왔다고 말했다. "첫 번째의 사람이 날 때 어떠하였습니까? 답했다. 기

---

55. 김영식, 「氣와 心: 朱熹의 思想에 나타난 물질과 정신」,《철학》35, 한국철학회, 1990, 95쪽.

56. 임헌규, 「朱子의 심신관계론과 현대 심리철학」,《온지논총》, 온지학회, 2008, 96쪽. 임헌규의 표현으로 기체일원론의 의미를 말하면 다음과 같다. "천지, 인간, 동식물, 무생물 등 형상을 지닌 우주의 모든 것을 포괄하는 기체는 오직 至大至剛한 기일 뿐이다." 임헌규, 「성리학적 심신관계론」,《퇴계학과 한국문화》45, 경북대학교퇴계연구소, 2009, 414쪽.

화로 인해서 태어났다. 음양과 오행의 정기가 합쳐 형체를 이뤘다. 불가에서는 이것을 화생이라고 한다. 마치 오늘날 만물이 숱하게 화생하는 것과 같다. 예를 들면 이가 그렇다."[57] 주희는 좀 더 구체적으로 말한다. 즉 생명은 기의 취산으로 인해 만들어진다고 해석한다. "천지의 생화는 비록 낳고 낳음이 그치지 않지만, 모이면 반드시 흩어짐이 있고 태어나면 반드시 죽음이 있다. 그 태어남이 기화의 날에 얻어진 것이고 애초에는 정신이 태허에 기탁함이 없다."[58] 모든 것이 기에서 나왔다고 해도 정신이 기로 환원되지 않는다면 독자성을 인정할 수 있을 것이다.

그러나 주희는 정신을 기의 능력으로 묘사함으로써 이원론적 해석의 여지를 줄인다. "깨닫는 바의 것은 마음이 갖추고 있는 이치요, 깨달을 수 있는 능력은 기의 영험함이다."[59] 요컨대 어떤 측면에서도 기는 물질과 정신의 공통된 기반이다. 동아시아의 전형적 우주 생성론을 생각해 보자. 혼연한 기운이 청기와 탁기로 나뉘어서 하늘과 땅이 생겨나고, 만물은 천지의 상호 결합 속에서 만들어진다는 생각이 물질과 정신의 구도에도 반영되어 있음을 눈치 챌 수 있을 것이다. 그런데 정신이 청기이고 물질이 탁기라면 심신이원론의 문제가 발생하지 않을 듯하지만, 다른 해석도 가능하다. 주재완은 마음이 정신적 능력을 지니는 실재적 요소라면, 이것은 몸이 정신적 능력이 없는 실재적 요소임으로 인하여 일원론적 세계관이

---

57. 『朱子語類』1:39: 問 "生第一箇人時如何?" 曰 "以氣化. 二五之精合而成形, 釋家謂之化生. 如今物之化生甚多, 如虱然."
58. 『朱子語類』39:18: 天地之化, 雖生生不窮, 然而有聚必有散, 有生必有死. 能原始而知其聚而生, 則必知其後必散而死. 能知其生也, 得於氣化之日, 初無精神寄寓於太虛之中.
59. 『朱子語類』5:27: 所覺者, 心之理也; 能覺者, 氣之靈也.

아니라고 말한다. 다음 구절은 이런 해석의 근거가 될 수 있을 것으로 보인다. "마음은 기 중에서도 정미하고 깨끗한 것이다."[60] 즉 기를 마음과 몸의 공통된 기반이라고 할 수 있겠으나 마음과 몸을 구성하는 기가 다르다면 이원론적이라고 할 수 있을 것이다.

그러나 청기와 탁기는 다른 존재가 아니다. 탁한 공기와 맑은 공기가 다른 존재가 아닌 것과 같다. 탁한 기운도 다시 맑은 기운과 탁한 기운으로 나눌 수 있고, 각각 정신과 물질의 근거가 될 수 있다. 청기와 탁기의 구분은 근본적이기보다는 상황 의존적이므로 다른 존재라는 해석은 적합하지 않다. 또한 주재완의 가정과 달리 기는 색깔이 없는 존재가 아니다. 즉 기는 이미 특정한 색깔을 지니고 있을 뿐 아니라 특정한 색깔을 지니고 있으므로 모든 존재의 배후에 있는 근원적 요소가 될 수 없다. 기 개념을 검토하면 기에 본래부터 심리적 특성이 있음을 확인할 수 있다. 예를 들어 맹자의 호연지기는 도덕적 생명이 완전히 충족되었을 때 느끼는 뿌듯한 느낌으로 도덕심리적이다. 물리적 측면이 없지 않으나 순수하게 물리적이라고 말하기 어렵고, 더군다나 어떤 특성도 갖추지 않은 중성적 실재로서 심리적 현상과 물리적 현상의 토대라고 말할 수는 없다.

맹자에는 기가 모두 스무 번 나온다. 이미 말한 호연지기를 제한 다른 것들도 심리적 특성이 두드러진다. 예를 들어, 새벽 기운인 평단지기平旦之氣 그리고 밤의 기운인 야기夜氣는 정신이 맑은 상태에서 느끼는 편안한 마음으로 호연지기와 마찬가지로 도덕심리적이다. 맹자는 왕자의 됨됨

---

60. 『朱子語類』 5:28: 心者, 氣之精爽.

이가 다른 이와 구분되는 것은 그 사람의 지위 때문이라고 말한다. "지위
는 기운을 바꾸고 길러 줌은 몸을 바꿔 준다."[61] 이 경우의 기는 사람의 됨
됨이나 태도로 옮길 수 있다. 물리적 특성이 있기는 하지만 물리적이기보
다는 심리적이라고 해야 할 것이다. 기가 보다 노골적으로 자세나 태도로
번역될 수 있을 정도의 의미로 쓰이는 경우도 있다. 이때의 기도 당연히
심리적이다.

> 맹시사는 용기를 길러서 다음과 같이 말한다. "이기지 못할 이를 마치 이
> 길 수 있는 이처럼 본다. 적의 역량을 헤아린 후에 나아가고 승리할 수
> 있는지를 따져 본 후에 회전하는 것은 삼군을 두려워하는 이다. 내가 어
> 찌 반드시 이기겠는가? 그저 두려움이 없을 뿐이다." … 맹시사가 기를 지
> 키는 것은 증자가 요약을 지키느니만 못하다.[62]

맹시사가 지키는 것은 물러서지 않고 맞서는 태도다. 예문의 기는 본질
을 보여 주는 그의 사람됨이다. 심리적이라고 할 수 있다. 그러나 이런 것
들을 몸과 마음의 어느 한쪽에 몰아넣는 것이 가능할까? 물리적이기만
하거나 심리적이기만 하다고 말할 수 있을까? 현대인도 종종 사용하는
표현인 노기怒氣는 어떨까? 노함은 정서적 심리 현상이므로 마음에 속해
야 할 듯하나, 노기는 분노와 다르다. 노기라고 하면 노여움에 동반되곤

---

61. 『孟子』「盡心章句上」: 居移氣, 養移體.
62. 『孟子』「公孫丑章句上」: 孟施舍之所養勇也, 曰, 視不勝猶勝也, 量敵而後進, 慮勝而後
    會, 是畏三軍者也. 舍豈能爲必勝哉? 能無懼而已矣.…孟施舍之守氣, 又不如曾子之守
    約也.

하는 얼굴이 붉으락푸르락해지는 것과 같은 생리적 현상도 연상된다. 기는 물리적인 현상과 심리적인 현상의 배후에 있는 기체基體가 아니라 심리적이고 물리적인 특성을 모두 갖추고 있는 생명 현상 그 자체다. 따라서 심리적인 기와 물리적인 기의 이원론적 해석은 가당치 않다. 그런데 『맹자』에는 심신의 대립적 인식이라고 해석할 수 있는 구절이 존재한다. 지志와 기氣를 대비적으로 설명하는 다음 대목은 심신 구도에 부합하지 않는가?

> 지가 한결같으면 기를 움직인다. 기가 한결같으면 지를 움직인다. 이제 저 뛰고 넘어지고 하는 것은 기인데, 도리어 그 마음을 요동치게 만든다.[63]

지는 마음의 확고한 지향을 의미한다. 심리적이다. 심이 주체라면 기는 그런 주체에 종속되는 물리적인 것으로 생각될 것이다. 그렇다면 지와 기의 관계를 심신관계로 해석할 수 있고, 『맹자』에도 심신이원론이 있다고 말할 수 있을 것처럼 보인다. 그러나 오해다. 지와 기는 모두 심리적이다. 주희는 인용문에서 기를 묘사하는 뛰고 넘어지는 것을 정말로 뛰고 넘어지는 것으로 보았다.[64] 그러나 앞서 보았듯이 맹자에는 기가 이처럼 물리적인 의미로 사용된 예가 없다. 뛰고 넘어진다고 하는 것은 마음의 근저에 있는 심리적 상태를 이르는 말이다. 예를 들어 불안감이 사람의 마음

---

63. 『孟子』「公孫丑章句上」: 志壹則動氣, 氣壹則動志也. 今夫蹶者趨者, 是氣也, 而反動其心.
64. 『孟子』「公孫丑章句上」의 志壹則動氣, 氣壹則動志也. 今夫蹶者趨者, 是氣也, 而反動其心에 대한 주석: 蹶, 顚躓也. 趨, 走也. 孟子言志之所向專一, 則氣固從之; 然氣之所在專一, 則志亦反爲之動. 如人顚躓趨走, 則氣專在是而反動其心焉.

가짐에 영향을 주는 경우를 생각해 보라. 인용문의 논지는 기라는 정서적 기반이 구체적인 감정을 발생시켜 마음의 결단과 판단에 영향을 줄 수도 있고, 결단하고 판단하는 주체로서의 마음이 심리적 현상의 발생을 조절함으로써 정서를 안정시킬 수도 있다는 것이다.

따라서 앞의 인용문은 기본 정서와 사유 주체의 관계 즉 마음과 몸의 관계가 아닌 마음과 마음의 관계로 해석해야 한다. 이 글 직전에 맹자는 맹시사라는 사람이 어떤 상대에 대해서도 용기를 잃지 않는 태도를 지녔음을 말한 후, 증자는 이와 달리 스스로의 떳떳함을 중시했다고 말한다. 이어서 이 둘을 평가하여 다음과 같이 말한다. "맹시사가 용기를 잃지 않는 것은 증자가 요약됨을 지키느니만 못하다."[65] 그러자 제자인 공손추는 맹자의 부동심과 고자의 부동심을 비교해 달라고 청한다.[66] 앞의 지와 기의 관계에 대한 글은 부동심을 말하는 대목에 나온다. 부동심을 말하는 대목에 나오는 기가 어떻게 근육이나 뼈 또는 힘과 같은 물리적인 것이겠는가? 어떻게 달리고 뛰고 넘어지는 것과 같은 물리적 행위이겠는가? 몸의 행위가 심리적 상태에 영향을 미친다는 점을 말한 것일까? 그보다는 정서적 안정에 관한 것이라고 보는 것이 훨씬 좋은 해석이다.

요컨대 생명 또는 생명력이라고 번역할 수 있는 기는 몸과 마음의 어느 한쪽에만 속한 전속 가수가 아니다. 생명을 무엇인가의 토대라고 할 수 있는가? 물리주의적 입장에서 생명은 물질에서 나온 것이라고 말할 수는 있다. 그러나 무엇이 생명에서 나왔다는 말이 무슨 뜻일까? 생명은 생명

---

65. 『孟子』「公孫丑章句上」: 孟施舍之守氣, 又不如曾子之守約也.
66. 『孟子』「公孫丑章句上」: 敢問夫子之不動心與告子之不動心, 可得聞與.

그 자체일 뿐, 다른 무엇의 발생론적 또는 존재론적 토대가 될 수 없다. 그럼에도 불구하고 앞서 보았듯이 주자는 기를 만물의 토대라고 했다. 우주 생성론적 해석에서 연유한 오해다. 대체로 전국 말에서 진·한 교체기 그리고 전한대에 극성한 우주 생성론적 해석에 차용됨으로써 기는 자신의 정체성인 생명의 경계를 넘어섰다. 위·진 시기의 본체론적 해석이 이런 흐름을 더욱 강화했을 것이다. 그 결과 기는 현상 자체에서 현상의 연원 또는 토대로 자리매김했다. 그리하여 물리적임에 틀림없는 유형의 것, 예를 들면 살과 뼈도 기에서 만들어진다고 해석되었다. 그러나 이것은 기를 지나치게 확장한 결과요, 기의 특성과 양립할 수 없는 해석이다.

이상의 논의는 사실 형 즉 육체가 생명과 다른 존재라는 점을 함축한다. 기의 그릇이라는 원형적 신체관을 상기해 보라. 기는 그릇이 아니다. 심신일원론적 해석은 몸 개념의 폭에 따라 맞을 수도 있고 틀릴 수도 있다. 마음 개념을 어떻게 설정하느냐에 따라서도 영향을 받는다. 기는 생명 그 자체이므로 물리적 생명 현상이든 심리적 생명 현상이든 모두 일원론적이다. 통각과 같은 몸의 느낌과 감정은 생리적이면서도 심리적이지만 모두 기의 작용 또는 기 자체라고 설명될 수 있다. 그러나 기는 생명 그 자체이므로 물질 즉 육체와는 직접적 관련이 없다. 시체에는 기가 없다!

끝없이 변화하는 기는 자신을 기준으로 사려하고 계산하는 이성이라고 불리는 마음의 기능과도 관련이 없다. 이성으로서의 마음과 그릇으로서의 육체를 제하고 남는 것이 기다. 그렇다면 심신이원론적 해석은 타당하게 성립하는가?

심신이원론

맹자는 자신의 통치 철학을 소개하면서 마음을 쓰는 노심자勞心者와 몸을 사용하는 노력자勞力者를 구분했다.[67] 맹자 철학에서 노심자와 노력자는 치자와 피치자를 상징한다. 피치자는 몸을 써서 치자를 봉양하고 치자는 마음을 써서 다스린다는 것이 맹자의 생각이다. 마음을 쓴다는 것과 힘을 쓴다는 것은 심신이원론과 부합하지 않는가? 맹자는 심과 신의 독립적 실체성을 말하지 않았으므로 그의 입장을 이원론이라고 확언할 수 없다. 게다가 앞에서 보았던 위치가 사람의 됨됨이를 바꾼다는 글을 생각해 보라. 지위가 오른 사람의 쫙 펴진 어깨, 윤기가 흐르는 얼굴 등, 마음상태가 몸의 외향에 영향을 미친다는 것을 전제하고 있는 이 글은 심신의 상호관계를 함축하고 있다. 그러나 맹자가 심신의 기반을 하나로 보았음을 지지하는 근거도 없다. 우리는 맹자가 심신을 구분했으며 심신 상호간의 관계를 인정했다고 말할 수 있을 뿐이다. 심신이원론과 모순되지 않는다.

고대 중국의 문헌에서 심신이원론적 해석과 부합하는 자료를 찾는 것이 불가능하지도 않다. 예를 들어 슬링거랜드Edward Slingerland는 천편일률적인 심신일원론적 해석을 소개한 후 오히려 심신이원론과 잘 어울리는 자료들을 사후에 관한 것과 철학적 논변에 등장하는 것으로 나눠서 소개한다. 이 중 사후에 관한 것은 익히 알려져 있는 혼백魂魄에 관한 내용이 주를 이룬다. 주지하듯이 혼은 정신적인 것이고, 사후 땅에 남거나 또는 지하세계로 복귀하는 백은 육적인 것이다.[68] 혼백의 분리를 말할 수 있다

---

67. 『孟子』「滕文公章句上」: 或勞心, 或勞力.
68. Edward Slingerland, "Body and Mind in Early China: An Integrated Humanities–Science

면 사람은 혼과 백이라는 다른 요소로 구성되어 있다고 할 수 있고, 심과 신이라는 두 요소로 되어 있다고 할 수 있으며, 심신이원론을 주장할 수 있다. 혼백 개념은 분명 심신일원론과 상치된다고 할 수 있다. 혼백 개념은 주희 철학에 근거해서 제안된 심신일원론적 해석과 상치되는 것처럼 보인다. 그러므로 다음과 같이 묻는 것이 적절할 것이다. 주희 철학을 벗어나도 또는 우주 생성론에 토대한 해석을 떠나서도 심신일원론을 주장할 수 있을까?

불가능해 보인다. 다음 글에서 장자의 제자는 몸과 마음을 구분하고 있다. "어째서입니까, 몸을 고목처럼 만들 수 있고 마음을 타 버린 재처럼 만들 수 있는 것은. 지금 안석에 기대어 계신 분은 어제 안석에 기대어 계셨던 분이 아닙니까?"[69] 앞서 보았듯이 형은 물리적 몸 즉 육체를 의미하기 때문에, 위 인용문에서 말하는 형과 심의 구도는 심신 구도와 어긋나지 않는다. 살아 있는 이의 두 가지 특성을 말하는 것이므로 이원론을 지지하는 구절이 아니라고 말할 수도 있다. 몸과 마음은 사람이라는 단일한 존재의 두 가지 특성에 불과할 뿐, 독립된 존재론적 범주는 아니라고 해석할 수 있기 때문이다. 그러나 『장자』에는 죽음 즉 사람이 해체되는 사건과 관련된 이야기에서 몸과 마음을 구분하는 글이 있다. "내가 생명을 관장하는 사명으로 하여금 그대의 몸을 되살려 그대에게 뼈·살·기부를 마련해 주고 그대에게 부모·처자와 동리에 관한 앎을 준다면 그대는

Approach," *Journal of the American Academy of Religion*, 81/1, 2013, pp.6-55.

69. 『莊子』「齊物論」: 何居乎? 形固可使如槁木, 而心固可使如死灰乎? 今之隱机者, 非昔之隱机者也.

이것을 바라겠는가?"[70] 죽어 있는 이를 살리는 데 필요한 두 가지 요소가 명시되어 있다. 앎과 몸이다. 앎과 몸이 살아 있는 사람을 구성하는 두 가지 요소로 언급되고 있다. 마음과 몸은 분명 사람을 구성하는 다른 요소다. 다른 글에서도 심신이원론적 입장을 확인할 수 있다.

> 공자가 말했다. 언젠가 일찍이 초나라에 사신을 간 일이 있었다. 마침 새끼 돼지가 죽은 어미의 젖을 빨고 있었다. 그런데 문득 눈 깜짝할 사이에 어미를 버리고 달아났다. 어미 돼지가 자기를 보지 않고 또 자신과 같은 점을 느끼지 못했기 때문이었다. 새끼 돼지가 어미 돼지를 사랑한 것은 그 외형을 사랑한 것이 아니요, 그 몸을 시키는 것을 사랑했던 것이다.[71]

앞에서 보았듯이 형은 체와 마찬가지로 물리적 몸 자체를 지칭한다. 자신을 의미하는 신身과 다르다. 형은 남아 있고 떠난 것은 정신이다. 그것을 인용문에서는 유적 특성이라고 말하고 있다. 즉 돼지라면 가지고 있어야 하는 특성으로 이것이야말로 돼지의 본성이라는 의미다. 심신이원론에 부합한다. 골딘Paul Goldin은 이런 구절들은 고대 중국인이 심신을 다른 존재distinct entity로 보는 관점을 가지고 있었음을 보여 준다고 해석했다.[72] 사실 『관자』 등에 엿보이는 무속의 강신 문화에서도 심신이원론적

---

70. 『莊子』「至樂」: 吾使司命復生子形, 爲子骨肉肌膚, 反子父母妻子閭里知識, 子欲之乎?
71. 『莊子』「德充符」: 仲尼曰, 丘也嘗使於楚矣, 適見豘子食於其死母者, 少焉眴若皆棄之而 走. 不見己焉爾, 不得類焉爾. 所愛其母者, 非愛其形也, 愛使其形者也.
72. Paul Rakita Goldin, "A Mind-body Problem in the Zhuangzi?" *Hiding the World in the World: Uneven Discourses on the Zhuangzi*, Scott Cook ed.(Albany, NY: State University of

관점을 엿볼 수 있다. 내 몸을 다른 신이 차지하는 상황을 생각해 보라. 몸과 정신이 다른 존재라고 가정하지 않는다면 강신 개념은 성립하지 않는다.

그러나 『장자』에는 심신일원론과 부합하는 것처럼 보이는 유명한 구절이 있다. "사람의 생명은 기가 모여든 것이다. 기가 모이면 곧 생명이 된다. 흩어지면 죽음이 된다."[73] 이 구절을 우주 생성론의 맥락에서 이해하면 사람의 심리적이고 물리적 특성은 모두 기에 토대하고 있다는, 앞서 주자에게서 보았던 해석이 가능해진다. 그렇다면 『장자』에는 심신일원론적 입장이 존재한다고 할 수 있지 않을까? 그러나 여러 번 강조해서 말했듯이 기는 형체가 아니라 형체가 담고 있는 생명이다. 인용문에서는 그릇이 비면 죽고 그릇이 차면 산다는 것을 기운의 흩어짐과 모임으로 말한 것이라고 볼 수 있다. 그렇다면 그릇과 그릇에 담기는 생명을 구분한 것이므로 이원론과 어긋나지 않는다고 해석할 수도 있을 것이다.

동아시아의 지성사를 개관하면 심신일원론적 해석과 심신이원론적 해석의 근거가 병존함을 알 수 있다. 이처럼 상호 모순적으로 보이는 진술이 있는 경우에는 어떻게 해야 하는가? 이런 질문이 제기된 배경에 관해 물어봐야 한다. 심신관계를 논하는 까닭이 무엇인가? 심신관계는 정신과 물질의 관계에 대한 세계관적 질문의 구체화된 양상이라고 할 수 있다. 즉 사람과 세계란 무엇인가에 대한 질문에 대한 답이라고 할 수도 있다. 심신관계는 결국 인간과 세계의 본질에 대한 철학적 질문에 대한 서구 지성의 답변이었다.

New York Press, 2003), p.228.

73. 『莊子』「知北遊」: 人之生, 氣之聚也, 聚則爲生, 散則爲死.

그러면 같은 질문을 제기해 보자. 동양 지성은 어떻게 답할까? 사람과 세계란 무엇인가라는 질문에 대하여.

3. 사람이란 무엇인가

『장자』「달생」편의 주지는 수행을 단순히 몸을 양육하는 양형養形으로만 생각하는 이들에 대한 비판이다. 여기에서는 넓은 의미의 생명에 관한 장자의 생각을 엿볼 수 있다. "생명이 있기 위해서는 반드시 그에 앞서서 몸을 잃지 않아야 한다. 그런데 몸은 떠나지 않았는데 생명이 없어진 경우가 있다."[74] 형과 체가 부합한다고 가정해 보자. 형체는 단순히 물리적 몸일 뿐이다. 생명을 담고 있는 그릇에 불과하지만, 그릇이 없다면 생명을 보존할 수 없다. 그런데 그릇에 문제가 없지만 생명을 잃는 경우가 있다. 전개지田開之라는 양생가의 설명에서도 같은 생각을 읽어 낼 수 있다. 그는 좋은 양생은 양치기가 뒤쪽을 보면서 처지지 않게 하듯이 부족한 부분이 없게 만들어야 한다고 주장하면서 다음의 일화를 전술했다.

> 노나라에 단표라는 이가 있어서 바위에 기거하면서 물을 마시고 사람들과 이익을 다투지 않았다. 일흔이 되었는데도 아이와 같은 낯빛이었다. 불행히도 굶주린 호랑이를 만났다. 호랑이가 그를 죽여서 먹어 버렸다. 장의라는 이가 있었다. (성공을 위해) 귀한 집안에 다니지 않은 곳이 없었다. 마흔 살에 속으로 열이 있는 병으로 죽었다. 단표는 그 속을 길렀으나 호랑이는 그 밖을 먹었고 장의는 그 밖을 길렀으나 병이 그 안을 공격했다. 이 두 사람은 모두 그 부족한 것을 채찍질하지 못한 이들이었다.[75]

74.『莊子』「達生」: 有生必先無離形, 形不離而生亡者有之矣.

단표는 생명을 잘 보존했으나 형체를 잃은 사람이었고, 장의는 형체에는 문제가 없었으나 생명에 병이 든 사람이었다. 형은 그릇이고 생명은 그릇에 담겨 있는 내용물이다. "몸이 수고로운데도 쉬지 않으면 폐하고, 정을 써서 그치지 않으면 소갈이 든다."[76] 마찬가지의 구도를 읽어 낼 수 있다. 형은 물리적 몸이고 정은 생명으로 물리적인 동시에 심리적이다. 인용문에서 두 가지 생각을 읽어 낼 수 있다. 형체는 물리적 몸이다. 원칙적으로는 심리와 무관하다. 물리적 요인에 의해 병든다. 그릇으로서의 형체에 생명이 담겨 있다. 기가 몸을 채운다.[77] 기가 곧 생명이다.

이상의 검토를 통해 분명해진 사실이 있다. 물리적 몸과 다른 요인에 의해 병드는 기는 물리적이지 않다. 과도한 정신적 피로감을 생각해 보라. 기는 오히려 심리적인 것에 가깝다. 그러나 물리적인 것과 무관하지도 않다. 기분은 물리적인가, 심리적인가? 피로는 물리적인가? 용기는 어떤가? 해낼 수 있다는 느낌, 적당히 두근거리는 심장의 상태는 물리적이기만 한가? 복잡한 논의를 피하기 위해 기를 단순히 상징이라고 가정해 보자. 기는 물리적 상태와 심리적 상태를 모두 상징한다. 그러한 다양한 느낌을 고대 동아시아인들은 기라고 칭했다. 형은 별다른 관심을 받지 못했다. 즉 순수하게 물리적인 존재는 철학자의 중요 논제가 아니었다. 관심을 받은 것은 기 즉 생명 그 자체였다고 할 수 있다. 그런데 전국 중·후기에 심心이

---

75. 『莊子』「達生」: 魯有單豹者, 巖居而水飲, 不與民共利, 行年七十而猶有嬰兒之色, 不幸遇餓虎, 餓虎殺而食之. 有張毅者, 高門縣薄, 無不走也, 行年四十而有內熱之病以死. 豹養其內而虎食其外, 毅養其外而病攻其內, 此二子者, 皆不鞭其後者也.

76. 『莊子』「達生」: 形勞而不休則弊, 精用而不已則竭.

77. 『孟子』「公孫丑上」: 氣, 體之充也.

특히 철학자들의 관심을 받기 시작했고, 심과 기의 관계가 핵심 과제로 대두했다.

심의 대두에 대해서는 개체의 등장이 유력한 설명이 될 수 있다. 춘추 시기까지 그나마 유지되던 공동체에 대한 믿음이 전국 시기에 무너져 내렸다. 사람들은 각자가 자신의 생명을 보위해야 한다는 생각을 하게 되었고, 이것이 사상의 측면에서 개체의 등장을 초래했다. 동양에는 개인이 없었다고 말하는 이들도 있는데, 비교적 그러할 뿐이다. 어떻게 개인이 없겠는가? 역사적으로 특수한 개념인 근대적 개인이 없었다는 정도에서 타협하는 것이 좋을 것이다.

몸을 통해 세상에 참여하고 있다는 말을 있는 그대로 받아들여 보자. 몸은 개체화에 적합하지 않다. 몸을 기준으로 삼는다면 어디에 경계를 그을 수 있겠는가? 외부와 소통하지 않는 살아 있는 몸은 존재하지 않고, 소통이 필수적이라면 경계를 그을 수 없다. 고대 동양의 철학자들은 욕구하고 사려하는 심을 개인의 본질 즉 자신의 경계를 세우는 기준으로 보았다. 역설적이게도 오히려 세상에 존재하지 않음으로써 독자성을 유지할 수 있다! 심은 자기 결정권을 갖는 개인의 본질이었다.

> 심이라는 것은 몸의 임금이요, 신명의 군주다. 명령을 내릴 뿐 받음이 없다. 스스로 금하고 스스로 부리며 스스로 빼앗고 스스로 취한다. 스스로 행하고 스스로 그친다.[78]

---

78. 『荀子』「解蔽」: 心者, 形之君也, 而神明之主也. 出令而無所受令. 自禁也, 自使也, 自奪也, 自取也, 自行也, 自止也.

순자는 심의 형체에 대한 우월성을 말했다. 맹자는 심의 기에 대한 우위를 주장했다. 앞에서 보았던 "지는 기의 장수"라는 말이 그것을 나타낸다. 학자들은 기를 종종 물리적인 것 즉 위 인용문에서 순자가 말한 형에 대응하는 것처럼 해석하지만 사실이 아니다. 앞의 논의를 통해 기와 형체의 관계가 드러나기도 했지만, 맹자에는 순수하게 물리적인 의미의 기는 존재하지 않는다. 그렇다면 심과 구분되어야 하는 맹자의 기는 어떤 심리적인 측면을 가리키는가? 앞에서 이미 간단히 설명했지만, 이곳에서 다시 따져 보자.

심이 계산, 사려, 판단 등의 기능을 가리킨다고 가정해 보자. 기는 그와는 다른 심리적 현상을 가리킨다. 심리적 현상은 크게 인지적 현상과 정서적 현상으로 나뉜다. 기를 정서적 현상이라고 할 수 있을까? 맹자는 지와 기의 관계를 설명하면서 다음과 같이 부연 설명했다. "뜻이 한결같으면 기를 움직인다. (그런데) 기가 한결같으면 뜻을 움직인다. 이제 저 넘어지고 뛰는 것이 기인데 도리어 그 마음을 움직인다."[79] 인용문의 넘어지고 뛰고 하는 것은 감정적 변화를 가리키는 듯하다. 그렇다면 기는 정서적 현상을 가리킨다고 판단할 수 있을 것이다. 그러나 주지하듯이 맹자는 측은히 여기는 마음을 측은지심이라고 했지 측은지기라고 하지 않았다.

정서를 둘로 구분해 보자. 측은히 여기는 마음, 사양하는 마음과 같이 구체적인 마음이 아닌 정서는 어떤 것일까? 그것은 보다 일차적이고 기본적인 정서로 보인다. 즉 아직 개념화되지 않은 정서적 상태를 기라고

---

79. 『孟子』「公孫丑上」: 志壹, 則動氣, 氣壹, 則動志也, 今夫蹶者趨者, 是氣也, 而反動其心.

할 수 있을 듯하다. 기본 정서가 활달한 사람도 있겠고 우울한 사람도 있을 것이다. 그처럼 옅은 색채를 띠고 있는 정서가 바로 기다. 그 정체가 기본 정서라면 지와 기에 대한 논의가 수행을 말하는 곳에서 언급된 배경을 이해할 수 있다. 맹자의 수양은 존기심存其心이라는 구절에서도 알 수 있듯이 측은히 여기는 마음과 같은 도덕적 마음을 잊지 않고 반복해서 발휘하는 방법으로 성취된다. 반복된 마음가짐은 기본 정서에도 변화를 초래한다. 반복된 마음가짐을 초래하는 것은 수행 주체로서의 심 즉 지다. 뜻을 굳건히 하는 것이 수양의 시작이자 핵심이다. 물론 이것이 유일한 방법은 아니다. 기본 정서를 안정시키는 것도 도움이 될 것이다. 그러므로 맹자는 지를 중시하면서도 기를 한결같이 해야 한다고 말했다. 순자는 이것을 기를 다스리고 마음을 양육하는 방법이라고 말했다.[80]

심이 개별화와 표상을 통한 개념적 인지를 상징함에 반해 기본 정서인 기는 동감을 상징한다. 음악을 들으면 무엇인가를 생각하기도 전에 몸을 통해 떨려 오는 느낌을 체험할 수 있다. 그것은 아직 개념화되기 전의 것이므로 심의 작용을 거치기 이전의 것이라고 할 수 있다. 기는 그런 떨림을 매개하는 것이자 떨림 자체다. 동기화의 방식으로 외부와의 소통을 가능하게 하는 기는 나를 세상에서 떼어내기는커녕 세상과 하나로 결합시킨다. 기와 심은 전체로서의 우주와 개체로서의 나를 상징한다. 자연과 문화를 상징하기도 한다. 무위와 유위의 구도에도 대응한다. 문화주의자인 유가가 심을 중시했음에 반해 자연주의인 도가는 기를 중시한 까닭

---

80. 『孟子』「修身」: 治氣養心之術, 血氣剛强, 則柔之以調和, 知慮漸深, 則一之以易良.

이다.

맹자는 앞서 인용한 지와 기에 관한 이야기가 나오는 곳의 직전에 다음과 같이 말했다. 고자는 말로 이해하지 못하면 마음에서 구하지 말고 마음에서 얻지 못하면 기에서 찾지 말라고 했는데, 마음에서 구하지 못하면 기에서 찾지 말라는 말은 괜찮지만 말에서 얻지 못하면 마음에서 찾지 말라는 말은 옳지 않다.[81] 그런데 장자는 전혀 다른 말을 한다. "너는 뜻을 한결같이 하라. 귀로 듣지 말고 마음으로 들어라. 마음으로 듣지 말고 기로 들어라. 귀는 듣는 것에 그치고 마음은 상징에 한정된다. 기라는 것은 텅 비어서 외물을 기다리는 것이다. 도가 텅 빈 곳에 모인다. 빈 것을 심재心齋라고 한다."[82]

기로 듣는 과정은 분명 즉각적이고 신체적이다. 즉 당연히 동기화에 의해 촉발된 전의식적 정동 체험이다. 장자는 심으로 억측하거나 말에 한정되지 말라고 권고한다. 장자와 달리 맹자는 마음에 우선순위를 두고 있다. 그는 마음의 판단하고 추론하는 이성적 능력을 높이 평가했다. 사실 기의 떨림을 개념화함으로써 우리는 감정을 구체적으로 경험한다. 체험을 언어로 옮긴 장자도 개념화의 과정을 거쳤음을 알 수 있다. 그러나 개념화가 앎에서 반드시 필요할까? 개념화가 언어 또는 언어에 대응하는 무엇인가를 필요로 한다면 그러한 상징을 소유하지 못한 존재는 감정 경험이 없을 것이다.

---

81. 『孟子』「公孫丑上」: 不得於言, 勿求於心, 不得於心, 勿求於氣. 不得於心, 勿求於氣, 可; 不得於言, 勿求於心, 不可.

82. 『莊子』「人間世」: 若一志, 無聽之以耳而聽之以心, 無聽之以心而聽之以氣! 耳止於聽, 心止於符. 氣也者, 虛而待物者也. 唯道集虛. 虛者, 心齋也.

이런 추정은 지나치다. 신경계를 갖추었으나 상징 체계가 없는 많은 고등 생물을 우리는 알고 있다. 장자는 개념화를 거치지 않는 앎이 가능하다고 생각한 듯하다. 더 나아가서 그런 앎이 오히려 더 수승하다고 본 듯하다. 언어로 상징되는 문화에 의해 왜곡되지 않는 앎을 장자는 추구했고, 그런 앎이 동기화에 의해 가능하다고 생각했던 듯하다. 부언하자면 장자는 개념화의 과정을 거친 앎은 사실을 은폐하고 왜곡하며 사람들에게 상처를 초래하는 원인이 된다고 주장했다. 『도덕경』에서도 같은 입장을 확인할 수 있다. "마음이 기를 부리면 억지스럽다고 한다."[83] "그 마음을 비우고 배를 채우며 뜻을 약하게 하고 골骨을 단단하게 하라."[84] "성인은 늘 상심이 없이 백성의 마음으로 자신의 마음을 삼는다."[85]

몸은 분명 마음에 대한 몸이다. 그러나 심신이원론의 몸과는 같지 않다. 약간의 과장을 보태면 그런 몸을 동양 지성은 거들떠보지도 않았다. 심신이원론이 정신과 물질의 관계에 대한 인간적 표현이라는 해석을 받아들여 보자. 동양에서는 정신과 물질의 이분법에 별다른 관심이 없었다. 물질을 중시하는 이들은 정지된 것을 우선시하는 성향을 가지고 있다. 정지를 우선시하는 이들 즉 세계는 본래 정지되어 있었다고 생각하는 이들은 세계의 변화를 세계의 밖에서 찾지 않을 수 없다. 세계를 움직이는 존재는 세계 밖의 존재 즉 신이므로 정신은 결국 몸에 들어온 신이다.

동양의 지성은 세계가 그 자체의 추동력에 의해 움직인다고 생각했다.

83. 『道德經』 55장: 心使氣曰强.
84. 『道德經』 3장: 虛其心, 實其腹, 弱其志, 强其骨.
85. 『道德經』 49장: 聖人無常心, 以百姓心爲心.

세계가 그 자체의 추동력으로 움직이므로 추동을 일으킨 것에 관심을 기울일 필요가 없고, 세상은 끝없이 변화하는 상태로 주어져 있다고 믿어졌다. 동양의 지성은 변화하는 생명 그 자체에 관심을 기울였다. 결국 그들에게 몸은 생명과 생명을 담고 있는 그릇이었고, 몸에는 심이라는 이성적 사유 능력(을 담지한 기관)이 있었다. 생명은 본래 외부의 떨림에 공명하는 특성이 있다. 육체라는 그릇을 벗어나 밖으로 유영하려는 속성이 있다. 이와 반대로 심은 생명을 안으로 뭉치게 한다. 심과 기는 문화와 자연 그리고 전체와 개체에 대응한다.

동아시아의 몸을 보기 위해서는 먼저 사람을 보아야 한다. 사람을 보기 위해서는 그릇으로서의 육체를 전제한 후 심과 기의 대비적 구도를 염두에 두어야 한다. 그로써 그릇과 그릇에 담겨 있는 생명으로서의 동아시아 몸의 원형을 볼 수 있다. 원형은 시공간에 구애받지 않는다. 몸이 최초로 등장했을 때부터 동아시아의 지성이 서구화되기 이전까지의 어느 시점에서도 확인할 수 있어야 원형이라고 할 수 있다. 그러므로 원형은 역사적 제한을 받지 않는다고 할 수도 있다. 즉 시대정신에 의해 변모하지 않는 핵과 같은 것이다. 우리는 얼마간의 철학적 논의를 통해 원형에 도달했다. 이제 현장으로 들어가야 할 때다.

원형으로서의 몸은 구체적으로 어떻게 구현되기 시작했을까?

Ⅲ

몸의 탄생, 심장

우리 앞에 '동아시아의 몸'이라고 적힌 도화지가 있다고 해 보자. 그곳에 몸을 그려 넣되 신체관의 전개 과정에 따라 그려야 한다면, 가장 먼저 그려야 할 것은 심장이다. 심장의 등장은 동아시아 몸의 탄생을 상징한다. 처음으로 심장을 그려 넣은 이는 수행가들이다. 수행가들은 심장에 신이 머문다고 생각했다. 그들은 제관이 재계하고 신의 흠향을 기원하는 것처럼 마음을 비우고 빈 마음에 신을 모셔야 했다.

이런 관념의 연원은 당연히 무속이다. 무속의 강신과 제례에 수반되는 재계라는 관념이 동아시아 수행론의 근간을 구성했고 심장으로 상징되는 몸의 탄생을 알렸다. 서양과는 달리 신은 몸을 주재하는 존재가 아니었다. 영험한 우주적 생명일 뿐이었다. 모두가 신과 같은 능력을 지닐 수 있었다. 신은 몸을 윤택하게 하고 예지력과 같은 놀라운 지력을 선사했다.

의학의 성립은 심장을 다섯 개로 분리했다. 질병은 다양한 요인으로 인해 발생했고 몸의 다양한 부위가 관련되어야 했기 때문이다. 시간이 지날수록 의학의 몸은 보다 세밀해져야 했고 몸 전체를 다뤄야 했다. 몸에 있는 기관 중 다섯 개 또는 여섯 개를 선택하고 그것을 오행에 배당하는 것은 쉬운 일이 아니다. 갑·을·병·정·무·기·경·신·임·계의 10천간과 자·축·인·묘·진·사·오·미·신·유·술·해의 12지지는 각각 태양과 달 또는 하늘을 상징하는 대표적인 패턴으로 오장육부의 성립에 기본 프레임으로 작용했다. 육부는 땅의 기운인 지기地氣 즉 곡식의 소화와 관련된 것이고 오장은 땅의 기운에서 뽑아낸 하늘 기운의 저장고였다.

신은 영험한 생명으로서 인지 과정에서 힘을 발휘했지만, 수행 주체이자 실천이성이라고 할 수 있는 주체인 심과는 다른 존재다. 심이 계산·사려·판단 등의 기능을 담당함에 반해, 신은 주로 공명하는 일을 한다. 외부의 떨림에 공명함으로써 신은 몸을 우주의 일부로 만든다. 이와는 달리 심은 몸을 세상에서 떼어 내고 주체성과 개체성을 강화하는 경향이 있다. 당연히 유학자들은 심을 중시했고 도가들은 신神 즉 기氣를 중시했다. 공명의 인지를 중시하는 도가와 달리 유가는 사려의 기능을 담당하는 심장에 초점을 맞췄다. 단순한 떨림은 모호하고 위험하다고 생각했을 것이다. 심은 '인간'을, 기는 '하늘'을 상징했다. 도가도 몸에 들어 있는 '인간'을 무시하지는 않았다. 인간의 몸에 하늘이 있다는 점을 강조하고자 했을 뿐이다.

이 장에서는 심장에서 시작된 몸의 초기 역사를 살펴볼 것이다.

1. 심장의 등장

뇌

자신을 '마음'이라고 생각하는 현대인은 뇌가 자신을 대표하는 '몸'이라고 간주할 것이다. 그런데 뇌만 따로 떼어 내도 자신의 정체성이 유지될까? 몸이 없는 상황에서도 심리적 현상이 발생할까? 락트-인 증후군locked-in syndrome은 뇌가 심리적 기능의 중추라는 점을 증명하는 수많은 예 중 하나다. 대뇌피질에서 척수로 이어지는 동작의 지령을 운반하는 섬유 손상이 원인인 락트-인 증후군 환자는 의식이 깨어 있지만 세상과 소통할 수 없다. 그러므로 머리뼈 안에 온전히 갇히게 된다.[1] 머리 이식수술에 대한 논쟁은 뇌가 심리적 기능의 중추이며 따라서 개인의 정체성을 대표한다는 현대인의 믿음을 상징적으로 보여 주는 또 다른 사례다.

고대 중국에서는 어땠을까? 뇌는 계산과 같은 심리적 기능을 담당하므로 당연히 신체관의 중심이어야 하지 않았을까? 思는 심리적 작용을 대표하는 글자다. 이 글자의 어원은 뇌가 신체관의 중심이라는 추정을 강력하게 지지하는 듯하다. 『설문해자』에 따르면 思는 회의자로 머리를 나타내는 囟과 심장을 상형한 心의 조합으로 이뤄졌다.[2] 심리 현상을 크게 정서와 인지로 나눌 수 있다고 가정해 보자. 사思는 계산·생각·사려 등의 의

---

1. 락트-인 신드롬과 의식 및 뇌에 관한 간략한 논의는 마르첼로 마시미니, 줄리오 토노니, 『의식은 언제 탄생하는가?』, 박인용 옮김(서울: 한언, 2019), 3장 참조.
2. 段玉裁, 『說文解字注』(上海: 上海古籍出版社, 1988), 501쪽.

미로 사용되는 인지를 대표한다. 사에 뇌腦를 상형하는 글자가 포함되어 있다는 것은 고대 중국인이 마음 특히 인지적 현상을 뇌의 작용으로 보았을 가능성을 강력하게 암시한다. 그러나 이런 생각을 지지하는 다른 증거는 확인되지 않는다.

기원전 3세기 이전 즉 선진 시기의 몸에는 뇌가 없었다고 말해도 지나치지 않다. 춘추 시기의 사건을 기록하고 있는 『좌전』에 뇌 자가 딱 한 번 나온다. 진후가 꿈을 꿨다. "진후가 꿈에 초자와 다투는데 초자가 자신에게 엎드려 뇌를 파먹었다."[3] 그런데 이곳의 뇌에 특별한 의미가 있을까? 영혼을 먹는다는 인식이 있었을 듯하지만, 확인할 수 없다. 식인 풍습의 일부일 수도 있다. 인용문은 신체관과 관련된 진술이 아니고, 뇌와 심리적 현상 사이의 관련을 증명하지도 않는다. 이런 현상은 춘추 시기에 이어지는 전국 시기에도 바뀌지 않았던 듯하다. 뇌와 사유를 연결하거나 뇌를 중시하는 전국 시기의 자료는 보이지 않는다.

한대漢代에는 상황이 조금 바뀌었다. 『황제내경』은 한의학의 성경이라고 할 수 있다. 이 책의 성립은 체계적으로 이론화한 한의학의 등장을 상징한다. 체계적인 의학의 성립은 확실히 뇌를 중시하게 만들었다.

기백이 말했다. 사람들에게는 수해가 있고, 혈해가 있으며, 기해가 있고, 수곡의 해가 있다. 이 네 가지는 사해에 대응한다. … 위는 수곡의 해요 … 뇌는 수의 해다.[4]

---

3. 『左傳』僖公二十八年: 晉侯夢與楚子搏, 楚子伏己而鹽其腦.
4. 『靈樞』「海論」: 岐伯曰, 人有髓海, 有血海, 有氣海, 有水穀之海, 凡此四者, 以應四海也.…

위胃는 수곡水穀이 모이는 곳이다. 수곡의 바다라는 말은 비유다. 수해髓海라는 말도 척수가 모인 곳이라는 뜻에 불과하다. 척수에서 머리로 이어지는 머리의 구조와 뇌의 생김새 때문에 이처럼 말했을 것인데, 약간 과장스런 억측을 하자면 뇌와 척수로 이뤄진 중추신경계에 대한 맹아적 인식이 있었던 것이 아닌가 하는 생각도 할 수 있다. 어쨌든 뇌는 마음의 자리이기는커녕 특수한 액체가 차 있는 곳으로 머리뼈 안에 있는 액체 상태에 가까운 덩어리에 불과하다. 몸을 채우고 있는 것을 혈·기·진액으로 나눠 보자. 수髓는 진액이다. "오곡의 진액이 섞여서 고膏가 된 것이 안으로 뼈 속으로 배어 들어가서 뇌수를 보충하고 늘려 준다."[5] 척수액이 뇌에 영양을 공급한다는 것은 사실인데,『황제내경』의 저자들은 수가 눈물의 원천이라고도 말했다. "눈물은 뇌다. 뇌는 음이다. 수는 뼈를 채우는 것이다. 그러므로 뇌가 배어 들어가 눈물이 된다."[6] 뇌는 계산과 같은 사고 기능을 담당하는 기관이 아니라 액체의 형태로 존재하는 생명 물질에 불과했다.

물론 뇌는 수라는 중요한 생명 물질이다. 뇌수가 사그라든다는 것은 질병의 징후다. "진액을 뺏기면 뼈를 펴고 굽히는 것이 매끄럽지 않다. … 뇌수가 사그라든다."[7] 수는 생명의 핵심 물질이고, 뇌는 그런 물질이 모여 있는 곳이다.『황제내경』의 저자들은 뇌를 기가氣街 즉 기운이 교차하는 사거리 같은 곳이라고도 했다. "청컨대 기가에 대해 말하고자 합니다. 가

胃者水穀之海···腦爲髓之海.

5.『靈樞』「五癃津液別」: 五穀之津液和合而爲膏者, 內滲入於骨空, 補益腦髓.

6.『素問』「解精微論」: 泣涕者, 腦也, 腦者, 陰也, 髓者, 骨之充也, 故腦滲爲涕.

7.『靈樞』「決氣」: 液脫者, 骨屬屈伸不利, 色夭, 腦髓消.

슴에도 기가 있고 배에도 기가가 있으며 머리에도 기가가 있고 종아리에도 기가가 있습니다."[8] 뇌는 비교적 중시되었다. 수를 담고 있는 그릇이자 기운이 교차하고 만나는 곳으로 받아들여졌다.

그러나 『황제내경』의 저자들은 한 번도 뇌를 심리적 현상과 연결하지 않았다. 기해氣海, 혈해血海 등과 병기되었다는 사실은 오히려 뇌가 마음과 무관하다는 생각을 강화한다. 네 개의 기가 즉 기의 교차로 중 하나였다는 사실도 뇌가 심리적 현상과 무관한 것으로 받아들여졌다는 생각과 잘 어울린다. 뇌가 심리적 현상을 담당하는 기관이라면 다른 것들과 대등하게 생각되지는 않았을 것이다. 신체의 중심으로 간주되어야 하지 않았을까? 그러나 『황제내경』의 저자들에게 뇌는 머리뼈 안의 피질 등으로 이뤄진 신경계가 아니었다. 더군다나 마음과의 관련을 언급하는 구절은 없다. 뇌는 오장육부와 대등한 것으로 간주되었는데, 심지어 하늘이 아닌 땅의 계열에 배속되기도 했다.[9]

4~5세기에 이르러서야 뇌는 정신과 연결되었다. 대체로 4세기경 무속적 색채가 뚜렷이 드러나는 작은 수행 단체로 출발한 상청파上淸派는 위·진·남북조 시기의 도교를 대표하며, 도교 교리와 수행의 성립에 지대한 영향을 미쳤다. 이들은 주로 체내신體內神을 상상하는 존사存思 또는 존상存想이라는 방법으로 수련했고, 당시에 전해지던 『황정외경경』이라는 문헌

---

8. 『靈樞』「衛氣」: 請言氣街, 胸氣有街, 腹氣有街, 頭氣有街, 脛氣有街.
9. 『素問』「五藏別論」: 黃帝問曰, 余聞方士, 或以腦髓爲藏, 或以腸胃爲藏, 或以爲府, 敢問更相反, 皆自謂是, 不知其道, 願聞其說. 岐伯對曰, 腦髓骨脈膽女子胞, 此六者, 地氣之所生也, 皆藏於陰而象於地, 故藏而不寫, 名曰奇恒之府. 夫胃大腸小腸三焦膀胱, 此五者, 天氣之所生也, 其氣象天, 故寫而不藏, 此受五藏濁氣, 名曰傳化之府.

을 모방해서 존사수행법에 초점을 둔 문헌을 저술했다. 그들이 저술한 책은 『황정내경경』이라고 불린다. 『황정내경경』에 따르면, 머리 안에는 아홉 개의 궁이 있고, 각 궁에는 신들이 거처한다. 『황정내경경』이 4세기경에 성립되었다고 가정해 보자. 4세기에 이르러서야 그전까지는 드러나지 않고 잠복해 있던 뇌가 부각되었다. 그때가 되어서야 몸의 그림에 뇌를 그릴 수 있게 되었다는 의미다.

참으로 이상한 일이다. 사思에서 볼 수 있듯이 뇌가 인지 과정에 관여한다는 것은 일찍부터 알려져 있었다. 더군다나 다음에서 확인할 수 있듯이 심장이 중시된 배경에는 심장이 인지 과정에서 중요한 역할을 한다는 믿음이 있었다. 심과 마찬가지로 뇌도 인지를 담당하는 기관이라는 인식이 있었다면 왜 심장과 달리 뇌는 중시되지 않았던 것일까? 이 장의 끝에서야 상세하게 설명할 수 있게 될 이 질문에 대한 대답은 심리와 생리에 대한 고대 동아시아인의 생각에 토대한다.

동아시아인은 한쪽으로는 심리와 생리를 구분하면서도 또 구분하지 않기도 했다. 육체와 마음을 구분했지만 기는 심리와 생리의 영역에 모두 걸쳐 있었다. 그런데 이처럼 심리와 생리를 구분하지 않는다면 생리의 중심이 심리의 중심이 되는 것이 자연스러울 것이다. 뒤의 내단수행에서 볼 수 있듯이 뇌는 내단수행의 두 순환 체계 중 한 축을 담당한다고 간주되었다. 그러나 심과 달리 뇌는 순환의 중심은 아니었다. 즉 뇌는 심장과 달리 확고한 생리적 메커니즘의 지위를 점하지 못했다. 요컨대 심장이 혈액순환의 중심이라는 사실이 심장에 본연의 생리적 기능 외에 다른 기능을 담당하는 기관의 위상을 부여하게 한 배경이자, 뇌가 아닌 심장을 중시하게 만든 원인이다.

심장은 몸 자체는 아니지만 동아시아 신체관의 어머니이자 아버지다.

심장이라는 신전

사실 앞에서 검토했던 체體, 형形 등은 신체를 가리키는 글자이긴 하지만 철학적으로는 별다른 의미를 지니지 못한다. 자신이라는 뜻의 신身도 마찬가지다. 이런 글자들이 가리키는 것은 인간 탐색 여정의 주변부에 머물 뿐이다. 인간의 본질은 몸이기보다는 마음이다. 그러나 마음은 몸과 무관하지 않다. 현대인은 이 사실을 잊었고, 그 배후에는 심신이원론이 있다. 앞서 보았듯이 적지 않은 현대의 동양 철학자들이 동양의 인간관을 심신일원론이라고 주장하지만, 동양에서 심신을 구분하지 않았던 것은 아니다. 혼백 개념을 생각해 보라. 혼이 하늘로 올라가고 남은 몸이 백이다. 몸은 천시되는 지상의 것이라는 생각이 있었다. '몸뚱어리'라는 표현도 상기해 보라. 혼백 개념은 심신이원론과 잘 어울리는 듯하다. 몸의 특정 부위가 중시된 배경에도 천상의 귀한 혼과 지상의 천한 몸이라는 가치 평가가 전제되어 있다. 혼에 상당하는 정신이 머무는 처소라는 것이 심장이 중시된 이유 중 하나다.

고대 동아시아에서 심장은 몸을 대표했다. 뒤에 자세히 설명하겠지만 고대 동아시아인은 심장이 혈액순환의 중심이라는 점을 알고 있었다. 그러나 심장이 혈액순환의 중심이라는 사실 그 자체만으로 심장이 중시된 것은 아니다. 사실보다는 의미가 중요하다. 공명함으로써 세상의 이야기를 전해 주는 기가 피를 타고 심장으로 몰려든다는 생각이 심장을 몸의 가장 중요한 부분으로 만든 배경이다. 심장이 중시된 또 다른 이유는 신전神殿이기 때문이다. 심장은 제단이자 신전이다. 맞다. 동양 수행론의 원형은 샤머니즘이므로 수행론의 핵심 관념도 샤머니즘에서 왔다. 자신을 깨끗이 하여 신내림을 받는 의례적이고 심리적인 절차가 중국 수행론과 심장에 대한 인식에 영향을 미쳤다. 나는 이 사실을 여러 곳에서 말했지만, 다시 말해도 될 정도로 중요하다. 이 이야기는 『관자』에서 시작된다. 『관자』에는 이른바 『관자』 사편四編이라고 불리는 수행 관련 챕터가 있다.

사실 「백심」편은 삭제해야 한다. 그러면 「내업」·「심술상」·「심술하」가 남는다. 『관자』 삼편의 여기저기서 심장이 신의 거주지임을 말한다. 『관자』 수양론의 골간은 무속적 관념이다. 그레이엄Angus Graham은 이 점을 의심하지 않았다. "이러한 수행이 무속에서 연원했다는 점은 분명하다."[10] 다음은 『관자』에서 확인할 수 있는 강신을 연상시키는 글이다.

삼가 그 집을 치우면 정이 장차 스스로 올 것이다.[11]

그 욕심을 비우면 신이 장차 와서 머물 것이다.[12]

불결한 것을 치우면 신이 이에 머물 것이다.[13]

마음이 고요할 수 있으면 도가 장차 스스로 자리를 잡을 것이다.[14]

---

10. 앤거스 그레이엄, 『도의 논쟁자들』, 나성 옮김(서울: 새물결, 2001), 190쪽.
11. 『管子』 「內業」: 敬除其舍, 精將自來.
12. 『管子』 「心術上」: 虛其欲, 神將入舍.
13. 『管子』 「心術上」: 掃除不潔, 神乃留處.

이 기는 힘으로 머물게 할 수는 없으나 덕으로 편히 머물게 할 수 있다.[15]

덕은 도의 집이다. 만물은 그것을 얻어서 낳고 낳는다. … 그러므로 덕이라는 것은 얻음이다. … 무위를 일러 도라고 한다. 그것(도)을 머무르게 하는 것을 덕이라고 한다.[16]

무릇 도는 몸을 채우는 것이다.[17]

기라는 것은 몸을 채우는 것이다.[18]

집은 정精·신神·도道·기氣가 머무는 곳 즉 마음이다. 인용문에서 반복적으로 보이는 구도는 두 단계로 나눌 수 있다. 하나는 마음을 청결히 하는 것이고, 둘째는 신이 와서 머무는 것이다. 이 구도는 '강신을 위한 준비-강신'이라는 무속의 구도와 부합한다. 다만 강신을 위한 노력을 마음의 청결이라고 구체적으로 말하고 있을 뿐이다. '그 집을 치운다', '그 욕심을 비운다', '불결한 것을 치운다'는 강신을 위한 준비 단계에 해당한다. '스스로 온다', '들어와서 머문다', '신이 머문다'는 강신에 대응한다. 이것을 도식화하면 무속과의 유사성이 보나 분명해진다.

---

14. 『管子』「內業」: 心能執靜, 道將自定.
15. 『管子』「內業」: 此氣也, 不可止以力, 而可安以德.
16. 『管子』「心術上」: 德者, 道之舍. 物得以生生,…故德者得也,…以無爲之謂道, 舍之之謂德, 故道之與德無間.
17. 『管子』「內業」: 夫道者, 所以充形也.
18. 『管子』「心術下」: 氣者, 身之充也.

무속	강신을 위한 준비	신神	몸
수양	마음을 청결히 함	도道, 기氣, 정精, 신神	심

『관자』 수양론이 무속에서 연원한다는 것은 사실이지만,「심술상」·「심술하」·「내업」은 무속 문헌이 아니다. 이 문헌들에서는 무속이 아닌 수행을 말한다. 사람은 강신이 아니라 수행을 통해 특별한 경지에 도달한다. "상으로도 선을 권면할 수 없고, 형벌로도 잘못을 징치할 수 없다. 기의가 평온해진 후에야 천하가 복종하고, 심의가 안정된 후에야 천하가 말을 듣는다."[19] 무속과 수행을 나누는 기준은 무엇인가?

무속에서는 주도권이 밖에서 들어온 신에 있다. 즉 무당이 신에게 강신을 요청해도 신은 내려오지 않을 수 있다. 그러나 『관자』에서는 그런 주도권이 수행자 쪽으로 넘어와 있다. 수행자가 조건을 충족하면 신은 들어와야 한다. 그런데 이 점만 다를 뿐 다른 것은 동일하다. 마음이 시끄러운 무당에게 신이 내려올까? 수행자는 시끄럽고 번잡스러운 것들을 제거해야 한다. 마음의 안정은 강신을 원하는 무당에게도 요구되었던 것이다. 제례의 상황에서도 마찬가지다. 제례를 집행하는 제관은 재계齋戒의 절차를 통해 고요한 상태에 접어든다. 무당이 제례를 집전했을 수도 있다. 이런 문화에서 차용한 마음의 고요함이 『관자』 수양론의 핵심이다. 감정적 동요와 욕망이 마음의 고요함을 흔드는 대표 요인이다. "저 마음은 저절로 차고 그득해지며 저절로 낳고 저절로 이뤄 준다. 이러한 마음의 기능을 잃게 되는 것은 반드시 근심·즐거움·기쁨·노함·욕망 때문이다. 그러한

19.『管子』「內業」: 賞不足以勸善, 刑不足以懲過, 氣意得而天下服, 心意定而天下聽.

것들을 없앨 수 있으면 마음은 고요함으로 돌아간다."[20] 이러한 것들을 제어함으로써 마음의 안정을 이루는 것이 『관자』 수양론의 목적이다. 어떻게 제어할 수 있는가?

> 사람의 삶은 반드시 평정해야 한다. 평정을 잃는 까닭은 즐거움·노여움·근심·걱정 때문이다. 이 때문에 노여움을 막는 데는 어떤 것도 시詩만 한 것이 없고, 근심을 없애는 데는 어떤 것도 음악만 한 것이 없으며, 즐거움을 조절하는 데는 어떤 것도 예禮만 한 것이 없고, 예를 지키는 데는 어떤 것도 가르침만 한 것이 없다. 경건함을 지키는 데는 어떤 것도 고요함만 한 것이 없다. 안이 고요하고 밖으로 공경스러워 그 본성으로 돌아갈 수 있으면 성性이 장차 크게 안정되리라.[21]

인용문의 본성은 일렁이는 생명 그 본연의 상태, 아직 자극이 가해지기 전의 평온한 상태다. 맹자의 본성과 다르다. 유학자들은 본성에 유가 도덕적 성향을 새겨 넣었다. 외부의 자극이나 내적인 욕망과 호오 또는 양자의 결합이 생명을 요동치게 만든다. 내외의 자극에 대한 반응으로 인해 불안이 싹튼다.

인용문은 출렁이는 마음을 안정시키는 방법을 묘사하고 있다. 시와 음악, 예와 경건함이 제안된 수행법이다. 이런 수행법을 통해 마음은 평정해

---

20. 『管子』「內業」: 凡心之刑, 自充自盈, 自生自成. 其所以失之, 必以憂樂喜怒欲利. 能去憂樂喜怒欲利, 心乃反濟.
21. 『管子』「內業」: 凡人之生也, 必以平正, 所以失之, 必以喜怒憂患, 是故止怒莫若詩. 去憂莫若樂, 節樂莫若禮, 守禮莫若敎, 守敬莫若靜, 內靜外敬, 能反其性, 性將大定.

진다. 마음의 평정은 정·신·기·도의 '래임來臨'을 초래한다. 본성은 마음 본연의 모습 즉 허정한 상태에서 드러나는 성향 없는 성향이고, 심장은 신이 머무는 신전이다. 장자는 고요해진 심장에 신이 깃드는 것을 고요하고 깨끗한 집 안에 흰빛이 생겨나는 것으로 묘사했다.[22]

심장을 신전으로 보는 관념은 먼 뒷날 『황정외경경』과 『황정내경경』 그리고 『상청대동진경』에서 화려하게 변모한다. 심장은 알록달록한 옷으로 화려하게 치장한 작은 요정들의 거주지로 묘사된다. 심장에서 확장되어 몸이 신전이 된다. 그러나 그 단계까지 가기에는 많은 시간이 필요했다. 우선 심장이 점차 확장되어 몸 전체를 덮어야 했다.

심장과 감관 그리고 몸

맹자는 체를 대체와 소체로 나눴다. 대체는 심장, 소체는 감관이었다. 대체와 소체의 의미와 관계를 어떻게 보았을까? 맹자는 심장 즉 대체를 도덕성 또는 도덕성의 소재所在로, 소체를 욕구 또는 욕구의 소재로 보았다. 심장에는 유가적 가치의 뿌리인 도덕성이 자리 잡고 있다. 그러나 심장의 의미는 그 이상이다. 도덕성을 포함하는 욕구는 몸에 산재하지만 강신한 신처럼 오직 심장에만 머무는 것이 있다. 순자가 말했다.

> 귀·눈·코·입·몸은 각각 접하는 대상이 있을 수 있으나 서로에게 각각의 능력을 줄 수는 없다. 이것을 일러서 천관 즉 하늘이 정해 준 관리라고 한다. 심장은 가운데 텅 빈 곳에 거처하면서 오관을 다스린다. 이것을 일러

---

22. 『莊子』「人間世」: 虛室生白.

천군이라고 한다.[23]

천관은 천군의 통제를 받는다. 순자의 명명에는 통치자와 피치자의 관
계가 함축되어 있다. 이런 생각은 맹자에게서도 확인된다.

> 귀와 눈의 감관은 사려하지 않으므로 외물에 가린다. 사물과 사물이 만
> 나면 서로를 끌어당길 뿐이다. 그러나 심장이라는 기관은 사려한다. 생각
> 하면 얻고 생각하지 않으면 얻지 못한다. 이것은 하늘이 내게 준 것이다.
> 그 큰 것에 먼저 서면 작은 것이 빼앗지 못한다. 이것이 대인일 뿐이다.[24]

앞서 보았던 대체와 소체에 이어지는 말이다. 대체는 인·의·예·지의 유
가 윤리적 성향을 소체는 감관의 욕구를 말한다. 대체의 도덕적 욕구를
따르면 소체의 생물적 욕구를 이겨 냄으로써 대인이 된다는 뜻이다.
　그런데 무엇을 제어한다는 의미일까? 욕구는 생명의 자연스러운 성향
이다. 그런 성향 중에 집단의 안녕과 평화라는 공동의 이익에 반하는 것
을 제어한다는 뜻이다. 무엇이 제어하는가? 명시되어 있지는 않지만 인용
문에는 욕구를 제어하는 수행 주체가 전제되어 있다. 그런 수행 주체가 마
치 저울을 달듯이 행로를 결정함으로써 욕구를 제어하고 대체로 상징되는
윤리적 가치를 따른다는 점이 함축되어 있다.

---

23. 『荀子』「天論」: 耳目鼻口形, 能各有接而不相能也, 夫是之謂天官, 心居中虛,以治五官,
　　夫是之謂天君.
24. 『孟子』「告子上」: 耳目之官不思, 而蔽於物, 物交物, 則引之而已矣. 心之官則思, 思則得
　　之, 不思則不得也. 此天之所與我者, 先立乎其大者, 則其小者弗能奪也. 此爲大人而已矣.

수행 주체의 핵심 역량은 사려함이고 사려함은 심장의 기능이다. 심장은 신의 거주지이자 수행 주체의 역할을 담당하는 기관이었다. 그런데 어떻게 제어할 수 있을까? 심장과 감관 사이에 모종의 연결 통로가 가정되어 있는 이유다.

정이 보존되어 저절로 생겨나면 그 밖이 편안해진다. 안으로 품어 샘의 근원이 되면, 넓고 조화로우며 평평해진다. 기의 연못을 (가득) 채운다. 연못이 마르지 않으면 사지가 견고해진다.[25]

안으로 품는 것은 심장이다.[26] 인용문에서는 심장을 우물에 비유한다. 심장이라는 우물 안에는 기가 가득 차 있다. 그 기가 앞서 말했던 심장이라는 신전에 거주하는 신이다. 동양의 신은 서양의 신처럼 주관 또는 주재하는 존재이기보다는 신령한 생명이라는 점을 잊지 말자. 주재하는 것은 마음으로서의 심이지 신이 아니다. 심장 안에 가득 찬 기운은 심장 밖으로 흘러나온다. 인용문에서 말하는 기의 연못은 심장 밖의 몸이다. 심장에서 기가 흘러나와 몸을 영양하는 것은 우물에서 흘러나온 물이 사방을 적셔 주는 것과 같다. 우물로부터 흘러든 물이 고이는 작은 연못을 연상해 보자. 우물은 심장이고 몸은 연못에 해당한다. 그런데 심장에서 몸으로 흘러나온다는 진술은 몸과 심장 사이에 일정한 노선이 존재한다는

---

25. 『管子』「內業」: 精存自生, 其外安榮, 內藏以爲泉原, 浩然和平, 以爲氣淵. 淵之不涸, 四體乃固.

26. 사실 五藏의 藏은 精을 품고 있다는 의미다.

사실을 함축한다. 마치 연못으로 흘러드는 작은 물줄기처럼.

실제로 『황제내경』에는 몸에서 심장으로 들어가는 노선이 가정되어 있다. "심장은 맥을 모은다. 그것은 얼굴에 피어난다."[27] 인용문은 좀 특이하다. 주지하듯이 한의학의 12경맥은 오장 모두와 연결되어 있어서 오장 중 어느 하나로 귀착시킬 수 없다. 따라서 인용문의 맥은 몸을 끝없이 유주하는, 일반적으로 말하는 경맥이 아님을 알 수 있다. 인용문의 맥은 혈맥이다. 사실 한의학의 경맥은 혈관이 아니지만 한의학사에서 혈관은 경맥 체계의 모본이다. 혈관이 없었다면 경맥은 착상되지 못했을 것이다. 게다가 한의학 경전 중의 경전이라고 할 수 있는 『황제내경』은 오랫동안 누적된 다양한 지층으로 이뤄져 있으므로, 인용문처럼 혈관과 경맥을 동일시하는 진술이 존재한다 해도 이상하게 여길 필요는 없다. 이 점은 뒤에 상고할 것이다.

생명이 심장에서 몸으로 흘러나가 끝내 감관에 이르러야 몸이 욕구를 구현할 수 있다. 심장 안에 있는 수행 주체로서의 마음 즉 심장이라는 기관의 기능은 이 과정을 막을 수 있다. 생명이 전달되지 않으면 욕구는 발화하지 못한다. 꽃이 피지 못하는 것처럼. 감관은 바깥의 대상이 들어오는 곳이자 몸 안의 생명이 흘러나가는 출구이기도 하다. 따라서 밖으로 향하는 생명을 안으로 복귀시킴으로써 욕구의 발현을 제어할 수 있다. 생명이 유출되지 못하게 만들기 위해서는 마음을 안정시켜야 한다. 이것이 동양의 수행심리학이라고 할 수 있는 『관자』 「내업」편의 요지다.[28]

---

27. 『素問』 「五藏生成」: 心之合脈也, 其榮色也.
28. 『管子』 「內業」: 我心治, 官乃治, 我心安, 官乃安. 治之者心也, 安之者心也.

이제 심장뿐이었던 몸의 그림에 감관이 더 그려졌다. 이후에 심장은 다섯 개 즉 오장으로 분기되었고, 심장이 오장으로 분기됨에 따라 감관도 오장 각각에 배속되었다. 그러나 핵심 관념은 바뀌지 않았다.

마음을 편안히 함으로써 생명을 보존해야 한다는 이념, 감정의 격동으로 대표되는 마음의 혼란으로 인한 생명의 유출, 그런 생명의 본거지는 심장이라는 믿음, 심장을 신전으로 보는 무속 전통의 영향이 핵심이다. 이런 관념은 마음의 평정을 기치로 하는 수행론의 영역에 무리 없이 적용될 수 있었다. 그러나 의학의 영역에서는 변화를 요구받았다. 사실 우리 몸의 기관은 대부분 심장과 마찬가지로 생명 활동에 필수적이고, 생명의 연원을 심장이라고 말할 수도 없다. 오히려 음식에서 생명을 받아들이는 위가 신체관의 중심을 차지할 만하고, 위에서 추출된 생명이 몸을 유주하다가 모여들어 만들어진 정액이라고 불리는 정미한 물질화된 기운을 담고 있는 신장이 또 다른 중심이 될 만하다.

요컨대 하늘의 생명이 거주하는 심장은 쪼개졌고, 그동안 간과되던 땅의 생명이 몸 안에 처소를 마련했다.

2. 심장의 분화

오장

최초의 과학자들은 철학자들이었다. 경험만으로는 과학이 성립되지 않는다. 경험지식을 이론화한 이들을 최초의 과학자들이라고 할 수 있다. 동서양을 막론하고 최초의 과학자들은 자연의 무한한 변화 속에서도 정합성을 유지하는 현상을 설명하고자 했던 철학자들이었다. 세상은 끝없이 변화한다. 매년 봄이 오고 여름은 지나간다. 가을이 오고 겨울이 지나간다. 어떻게 이런 변화가 거시적인 안정을 유지할 수 있을까?

서양의 철학자들은 대체로 불변의 실체 또는 원리를 가정했다. 최초의 서양 철학자들로 말해지는 자연철학자들에게서 그런 경향을 확인할 수 있다. 데모크리토스의 원자론이 대표적이다. 동양의 지성은 달랐다. 불변의 실체를 찾고 그 기반 위에서 변화를 설명하는 사유는 무시무종으로 변화하는 세계의 바깥에서 변화의 동력을 찾는 이들에게나 적합하다. 당연히 창조주로서의 신을 가정하는 이들이 그런 생각을 할 만하다. 그러나 동양의 세계는 이미 주어져 있다. 조화자는 세계 내에서 변화를 만들어 낼 뿐이다. 세계 자체를 만들지 않는다.[29] 그는 여기에 있다! 동양의 철학자

---

29. 물론 그런 사유가 전무하다고 장담할 수는 없다. 『도덕경』 25장에서 도가 천지에 앞서서 생겨났다고 할 때 도는 창조주를 연상시키는 구석이 있다. 『道德經想爾注』의 10장 "載營魄, 抱一能無離"에 대한 주석에서도 유사한 구절을 볼 수 있다. "一在天地外, 入在天地間." 천지의 밖에 있거나 천지에 앞서 있다면 세계의 밖에 존재한다고 말할 수 있을 것이다. 그러나 주류는 아니다. 비교할 때는 주류를 들 수밖에 없다.

들은 변화의 양상을 찾으려 했다. 음양오행이 대표적이다. 이런 변화의 양상을 패턴이라고 해 보자.[30] 한의학은 널리 받아들여지던 패턴을 프레임으로 삼고 그 위에 경험의학 지식을 체계적으로 누적시킴으로써 성립되었다.

말했듯이 『황제내경』은 한의학의 성경으로 받아들여진다. 그러나 본래는 한의학 전체를 포괄하지 못했다. 『황제내경』은 원칙적으로 침구 이론서이기 때문이다. 약학은 후한대에 이르러야 성립되었다. 『황제내경』의 기틀이 잡힌 뒤다. 그래도 침구 이론서인 『황제내경』은 한의학의 성립을 상징한다. 이후의 의학이 『황제내경』을 의식한 채 건설되었기 때문이다. 『황제내경』의 성립자들은 음양오행을 받아들였다. 물론 소수의 예외는 있다. 『황제내경』이 들쭉날쭉한 이유다. 그래도 전체적으로 보면 오행 도식을 전반적으로 수용했다고 평가할 수 있다.

오행론의 도입은 몸에도 큰 변화를 만들어 냈다. 심장이 아닌 오장이 대두했다. 그러나 오장을 확정하는 것은 쉬운 일이 아니다. 몸은 나사를 풀어 분해할 수 있는 명확하게 구분되는 부속품으로 되어 있지 않다. 경계가 불분명한 부위를 구분해 내는 것은 많은 논쟁을 일으킬 수 있다. 한의학 이전에도 오장이라는 단어가 있었지만, 몸에서 차지하는 위상은 한미했다. 그것이 현대의 오장을 가리키는지조차 불분명하다. 심지어 오장이 육부를 의미하는 경우도 있었다. 마왕두이馬王堆 발굴 문헌인 『음양맥사후陰陽脈死候』에서는 육부를 오장이라고 했다.

---

30. 패턴이라는 표현에는 음양오행 등이 법칙이 아니라는 점이 전제되어 있다.

흐르는 물은 썩지 않고 문짝은 좀먹지 않으니 움직이기 때문이다. 움직이면 사지를 채우고 오장을 비운다. 오장이 비면 옥체가 편안하다. 무릇수레를 타고 육식을 하는 이들은 봄가을로 반드시 □□면, 맥이 썩어 문드러지고 살이 죽는다. 맥이 차면 비우고, 비면 실하게 해야 한다. (진맥을 할 때는) 고요히 기다려서 맥상을 살펴야 한다.[31]

마왕두이 발굴 문헌은 기원전 168년에 매장되었고, 『황제내경』은 한대漢代 수백 년에 걸쳐 성립되었다. 『음양맥사후』는 『황제내경』 성립 직전의 의학, 『황제내경』의 일부 핵심 문헌들이 성립되어 가는 과정의 의학을 알려 준다. 위 인용문은 그때까지도 오장육부의 개념이 정립되어 있지 않았다는 사실을 확인시켜 준다. 장자도 육장이라는 말을 하고 있다. "나는 온갖 뼈와 아홉 개의 구멍, 그리고 여섯 개의 장을 갖춰서 존재한다. 나는 누구와 더 친할 것인가?"[32] 여섯 개의 장이 육부를 말하는지조차 알 수 없다. 어쨌든 『음양맥사후』의 오장은 오장이 아니다. 몸을 움직여 비울 수 있는 것은 소화기관인 육부이지 오장이 아니기 때문이다. 그럼에도 불구하고 소화기관을 오장이라고 말하고 있다.

오장이 무엇인가라는 질문이 촉발한 혼란은 두 단계를 거치면서 안정되었다. 먼저 오장의 골격이 정해졌다. 그 결과 오장은 간·심·비·폐·신으로 구성되어 있다는 동의에 이르렀다. 그러나 오장이 간·심·비·폐·신임을 정

---

31. 『陰陽脈死候』: 夫流水不腐戶樞不蠹, 以其動. 動則實四肢而虛五藏, 五藏虛則玉體利矣. 夫乘車食肉者, 春秋必□, □則脈爛□而肉死. 脈盈而虛之, 虛而實之. 靜則待之. 마왕퇴 발굴 문헌의 원문은 정우진, 『한의학의 봄』(서울: 청홍, 2015) 참조.
32. 『莊子』 「齊物論」: 百骸九竅六藏, 賅而存焉, 吾誰與爲親.

하는 것은 일의 반에 불과하다. 과학의 프레임으로 사용된 오행의 논리를 적용하는 오행 배당의 숙제가 남아 있었다. 즉 어떤 장이 오행의 어떤 행에 해당되는지가 결정되어야 했다. 『예기』에 그런 논의 과정의 일단이 보인다. 『예기』「월령」편에는 시기별로 제물로 쓰일 부위에 관한 논의가 실려 있다. 오장의 위치가 중요한 기준이었다. 오행의 방위가 고려된 까닭이다. 오행을 시공간에 배당한 결과는 다음과 같다.[33]

목木	동쪽	봄
화火	남쪽	여름
토土	중앙	늦여름
금金	서쪽	가을
수水	북쪽	겨울

희생의 머리가 남쪽을 향해 있다고 가정해 보자. 폐가 남쪽에, 신장이 북쪽에 있다. 오행에서 남쪽은 화에 해당하고 북쪽은 수에 해당한다. 따라서 신장은 북쪽의 수에 해당하고 폐는 남쪽의 화에 해당한다. 이게 기준이고 다른 장은 이 기준에 맞춰 조정되었을 것이다. 예를 들어 비장은 신장보다 조금 앞에 있다. 그리고 폐의 조금 뒤(북쪽)에는 심장이 있다. 따라서 심장은 중앙에 해당한다. 간은 심장의 조금 뒤, 우측에 있다. 서쪽이다. 가을에 해당한다. 봄(비)목－여름(폐)화－중앙(심장)토－가을(간)금－겨울

---

33. 오장의 오행 배당에 관한 논의의 기본 골격은 이미 이시다 히데미石田秀實가 소개한 바 있다. 이시다 히데미, 『기 흐르는 신체』, 이동철 옮김(서울: 열린책들, 1980), 27-33쪽.

(신장)수의 도식이 완성되었다.

봄	여름	장하	가을	겨울
비장	폐	심장	간	신장
목	화	토	금	수

이것은 의학의 배치와 다르다. 『황제내경』은 『소문素問』과 『영추靈樞』라는 두 문헌으로 구성되어 있다. 『소문』「옥기진장론玉機眞藏論」편에서는 다음과 같이 말한다.

봄의 맥은 간으로 동방의 목기입니다. 여름의 맥은 심으로 남방의 화기입니다. 가을의 맥은 폐이니 서방의 금기입니다. 겨울의 맥은 신이니 북방의 수기입니다.[34]

봄	여름	장하	가을	겨울
간	심	비	폐	신
목	화	토	금	수

『예기』「월령」편의 오행 배당은 제례의 맥락에서 정해진 것이다. 정현은 이 점을 명확히 밝히고 있다. "이런 것들은 다만 희생의 오상이 있는 곳에 의거하여 춘·하·추·동의 위치에 해당시켰을 뿐이다. 오행의 기운이 낳는 것이 오장을 주관하는 것을 고려하면 그렇지 않다."[35] 마찬가지로 『예

---

34. 『素問』「玉機眞藏論」: 春脈者肝也, 東方木也, 夏脈者心也, 南方火也, 秋脈者肺也, 西方金也, 冬脈者腎也, 北方水也.

35. 『禮記正義』「月令」: 此等直据牲之五藏所在而當春夏秋冬之位耳. 若其五行所生, 主五藏, 則不然矣.

기』「월령」주소에 실려 있는 글이다. 『예기』의 배열은 단순히 공간적 대응에 의한 배열이다. 그러나 『황제내경』은 의서다. 단순히 방위만을 고려할 수는 없다. 오장과 오행의 성질이 중요한 판단 기준이 되어야 한다.

「월령」에서 사시의 제사에 해당하는 것은 그 오장의 위·아래에 의존해 차서를 정했을 뿐이다. 겨울의 위치는 뒤에 있고 신장은 밑에 있으며 여름의 위치는 앞에 있고 … 이제 질병을 치료하는 의술에서 간을 목으로 심을 화로 비를 토로 폐를 금으로 신을 수로 여기면 병을 치료할 수 있을 것이다. 그러나 만약 이 순서를 어기면 죽지는 않는다 해도 중태에 빠질 것이다.[36]

이 논쟁은 후한대에 이르러서야 현대의 모습으로 정해진 것으로 보인다. 후한 시기의 허신許愼이 『오경이의五經異義』에서 다음과 같이 말하고 있기 때문이다. 이것도 13경 주소의 『예기』「월령」편 주소에 실려 있는 내용이다.

금문상서에서 구양은 설하기를 간은 목이요, 심은 화요, 비는 토요, 폐는 금이요, 신은 수라고 했는데 고문상서에서는 설하기를 비는 목이요, 폐는 화요, 심은 토요, 간은 금이요, 신은 수라고 했다. 내가 살피건대 「월

---

36. 『禮記正義』「月令」: 月令祭四時之位, 及其五藏之上下次之耳, 冬位在后, 而腎在下, 夏位在前.…今醫疾之法, 以肝爲木, 心位火, 脾爲土, 肝爲金, 腎爲水則有瘳也, 若反其述, 不死爲劇.

령」에서 봄에는 비로 제사지내고 여름에는 폐를 제사지내고 늦여름에는 심을 제사지내고 가을에는 간을 제사지내고 겨울에는 신을 제사지내는 것은 고문상서와 같다.[37]

한대에는 문헌의 정리를 위한 훈고학이 발달했다. 한대에 들어서야 학술이 체계적으로 정리·이해되었다고 할 수 있다. 금문파와 고문파는 한대 훈고학을 대별한다. 원칙적으로 고문파는 고문 즉 옛 문자로 기록된 발굴 문헌에 토대한다. 복기한 내용을 당시의 문자로 기록한 문헌에 토대한 금문파와는 다르다. 이들은 해석에서 상당한 마찰을 겪었다. 그러나 오장의 오행 배당이라는 문제에서는 양자를 구분할 필요가 없다. 금문파는 의학적 맥락에서 행해진 오행 배당을 주장했고, 고문파는 제례의 맥락에서 적용된 오행 배당을 주장했을 뿐이다. 즉 맥락이 달랐을 뿐이다. 오행 배당은 당연히 맥락에 따라 다르다. 학술사상의 문제가 아니다.

『황제내경』은 전한기부터 후한기에 걸쳐 서서히 성립되었다. 좁게 잡아도 200~300년이나 된다. 세월의 폭이 좁지 않다. 텍스트의 성립에 오랜 시간이 흘렀다는 사실은 이질적 지층의 존재를 암시한다. 『황제내경』은 황제와 신하들의 문답 형식으로 기록되어 있다. 야마다 게이지山田慶兒는 문답자를 기준으로 『황제내경』이 모두 다섯 개의 지층으로 구성되어 있다고 주장했다.[38] 지금은 밋밋한 느낌이지만 당시에는 매우 계발적인 가

---

37. 『禮記正義』「月令」: 異義云, 今文尙書歐陽說, 肝木也, 心火也, 脾土也, 肺金也, 腎水也, 古尙書說, 脾木也, 肺火也, 心土也, 肝金也, 腎水也, 許愼按, 月令春祭脾, 夏祭肺, 季夏祭心, 秋祭肝, 冬祭腎, 如古尙書同. 『禮記』「月令」注疏. 十三經注疏.
38. 山田慶兒, 『中國醫學の起源』(東京: 岩波書店, 1999), 5章.

설이었다. 현대의 학자들 중 많은 이가 그의 생각을 따른다. 나도 그중 한 명이다.

다섯 학파 중 기백학파가 가장 중요한 비중을 차지한다. 그들은 후한기 전반에 활동했다. 기백학파가 신체관을 정립했다고 가정해 보자. 오장을 중심으로 하는 신체관이 확립된 것은 후한 전반기부터 100년 안쪽이었을 것이다. 후한 이후에 오장에는 각각 고유한 역할이 부여되었고, 폐·간·비·신은 심장과 비등한 지위를 확보할 수 있었다. 오장의 정립에 해부가 무관했을까? 해부 없이 의학의 신체관이 정립된다는 것은 상상하기 힘들다.

그러나 기의 그릇인 오장을 해부한다는 것이 어떤 의미일까? 해부한 몸에는 생명이 없다.

오장과 해부

현대인은 몸의 관찰을 위한 해부를 당연시하는 경향이 있다. 해부의 목적은 치료라고 생각할 것이다. 첫 번째는 어느 정도 옳다. 둘째도 그럴듯하다. 해부가 없었다면 그래서 몸의 내부를 들여다볼 수 없었다면 비록 몸을 보는 관점이 달랐다고 해도 몸에 대해 말하기가 주저되었을 것이다. 그러나 모든 해부의 목적이 치료라고 할 수는 없다.

아리스토텔레스는 동물을 해부했는데, 당연히 동물을 치료하기 위한 해부는 아니었다. 그는 의사가 아니었으므로 사람을 치료하기 위한 해부도 아니었을 것이다. 내 생각에 아리스토텔레스는 가능하다면 사람도 해부했을 것으로 생각되는데, 그렇다고 해도 치료가 목적은 아니었을 것이다. 그의 해부 목적은 철학적이었을 것이다. 예를 들면 형상 즉 신의 디자인을 몸에서 확인하고자 했을 수 있다.

그러나 해부가 가장 많이 행해진 영역이 의학이라면 해부는 치료와 연관되지 않을 수 없다. 전근대 서양 의학을 대표하는 갈레노스Galenos는 이 점을 분명히 밝힌 바 있고, 곧 살펴볼 왕망王莽의 해부 기록에도 해부의 목적이 치료라는 사실이 명시되어 있다.

비록 횟수에서 어마어마한 차이가 있지만 동양과 서양에서 모두 해부를 했고 치료라는 목적도 동일했으나 차이는 분명하다. 동양과 서양에서 본 것이 다르기 때문이다. 서양의 해부가 주로 근·골격계를 중심으로 하고 있다는 것은 익히 알려져 있다. 수십 년 전 국내에도 소개되어 큰 반향을 불러일으켰던 〈인체의 신비전〉을 회상하면 이 점을 직관적으로 이해할 수 있을 것이다. 좀 더 전통적인 자료로는 베살리우스Andreas Vesalius의 『인체 구조에 관하여De Humani Corporis Fabrica Libri Septem』(1543)를 들 수 있다. 베살리우스의 『인체 구조에 관하여』는 총 7권으로 되어 있는데 1권은 골격, 2권은 근육에 관한 것이다. 그 뒤에 혈관, 신경, 복부 장기 등을 다루고 있다. 당연히 가장 앞의 1·2권에서 묘사하고 있는 근육과 골격이 대표적이다. 그중에서도 가장 인기 있고 널리 알려진 것은 2권이다. 2권 앞에는 근육을 묘사한 그림 여덟 폭이 실려 있다. 그 여덟 개의 그림에는 질서가 있어서 몸의 체표를 벗기는 순서대로 묘사되고 있다. 다음은 그중 네 번째와 여섯 번째 그림이다.

전근대 시기 동아시아의 해부와 관련해서 자주 언급되는 것은 『한서』 「왕망전」에 보이는 왕망의 해부와 북송대에 있었던 두 건의 해부를 더한 세 개다. 한대의 해부와 달리 북송대에 행해진 두 건의 해부는 모두 그림

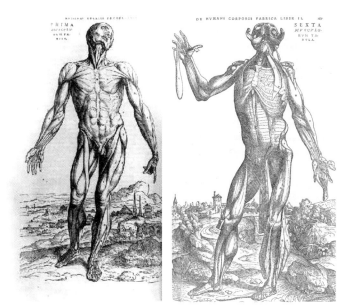

『인체 구조에 관하여』 2권에 네 번째와 여섯 번째 그림

이 남아 있다. 하나는 〈구희범오장도歐希範五藏圖〉, 다른 하나는 〈존진도存
眞圖〉라고 불린다. 〈구희범오장도〉는 한 사람의, 〈존진도〉는 여러 명의 해
부 결과를 묘사한 것이다. 현재 전해지는 전근대 시기 해부도는 대부분
〈구희범오장도〉와 〈존진도〉의 후손 격이라고 할 수 있다.

　현대의 해부학이나 서양의 해부학사를 조금이라도 접한 이가 〈구희범
오장도〉를 보면 굉장히 이상한 느낌이 들 것이다. 사실도 맞지 않는다. 이
점을 따져 보기에 앞서, 혼란을 줄이기 위해 좌우를 정확히 해 둘 필요가
있다. 명문命門과 신腎이 좌우를 확정하는 단서가 될 수 있다. 주지하듯이
『황제내경』에서는 명문을 눈이라고 했는데, 『난경』 「삼십육난」에 따르면
명문은 우신 즉 오른쪽에 있는 신장을 가리킨다.[39] 〈구희범오장도〉의 명

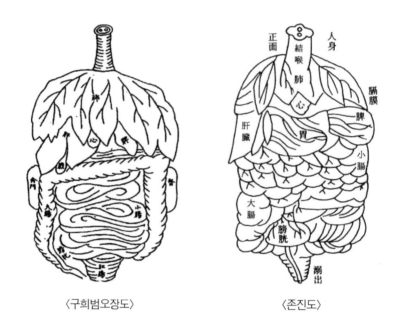

〈구희범오장도〉　　　　　　　〈존진도〉

문은 신장임에 틀림없으므로 『난경』을 따른 것으로 보인다. 그렇다면 명
문이 있는 쪽이 오른쪽이다. 좌우를 기준으로 하는 장부의 위치는 대략
사실과 부합한다. 겹쳐 있는 간과 담의 모양도 비교적 정확하다. 그런데
높이를 기준으로 하면 정상적이지 않다. 간과 비장은 당연히 심장 아래에
있어야 한다. 〈존진도〉는 몸통을 상하로 나누는 횡격막의 위치를 분명히
하면서 비장과 간의 위치를 심장보다 내렸다. 사실에 좀 더 가까워졌다.
그러나 소략하기는 마찬가지다. 게다가 언급하는 장부도 다르다. 〈존진
도〉에서는 신장을 말하지 않는다.

　두 그림 모두 무엇인가를 정밀하게 증명하겠다는 생각은 보이지 않는

---

39. 『素問』「陰陽離合論」: 太陽根起于至陰, 結于命門, 命門者, 目也.; 『難經』「三十六難」: 腎
　兩者, 非皆腎也, 其左者爲腎, 右者爲命門.

연라자 〈내경도〉의 체간 관련 그림

다. 왜 이런 이상한 해부도가 있게 된 것일까? 왜 해부를 한 기록이라고 하면서도 사실과 부합하지 않는 그림을 그린 것일까? 이 정도의 그림을 그리기 위해 사람의 살을 째서 안을 들여다봐야 했을까? 이전에 존재했다고 여겨지는, 그러므로 〈구희범장부도〉와 〈존진도〉에 영향을 주었을 것이라고 여겨지는 연라자煙蘿子〈내경도內境圖〉의 영향을 생각하지 않을 수 없다. 연라자의 〈내경도〉는 총 여섯 폭이 전해지고 있다. 이 중 두 개는 머리와, 네 개는 체간과 관련 있다. 다음은 체간과 관련된 네 개의 그림이다.

이들 그림이 그려진 때가 당대唐代까지 소급된다고 가정해 보자. 이것이 유일한 자료였다면 북송 시기의 장부도는 자연스럽게 이 그림의 영향을 받았을 것이다. 연라자 〈내경도〉는 좌면도와 우면도에서 알 수 있듯이 내단수행과 관련되어 있다. 세 번째 그림에 보이는 황아黃芽는 외단에서 말하는 단의 이명이지만 여기에서는 당연히 내단의 단을 가리킨다. 맨 끝 그림의 용호는 각각 음양의 기를 상징한다. 신체 내에서 용호의 결합을 통해 단을 만든다는 내단의 사고방식을 구현한 그림이다.

〈구희범장부도〉와 〈존진도〉가 저처럼 이상한 것은 본래 수행자들에 의해 만들어졌거나 수행자들이 만든 해부도를 인습했기 때문이다. 사실 '존진'이라는 표현 자체가 이 점을 상징한다. 존진은 도가의 이상적 인간인 진인眞人을 상상한다는 뜻으로 신을 상상하는 존사수행에서 온 것이다. 기운을 유주시켜야 하는 수행자들도 몸을 알고 있어야 한다. 그러나 수행자들은 의사가 아니다. 그들은 수행을 위한 몸이 필요할 뿐, 정확한 위치가 필요하지 않다. 수행 체험을 뒷받침할 만하면 족하다. 수행 체험은 체험이므로 자연적인 부분과 구성된 부분이 병존한다. 어떤 이들은 음식을 먹으면서 짜다고 하고 어떤 이들은 싱겁다고 하는 경우를 생각해 보자. 성장한 문화와 그 문화에서 체험한 것이 다르기 때문이다. 그러므로 수행자의 수행 체험에는 이전부터 전래된 오류의 가능성이 농후한 수행 지식이 들어 있다. 그만큼 객관적 사실과 위배될 가능성이 높다.

설령 〈구희범장부도〉와 〈존진도〉가 수행의 목적보다는 의학의 필요에 따라 객관성을 담보하기 위해 만들어졌다고 해도 큰 차이가 없을 수 있다. 이 경우의 해부는 사실에 접근하기 위한 것이지만, 해부는 간단한 일이 아니다. 복부를 절개하면 막이 있고 그 막을 째고 들어가면 각 장부를 싸고 있는 또 다른 주머니막이 있다. 막이 없다면 장부가 어떻게 몸에 매달려 있겠는가? 막을 일일이 제거하고 내장기관에 접근하는 것은 여간 어려운 일이 아니다. 어떤 구조물은 잘 보이지도 않는다. 예를 들어, 신장에서 방광으로 이어지는 선은 척추 쪽에 바짝 붙어 있으므로 찾아내기 어렵다. 요컨대 사전 지식과 스승의 가르침이 없다면 살과 근육, 피의 뒤범벅 이외에 아무것도 보지 못할 가능성이 높다. 그러므로 해부와 그 해부의 기록은 이전의 해부도에 기반하면서 그것의 오류를 답습하기 십상이다. 동양에 비해 압도적으로 많은 해부가 행해졌던 서양에서도 갈레노스의 잘못된 해부 지식이 천 몇 백 년 동안 흔들림 없이 전해졌다는 사실을 지적해 둬야겠다.

〈구희범장부도〉와 〈존진도〉를 볼 때 생기는 또 다른 질문은 왜 오장 중심이었는가이다. 신장을 제하고 방광을 그려 넣은 〈존진도〉조차 오장 중심이라는 사실에는 변함이 없다. 이것도 수행론과 관련되어 있다. 수행자들은 곡식을 먹지 않는다. 그러므로 수행자의 신체관은 원칙적으로 소화기계통과는 관련이 없다. 수행자의 신체관이 오장육부 중에서 육부를 등한시한 배경이다.

오장이 중시된 적극적 이유도 기운의 유래와 관련되어 있다. 오장이 심장의 분화 모델이라는 앞의 논의를 상기해 보라. 심장은 강신한 신을 모시는 신전이나 마찬가지다. 오장은 다섯 개의 신전이다. 오장은 본래 하늘기운을 담고 있는 창고였던 셈이다. 그러므로 앞의 그림들이 오장을 중심으로 그려진 이유는 동아시아 수행론의 연원과 관련되어 있다고 할 수 있다.

정리해 보자. 무속에서 연원한 수행론의 심장 중심적 태도가 오행 도식과 만나면서 오장으로 확장된 것이 하나의 이유요, 수행자는 곡식을 먹지 않으므로 소화기계통인 육부보다는 오장이 중요하다는 것이 두 번째 이유다. 사실 이 두 개의 이유는 상호 함축적이다.

앞에서부터 그려 오던 몸의 그림을 생각해 보자. 본래는 심장만 있던 몸의 도화지에 심장과 감각기관 사이를 흐르는 '기氣의 강'이 가설되었다.

생명은 심장에서 흘러나가 몸을 유영했으며, 감각기관을 통해 밖으로 유출되기도 했다. 그리고 심장은 다섯 개로 분기되었다. 이 지점에서 의학자들도 몸이라는 그림의 화가로 참여했다. 그들은 해부를 통해 오장을 측량했다. 그 결과는 『난경』에 남아 있는 듯하다. 해부 측량의 결과 몸은 사실에 가까워질 수 있었다.

그러나 오장은 사실적이기 보다는 상징적이었고 체험적이었다. 측량은 의학적 치료와 무관한 목적에서 행해졌을 가능성이 있다. 표준의 제정이 목적이었을 수도 있다. 사투리 사전인 『이아爾雅』의 저술 동기를 생각해 보라. 제국의 통치를 위해 이질적인 것들을 하나로 통일하는 작업이 우선 요구되었을 수도 있다. 그러므로 해부에서 당시 의학자들의 실증성을 확인할 수 있다고 해도 그 결과가 신체관에 영향을 끼쳤을 것이라고 추정해서는 안 된다.

기를 중심으로 하는 의학의 정신은 해부와 어울리지 않고, 수행론의 흔적은 몹시 짙었다. 일단 '몸의 그림' 작업에 참여하자 의학자들의 역할이 더욱 커졌다. 그들은 몸에 땅의 기운을 들여왔다. 곡식 즉 땅의 기운을 먹지 않는 수행자들의 몸에는 하늘이 들어 있을 뿐이었다. 수행자들은 육체라는 그릇 안에 오직 붉은색의 하늘기운만을 채워 넣었다. 의학자들이 검푸른 빛을 띠는 땅의 기운을 그려 넣기 시작했다. 오장이 아닌 다른 기관이 필요했다.

땅의 기운, 위胃와 신장

오장의 탄생으로 인해 표면적으로 다섯 개의 장이 대등해졌다. 무생물의 정태적 평형이 아닌 항상성이라고 불리는 생명체의 동태적 평형(지속적인 움직임 속에서도 안정을 잡아 나가는 능력)을 설명하기에 적합한 오행론은 한쪽의 우세를 허용하지 않는다. 고대 동아시아의 초기 과학자들은 상생相生이라는 조장 장치와 상승相乘이라는 견제 장치를 통해 끝없이 역동적이면서도 균형을 찾을 수 있는 오행론을 만들었다. 예를 들어, 목은 화를 낳는다. 따라서 화는 목과 함께 있을 때 힘을 받는다. 역으로 금은 목을 이긴다. 따라서 목은 금과 함께 있을 때 억제된다. 어느 한쪽이 일방적으로 우세하다면 오행이 추구하는 안정은 불가능하다.

그러나 오장이 정말로 대등했는가? 그렇지 않다. 뒤에 살펴보겠지만 『황제내경』에는 심장을 중시하는 태도가 확연하다. 심장이 중시되었던 이유를 다시 생각해 보자.

심의 도덕이성적 능력 즉 맹자가 사려라고 말한 능력을 거론할 수도 있을 것이다. 그러나 사실 유학과 의학의 관련성은 높지 않다. 신의 거주지라는 무속의 원형적 관념이 보다 근원적이다. 신은 하늘에서 내려와 심장에 머문다. 마치 제물을 흠향하는 신과 같다. 그 신이 바로 생명의 연원이다. 신이 머무는 심장은 몸의 다른 부위와는 구분되는 성스러운 기관이지 않을 수 없다. 심장을 중시하는 관점이 성립할 여지가 충분했다.

그러나 신이 심장에 거주해야 할 이유가 무엇인지 물어보라. 신이 반드시 심장에 거주할 이유는 없다. 이 배후에는 심장이 혈액순환의 중심이라는 생리적 사실이 전제되어 있다. 수행론에서 심장은 신이 머무는 곳이고 수행 주체의 거주지였다. 게다가 혈기의 순환 중심이었다. 이게 시작이다. 혈액순환의 중심이었으므로 신의 거주지가 되었고 수행 주체의 기능을 담당하는 기관으로 간주되었다.

그러나 의학은 수행자가 아닌 일반인의 몸을, 식사를, 소화를, 질병을 다뤄야 한다. 당연히 의학에서 생명은 곡식을 먹음으로써 얻어진다. 하늘에서 오지 않는다. 이 점이 신체관의 전환에서 핵심적인 역할을 했다. 오장은 이미 하늘 기운이 거주하는 곳으로 확정되어 있었다. 따라서 새로운 기관을 찾아야 했다. 그런데 곡식은 생명 자체가 아니다. 게다가 뒤에 살펴볼 것처럼 곡식은 소화 과정을 통해 마치 혼백이 구분되듯이 찌꺼기와 기운으로 나뉜다. 이 기운은 곡식에 들어 있던 하늘기운으로 장에 보관되어야 한다. 따라서 지기를 상징하는 곡식에서 하늘기운을 추출하는 과정과 기가 몸에 활력을 전하고 끝내 오장으로 전달되는 루트가 필요했을 것이다. 우선 기운을 뽑아내기 위해 위를 중심으로 하는 새로운 신체관이 제시되었다.

> 황제가 기백에게 물었다. "사람들은 어디서 기운을 받고 음양은 어느 곳에서 만납니까? 어떤 기를 영기라 하고 어떤 기를 위기라 합니까? 영기는 어디에서 생겨나고 위기는 어디서 만납니까? 노인과 젊은이는 기가 다르고 음양은 위치가 다르니 그 이치를 듣고자 합니다." 기백이 대답했다. "사람들은 곡식에서 기운을 받아들입니다. 곡식은 위로 가서 폐로 전달됩니다. 오장육부는 모두 이로써 기운을 받습니다. 그중 정미한 기운은 영기가 되고 탁한 것은 위기가 됩니다. 영기는 맥 속을 주행하고, 위기는 맥의 바깥쪽에 있습니다."[40]

---

40. 『靈樞』「營衛生會」: 黃帝問於岐伯曰, 人焉受氣, 陰陽焉會, 何氣爲營, 何氣爲衛, 營安從

위로 들어온 곡식은 둘로 나뉜다. 찌꺼기는 배출된다. 찌꺼기는 땅 중의 땅에 속한다. 그러나 곡식으로부터 뽑아낸 기운, 곡식이 성장 과정에서 받아들인 하늘기운은 우선 폐로 옮겨가고 이어서 몸의 다른 부위로 전달된다. 폐로 전달되면 이후의 이동은 경맥의 순환에 따른다. 맥 속을 흐르는 기를 영기營氣라고 하는데 영기는 사실 영혈營血을 말한다. 영營은 사람이 머리 위에 불을 이고 있는 모양이다. 동굴을 다니는 모양을 표현한 것으로, 맥 속을 주행하는 기운을 묘사하기에 적절하다. 위기衛氣는 맥 밖을 흐른다고 했는데, 글자 자체의 의미는 맥 밖을 호위한다는 뜻이다. 사실은 동맥과 정맥의 차이로 보인다. 위기는 심장에서 바깥으로 나가는 맥 즉 동맥을 흐르는 생명이고, 영기는 심장으로 들어오는 맥 즉 정맥 속을 흐른다. 사람이 죽으면 정맥 안에는 피가 있지만 동맥 안에는 피가 없으므로 혈관이 비어 있는 것을 보고 위기라고 하고 피가 남아 있는 것을 보고 영혈이라고 말했을 것이다. 물론 이것만으로 영기와 위기의 특성 전체를 설명할 수는 없다.

뒤에 다시 이야기하겠지만 한의학의 경맥에는 이질적인 종류가 있고, 그 내용도 문헌마다 조금씩 다르다. 그러나 핵심은 12정경正經이라고 불리는 열두 개의 맥이다. 위에서 추출된 기운이 몸을 순환하는 과정을 담당하는 것이 바로 12경맥經脈이다. 그 처음(사실 처음은 없다. 경맥은 끊임없이 순환한다)이 왜 폐인가 하는 것은 우선 호흡과 관련 있다. 호흡은 기운의 흐름을 주도한다. 또 다른 이유는 동아시아 신체관의 구성에서 몹시 본질

生, 衛於焉會, 老壯不同氣, 陰陽異位, 願聞其會. 岐伯答曰, 人受氣於穀, 穀入於胃, 以傳與肺, 五藏六府, 皆以受氣, 其淸者爲營, 濁者爲衛, 營在脈中, 衛在脈外.

적인 위치를 차지하는 관념과 관련되어 있다. 몸은 소우주로서 하늘과 땅으로 나눌 수 있다. 당연히 몸의 위쪽이 하늘이다. 동그란 머리를 하늘 이라고 하고 네모난 몸통을 땅이라 하는 경우도 있었고, 몸통에서 횡격막 위쪽을 하늘이라고 하는 때도 있었다. 폐로 올라가는 것은 하늘로 올라 가는 것과 같다. 이 내용은 뒤에 상론할 것이다. 어쨌든 폐로 전달된 후에 는 수태음폐경手太陰肺經으로 전달된다. 한의학에서는 폐로 전달되기 이 전의 과정 즉 위에서 폐로 전달되는 과정을 어떻게 설명하고 있을까? 마 찬가지로 『영추』「영위생회」편에 관련 내용이 나온다.

> 영기는 중초에서 나오고 위기는 하초에서 나온다. 황제가 말했다. "삼초 의 나감에 대해 듣고자 합니다." 기백이 답했다. "상초는 위의 위에 있는 입구로 나와 목구멍을 따라서 위로 올라갑니다. 격막을 뚫고 나와 가슴 속으로 퍼집니다. 옆구리를 달려서 태음맥을 따라 주행하고 양명으로 이어져 혀에 도달합니다. 아래로 족양명으로 이어집니다."[41]

> 황제가 말했다. "중초에서 나오는 바에 관해 듣고자 합니다." 기백이 답 했다. "중초도 위 속을 따라 상초의 뒤로 나옵니다. 여기에서 받은 기는 조박한 것을 걸러내고 진액을 쪄서 그 정미한 기운을 변화시켜 위로 폐 맥으로 들어가게 합니다. 이어서 변화하여 혈이 되어 몸을 살리니 이보 다 중요한 것이 없습니다. 그러므로 홀로 경맥 안을 행할 수 있어서 이름

---

41. 『靈樞』「營衛生會」: 營出於中焦, 衛出於下焦. 黃帝曰, 願聞三焦之所出. 岐伯答曰, 上焦 出於胃上口, 並咽以上, 貫膈而布胸中, 走腋, 循太陰之分而行, 還至陽明, 上至舌, 下足 陽明.

을 영기라고 합니다." 황제가 말했다. "피와 기는 이명동류라는 것이 무슨 뜻입니까?" 기백이 대답했다. "영위는 정기이고 혈은 신기입니다. 그러므로 피와 기는 이명동류입니다."[42]

앞서 말했듯이 삼초는 수액 대사를 담당하는 기능 복합체다. 상초·중초·하초로 나눈다. 인용문에서는 위기가 하초에서 나온다고 했는데, 문맥상 맞지 않는다. 직후의 구절에서 분명 상초를 설명하고 있기 때문이다. 그러므로 인용문 모두의 "위기는 하초에서 나온다"고 할 때의 하초는 상초의 오기로 보아야 한다.

그렇다면 다음과 같이 정리할 수 있다. 영기와 위기는 위胃의 윗부분과 중간 부분에서 상초와 중초를 따라 나와 경맥을 유주한다. 그렇게 유주하던 기운은 오장에 저장된다. 최종적으로 신장에 모인다. 기운이 어떤 경로를 통해 신장으로 모이는지는 불확실하지만, 신장이 정기의 최종적인 집합처임은 의심할 여지가 없다. 『소문』「상고천진론」은 이 점을 명시적으로 밝히고 있다. "신장은 수기를 주관한다. 오장육부의 정기를 받아서 보관한다. 그러므로 오장이 성대하면 신장에서 정기를 쏟아낼 수 있다."[43]

돌이켜 보자. 본래 신이라는 영험한 생명을 보존하는 기관은 심장이었다. 하늘에서 내려온 신은 심장에 머물렀고, 신이 머무는 몸에는 특별한

---

42. 『靈樞』「營衛生會」: 黃帝曰, 願聞中焦之所出. 岐伯答曰, 中焦亦並胃中, 出上焦之後, 此所受氣者, 泌糟粕, 蒸津液, 化其精微, 上注於肺脈, 乃化而爲血, 以奉生身, 莫貴於此, 故獨得行於經隧, 命曰營氣. 黃帝曰, 夫血之與氣, 異名同類何謂也. 岐伯答曰, 營衛者, 精氣也, 血者, 神氣也, 故血之與氣, 異名同類焉.
43. 『素問』「上古天眞論」: 腎者主水, 受五藏六府之精而藏之, 故五藏盛, 乃能寫.

생기가 넘쳐났다. 심장은 생명의 샘이나 마찬가지였다. 그러나 의학자들이 몸의 그림 작업에 동참한 이후 조정이 필요했다. 변화의 핵심은 생명의 유래다. 수행론에서는 하늘에서 하강하던 생명 즉 강신의 신이 의학에서는 땅에서 나오는 것으로 바뀌었다. 땅의 기운을 상징하는 곡식은 위胃로 전달되어야 한다. 그러나 위는 진정한 의미에서 몸을 대표할 수 없다. 기운이 머무는 곳이 아니기 때문이다. 그러므로 다른 곳을 찾아야 했을 것이다. 오행에 배당된 오장의 위치를 상기해 보자.

심장은 화에 신장은 수에 속한다. 방위상 심장은 남쪽에 신장은 북쪽에 속한다. 『장자』「소요유」편에는 곤鯤이라는 수천 리나 되는 물고기가 붕鵬이라는 새가 되어 남명을 향해 날아간다고 기술되어 있다. 이 글에서 상징하는 것은 자유로워진 정신의 유영이다. 그 방향이 북에서 남으로 향하는 것은 땅에서 하늘로의 비상을 상징한다.[44] 일반적으로 고대 중국인들에게 남쪽은 하늘을 북쪽은 땅을 상징하기 때문이다. 하늘을 상징하는 남쪽은 생명을 땅을 상징하는 북쪽은 죽음을 상징한다. 그러나 죽음은 끝이 아니다. 씨앗이 썩지 않는다면 어떻게 순을 틔우겠는가? 그러므로 죽음을 상징하는 북쪽은 삶을 품고 있다.

심장에 거주하는 신은 사실 진정한 생명으로서 이상적인 '나'이기도 하다. 신장의 정기도 마찬가지다. 그것은 정精이라고 불림으로써 신에 비해 물질화되었다는 것을 암묵적으로 전하고 있지만 나 자신, 보다 정확히 말

---

44. 「추수秋水」편에는 원추鵷鶵라는 새가 남쪽에서 북으로 날아간다고 하고 있는데, 외편에 나오는 이 이야기는 「소요유」편의 모사처럼 보인다. 사실 외잡편 전체가 내편의 모사, 차용 또는 확장이라고 할 수도 있다. 그러므로 원추의 이야기를 근거로 남쪽과 북쪽에 대한 이곳의 논의를 약화시키기는 어려울 것이다.

하면 나의 분신이라는 점은 불변이다. 신장의 생명은 나의 씨앗으로 탄생을 통해 나의 분신으로 성장할 것이다. 그러므로 신장이야말로 죽음으로써 생명을 만들어 내는 바로 그곳이다.

하늘의 생명은 영속한다. 그러므로 몸을 떠날지언정 그 자체가 죽지는 않는다. 마치 혼과 같다. 그러나 땅의 기운은 다르다. 그것은 선대가 죽음으로써 후대를 살려야 하는 마디를 지닌 생명이다. 신체관의 맥락에서 보면 의학적 신체관의 성립은 하늘의 생명만 거주하던 몸에 땅의 생명이 병거하게 되었음을 의미한다. 하늘과 땅은 고대 동아시아 신체관의 기본적 프레임이다.

이제 앞에서 간단히 말하고 미뤄뒀던 이야기, 위에서 흡수된 기운이 폐로 전달된 까닭에 관해 생각해 보자.

곡식의 죽음과 생명의 탄생

『황제내경』의 저자들 즉 초기 한의학의 이론가들은 자신의 정체성에 관해 뚜렷한 자부심을 가지고 있었다. 이 점을 잘 보여 주는 것이 『황제내경』의 저자들이 자신들을 기존의 방사와 구분하면서 기술자인 '공工'으로 자처했다는 사실이다. 학자들은 종종 한의학이 고대의 마술사라고 할 수 있는 방사에 의해 성립되었다고 말한다. 오류다. 『황제내경』에는 방사方士라는 표현이 보인다. 그러나 일반적인 기대와는 달리 세 차례에 불과하다.

내가 듣기로 방사 중에 어떤 이는 뇌수를 장이라고 하고 어떤 이는 장위를 장이라고 하는데 어떤 이는 부라고 합니다. 서로 상반되는 데도 모두 자신이 옳다고 하여 바른 도를 알지 못하니 그 설을 듣고자 하나이다.

모든 병은 풍한·서습 조화에서 생기니 그에 따라 변합니다. 경에서는 말하기를 성한 것은 사하고 허한 것은 보한다고 합니다. 나는 그 가르침을 방사에게 주었는데 방사가 이를 행함에 온전히 하지 못합니다.

방사는 기준을 바꿔 그 방법을 고치지 못한다.

『황제내경』 전체에 나오는 방사는 이상이 전부다. 우선 지적할 것은 후대의 첨입이 분명한 「지진요대론」에 방사가 보이는 것은 오히려 방사의 이질성을 말한다고 해석될 수 있다는 점이다. 그렇다면 『황제내경』의 성립자들이 방사의 정체성을 가지고 있다고 주장할 수 있는 확실한 근거는 첫 번째 인용문 즉 「오장별론」의 글뿐이다. 그런데 「오장별론」만으로는 『황제내경』의 저자들이 자신들을 방사로 자처하고 있었다고 단정할 수 없다.

『황제내경』에서 의공醫工은 1회, 의醫는 9회 사용되고 있는데 반해 공工은 50회가 넘게 나온다. 외자로 쓰인 공工뿐만 아니라 양공良工이나 조공粗工, 상공上工, 하공下工, 중공衆工 등의 표현도 보인다. 그런데 앞에서 확인했듯이 방사는 겨우 세 번 보일 뿐이다. 호칭이 정체성과 관련된 문제라면, 『황제내경』의 저자들은 자신들의 정체성을 공工으로 간주했던 셈이다. 『황제내경』의 저자들은 종종 공을 사용해서 자부심을 표현한다. "공만이 안다."[45] "무궁한 것에 통한 이는 후세에 전할 수 있다. 이런 까닭으로

---

45. 『素問』「八正神明論」: 工獨知之.

공은 다를 수 있는 것이다. 그러나 밖으로 드러나지 않기 때문에 모두 볼 수 없다.”⁴⁶

공으로 자처하는 이의 자의식과 자부심을 느낄 수 있는 구절들이다. 한의학 이전에는 방사가 의학을 담당하고 있었다고 가정해 보자. 『황제내경』의 저자들은 자신들이 새로운 의학을 건설하고 있음을 인식하고, 그 점에 관해 자부심을 가졌음을 알 수 있다. 그들의 자부심이 그리고 그런 자부심에 근거해서 구성된 새로운 의학이 새로운 신체관을 기획하게 만들었을 가능성은 충분하다. 그런데 그런 새로운 신체관은 이전의 신체관 즉 수행자의 신체관에 전제되어 있던 이념에 대한 교정을 요구했을 것이다. 그들은 몸의 생명이 하늘에서 연유한다는 생각을 받아들이지 못했다.

자신을 공이라고 자처했던 『황제내경』의 저자들은 생명이 하늘에서 얻어지는 것이 아니라는 생각을 분명히 했던 것으로 보인다. 다시 말하거니와 신체관에 땅을 들여놓은 이들은 의학자들이었다. 의학자들에 의해 초래된 이와 같은 흐름은 하늘기운과 땅기운 사이 즉 수행론과 의학 신체관 사이에 갈등과 긴장을 초래했다. 이런 점은 『황제내경』에 심장 중심설과 함께 심장 중심설과 상반되는 관점이 존재하는 현상에서 확인할 수 있다. 위胃와 신장을 중시하는 태도는 모두 땅기운을 위주로 하는 의학의 입장과 상통한다. 그런데 한의학의 설립자들은 생명이 천지의 조화를 통해 만

---

46. 그런데 『황제내경』에서 毉가 工보다 적게 사용되고 있는 점은 어떻게 설명해야 할까? 「편작창공전」에는 주로 毉가 사용되었는데 『내경』에서 바뀌었다면, 이것은 「편작창공전」과 『황제내경』의 차이로 설명되어야 한다. 양자의 차이는 巫와 毉의 구분에서 보이는 합리와 비합리가 아니다. 결론부터 말하면, 양자의 가장 큰 차이는 바로 내복약과 침, 또는 폄砭과 침鍼의 차이다.

들어진다는 수행론에서 확인할 수 있는 이념을 따른 것처럼 보이기도 한다.

뒤에 살펴볼 경맥 체계에 이 점이 반영되어 있다. 간단히 말하면, 한의학 경맥 체계의 골간을 이루는 12정경은 6개의 음맥과 6개의 양맥으로 되어 있는데, 이 중 음맥은 아래의 음기를 위로 올려 보내고 양맥은 위의 양

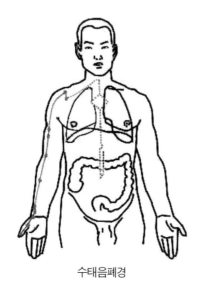

수태음폐경

기를 아래로 내려 보낸다. 예를 들어 음맥인 수태음폐경의 노선은 대략 복부에서 시작되어 엄지손가락에서 끝난다. 음은 땅을 상징하고 양은 하늘을 상징하므로 이것은 하늘과 땅의 결합을 상징하는 것처럼 보인다. 나아가 몸통 전체에 천지의 구도를 반영하기도 했는데, 이 점은 앞에서 답하지 않았던 질문, 왜 처음에 폐로 전달되는가라는 질문과 유관하다.

위에서 흡수된 기운은 먼저 폐로 전달된다. 그 까닭은 폐가 몸의 상부에 있다는 점, 그리고 구름을 닮았다는 점과 관련되어 있다. 하늘기운은 양이고 땅기운은 음이다. 땅기운은 수이고 하늘기운은 화다.[47] 폐에서 내려보내는 것은 화의 기운이다. 그러나 이 기운은 폐 자체의 기운은 아니다. 오장의 오행 속성을 생각해 보라. 『황제내경』에서 수로 상징되는 것은 신장이고 화로 상징되는 것은 심장이다. 그러므로 폐에서 내려 보내는

47. 『素問』「陰陽應象大論」: 水爲陰, 火爲陽.

기운은 심장의 기운이다. 땅의 기운을 올려 보내는 기관은 간이다. 한의학에서 간이 발산 즉 위로 올려 보내는 작용을, 폐가 숙강肅降하는 기능을 지니고 있다고 말해지는 까닭이다. 그러므로 하늘인 심장의 기운과 땅인 신장 기운을 각각 폐와 간을 통해 내려 보내고 올려 보내는 움직임을 생각해 볼 수 있다.

이 구도는 뒤에 다룰 내단수행을 상기시킨다. 내단의 단丹은 천지의 결합을 통해 만들어진다. 그러나 엄밀하게 말하면 『황제내경』의 수승화강水升火降은 천지의 결합과 다르다. 천지의 결합과 달리 수승화강은 하늘 기운이 내려오고 땅기운이 올라간다는 정도에 그치기 때문이다. 물론 만물이 천지의 결합을 통해서 만들어진다는 것을 분명히 하고 있으며,[48] 사실 경맥을 통해 모든 것이 뒤섞여 버리므로 결합을 이야기할 수도 있겠으나, 음맥과 양맥의 구도가 정확히 천지의 결합을 상징한다고 단정할 수는 없다. 죽음과 탄생의 구도를 읽어 낼 수는 있다. 초혼례招魂禮는 몸을 떠나간 혼을 부르는 예다. 초혼례에는 사후 혼이 하늘로 올라간다는 관념이 함축되어 있다. 백은 혼이 떠난 사체를 의미한다. 백은 땅으로 돌아가고 혼은 하늘로 올라간다는 관념은 사람이 천지의 결합을 통해 이뤄진다는 생각을 함축한다.

그런데 한의학에서 말하는 곡식의 소화 과정은 사람이 사후 혼백으로 나뉘는 것과 유사하다. 즉 백에 해당하는 찌꺼기는 아래로 내려가고 혼에 해당하는 기운은 하늘로 올라간다. 소화는 곡식의 죽음이라고 할 수 있

---

48. 『素問』「四氣調神大論」: 天地氣交, 萬物華實.

다. 그렇게 올라간 기운은 다시 땅으로 내려온다. 이 과정은 생명이 죽음에서 비롯되는 과정을 상징한다. 기운이 폐로 올라간다고 말한 배경에는 복수의 이유가 있을 것이다. 곡식의 소화를 죽음의 과정으로 본 것이 그중 하나의 이유다. 곡식의 죽음을 처리하기 위해서는 몸에 하늘과 땅이 모두 있어야 했다.

오장과 육부

하늘과 땅의 프레임은 몸의 재배치를 추동했다. 몸은 땅기운과 땅기운에서 뽑아낸 하늘기운을 담거나 처리하는 것의 둘로 나뉘어야 했다. '오장'과 '육부'가 등장하게 된 배경이다. 오장은 간·심·비·폐·신이고, 육부는 위·소장·대장·담·방광·삼초다. 사실 오장육부의 분류는 임의적이다. 한의학의 비장은 현대 의학에서 말하는 비장spleen과 췌장pancreas의 어느 한쪽에 속하지 않는다. 비장과 췌장 등의 통합 기능체라고 할 수 있다. 육부도 마찬가지다. 이미 말했듯이 삼초는 특정한 형태를 갖춘 기관이 아니다. 오장 내부 그리고 육장 내부의 정렬은 중요한 문제이지만, 다음 질문이 제기하는 문제보다는 비본질적이다. 오장과 육부를 나누는 기준은 무엇인가? 『황제내경』에는 이런 질문에 대한 답변이 실려 있다.

> 이른바 오장이라는 것은 정기를 품고 있으면서 내보내지 않는다. 그러므로 (언제나) 그득하므로 (비운 다음에) 채울 수 있는 것이 아니다. (이에 반해) 육부는 음식물을 전화시키면서 저장하지 않는다. 그러므로 채울 수 있고 (늘) 그득할 수는 없다.[49]

인용문에서는 만滿과 실實이 중요한 기준이라고 말하고 있다. 만은 꽉 차 있는 것이고 실은 비어 있어서 채울 수 있다는 뜻이다. 실實과 허虛를 사용하지 않은 까닭은 일반적으로 육부에는 곡식이 남아 있기 때문일 것이다. 그러나 이 기준은 완벽하지 않다. 신장이나 간은 그렇다고 해도 폐가 속이 차 있는가? 심장은 어떤가? 심장은 틀림없이 비어 있어야 한다. 중요한 것은 장藏과 전화傳化다. 전화는 소화를, 장은 정기의 보존을 말한다. 결국 오장과 육부의 구분 기준은 소화기계인가 아닌가에 달려 있다고 할 수 있다.[50]

장臟과 부腑를 나눌 적절한 기준을 찾았다면, 다음으로 생각해 볼 문제는 앞에서도 간단히 말했던 오와 육이라는 숫자다. 몸 안의 장기를 구분하고 경계지워야 했던 이의 마음을 생각해 보자. 혼란스러웠을 것이다. 『황제내경』의 「오장별론」편에서도 혼란을 엿볼 수 있다.

황제가 물었다. "내가 듣기로 방사들 중에 어떤 이는 뇌수를 장이라 하고 어떤 이는 장위를 장이라 하는데 어떤 이는 부라고 합니다. 서로 상반되는데도 모두 자신이 옳다고 하여 바른 도를 알지 못하니 그 설을 듣고자 하나이다." 기백이 대답했다. "뇌수·골·맥·담·여자포의 여섯은 지기가 만든 것으로 모두 음에 잠장되고 땅을 본떴습니다. 그러므로 품고 있을 뿐 밖으로 놓아 보내지 않습니다. 이것을 기항지부奇恒之府라고 합니다. 무

---

49. 『素問』「五藏別論」: 所謂五藏者, 藏精氣而不寫也, 故滿而不能實. 六府者, 傳化物而不藏, 故實而不能滿也.

50. 물론 그래도 문제는 남는다. 담 즉 쓸개는 육부에 속하고 췌장은 오장에 속하는 이유는 무엇일까?

룻 위·대장·소장·삼초·방광의 다섯은 천기가 만들어 내는 것으로 그 기는 하늘을 본떴습니다. 그러므로 밖으로 내놓으면서도 보관하지는 않습니다. 위·대장·소장·삼초·방광은 오장의 탁기를 받아들이기 때문에 전화지부傳化之府라고 합니다. 이것은 오랫동안 머물게 하지 못하고 전달하여 배설합니다. 백문도 오장인데, 수곡이 오랫동안 머물게 하지 못합니다.'[51]

형태가 없는 기관을 포함시키면서까지 여섯 개의 기관을 가설한 배경에는 다양한 층위의 복잡한 이유가 있다. 중요한 이유 중 하나는 패턴의 적용이다. 오장육부의 성립에는 하늘을 상징하는 10천간天干과 땅을 상징하는 12지지地支의 관념이 반영되어 있다.

갑·을·병·정·무·기·경·신·임·계의 10천간과 자·축·인·묘·진·사·오·미·신·유·술·해의 12지지는 각각 하늘과 땅을, 그리고 10개의 태양과 12개의 달을 상징한다. 고대 중국인은 하늘에는 10개의 태양이 있다는 신화적 믿음을 갖고 있었다. 12개의 달은 1년 12개월로부터 자연스럽게 도출된다. 10천간과 12지지는 이미 갑골문의 인명 표기에서 확인된다. 갑골문에서 사람의 이름을 천간과 지지로 설명했다는 사실은, 갑골문이 기록된 상商대에 이미 천간과 지지가 사용되고 있었음을 알려 준다. 천간과 지지는 동시에 상대인들의 천문 또는 역법에 대한 인식을 알려 준다. 각각 10개

---

51. 『素問』「五藏別論」: 黃帝問曰, 余聞方士, 或以腦髓爲藏, 或以腸胃爲藏, 或以爲府, 敢問更相反, 皆自謂是, 不知其道, 願聞其說. 岐伯對曰, 腦髓骨脈膽女子胞, 此六者, 地氣之所生也, 皆藏於陰而象於地, 故藏而不寫, 名曰奇恒之府. 夫胃大腸小腸三焦膀胱, 此五者, 天氣之所生也, 其氣象天, 故寫而不藏, 此受五藏濁氣, 名曰傳化之府, 此不能久留輸寫者也. 魄門亦爲五藏, 使水穀不得久藏.

의 태양과 12개의 달을 상징하기 때문이다. 하늘과 땅의 프레임이 적용된 몸은 그 프레임의 또 다른 요청을 받아들여야 한다. 하늘과 땅의 결합.

폐는 대장과 결합한다. 대장은 전달해 주는 창고다. 심장은 소장과 결합한다. 소장은 받아서 채우는 창고다. 간은 담과 결합한다. 담은 청정한 쓸개즙을 담고 있는 창고다. 비장은 위와 결합한다. 위는 오곡을 채우고 있는 창고다. 신장은 방광과 결합한다. 방광은 진액이 들어 있는 창고다. … 삼초는 속에 있는 도랑과 같은 창고다. 물길이 그곳에서 나와 방광으로 이어진다. 이것은 외로운 창고다. 이것이 육부와 오장이 서로 결합하는 것이다.[52]

오장과 육부가 결합되어야 하는 이유가 무엇일까? 몸을 유기적으로 보았다는 것은 정답이다. 그러나 유기적으로 보았다고 해서 장과 부를 대응시킬 필요는 없다. 오장과 혈관처럼 다른 것을 결합시키는 것도 가능하다. 오장과 육부의 결합을 제대로 설명하기 위해서는 다른 이유를 찾아야 한다. 내 생각에는 하늘과 땅의 결합이 오장과 육부의 대응을 추동한 직접적 관념이다. 『황제내경』에서는 생명이 천지의 결합을 통해 얻어진다는 점을 분명히 하고 있다.

---

52. 『靈樞』「本輸」: 肺合大腸, 大腸者, 傳道之府. 心合小腸, 小腸者, 受盛之府. 肝合膽, 膽者, 中精之府. 脾合胃, 胃者, 五穀之府, 腎合膀胱, 膀胱者, 津液之府也. … 三焦者, 中瀆之府也, 水道出焉, 屬膀胱, 是孤之府也. 是六府之所與合者.

하늘은 오기를 사람들에게 먹여 주고, 땅은 오미를 먹여 준다. 오기는 코로 들어가 심과 폐에 잠장된다. 위로 오색을 밝고 윤택하게 하며, 소리를 또렷하게 만든다. 오미는 입으로 들어가 장위에 보관되는데 미 중에서 보관되는 것이 있어 그것으로 오기를 길러 준다. 오기를 길러 주면 기운이 조화롭게 생겨나고 진액이 서로를 이뤄 줘서 신이 저절로 생겨난다.[53]

신은 신비한 생명을 가리킨다. 인용문의 요지는 땅기운인 오미五味와 하늘기운인 오기五氣가 결합되어 생명을 만들어 낸다는 것이다. 하늘기운은 심폐로 대표되는 오장으로 땅기운은 장위로 표현되는 육부로 들어간다는 것도 읽어 낼 수 있다. 이외에도 『황제내경』에는 천지의 기운이 결합되어 정기가 만들어진다는 의미의 천지지정기天地之精氣라는 표현이 나오는데,[54] 그것은 사실 천지의 교류를 통해 만물이 만들어진다는 관념의 인간적 표현이다.[55] 몸의 그림 작업에 의학자들이 함께 참여하게 된 사건은 하늘과 땅의 결합을 상징한다고 할 수 있고, 의학자들은 몸에서 이 점을 구현하려고 했다. 그러나 그것이 진정한 결합이었는지는 의심스럽다. 단순한 선언처럼 느껴지는 경우도 적지 않기 때문이다.

동아시아의 몸은 집단지성의 산물이다. 의학자들의 참여는 몸의 그림 작업에 활력을 불어넣었다. 몸은 보다 다양해졌고 체계화되었다. 그 과정에 해부가 요구되었다. 사실을 정확히 알고 싶은 욕구가 근·현대인에게

---

53. 『素問』「六節藏象論」: 天食人以五氣, 地食人以五味. 五氣入鼻, 藏於心肺, 上使五色修明, 音聲能彰, 五味入口, 藏於腸胃, 味有所藏, 以養五氣, 氣和而生, 津液相成, 神乃自生.
54. 『素問』「上古天眞論」: 天地之精氣.
55. 『素問』「四氣調神大論」: 天地氣交, 萬物華實.

만 존재한다고 말해서는 안 된다.

육부와 해부

중국의 정사에는 오직 한 건의 해부 기록만 실려 있다.

> 적의翟義의 무리인 왕손경이 체포되었다. 왕망은 태의와 상방 및 백정으
> 로 하여금 그를 해부하도록 했다. 그들은 왕손경을 해부해서 오장의 무
> 게와 길이를 측량하고 대꼬챙이를 혈맥 안에 넣어 혈맥의 시작점과 종점
> 을 알아냈다. 그러고는 이런 방식으로 병을 치료할 수 있다고 말했다.[56]

포정해우庖丁解牛 고사에서 소를 잡는 백정인 포정은 자신이 신神으로
소와 만난다고 말했다. 이때의 신은 기와 같다. 기를 통한 소통은 개념을
사용해서 분별적으로 이해하는 방식이 아니다. 소를 보고 소라고 판단하
는 것이 분별지다. 무념무상의 상태에서 작업에 몰두하고 있는 포정은 소
의 어느 부위를 정확히 어떻게 잘라야 한다고 계산하는 방식으로 일하지
않는다. 무념무상의 상태에서 세상과 만날 수 있게 해 주는 것이 기다. 동
양 고전에서는 그 과정을 공명에 비유하면서 감응이라고 칭하므로 기를
감응력이라고 규정 할 수도 있을 것이다.

도가 수양론에서는 공명이 중요한 논제였다. 도가 철학자들은 온전한
공명을 위해서는 불균형을 초래하는 감정과 이익을 탐하는 마음이 제어

---

56. 『漢書』「王莽傳」: 翟義党王孫慶捕得, 莽使太醫, 尚方與巧屠共刳剝之, 量度五藏, 以竹
     筵導其脈, 知所終始, 雲可以治病.

되어야 한다고 주장했다. 몸의 생명력을 유지하는 과정은 중시되지 않았다. 그러나 생명과 죽음은 물리적이고 현실적인 문제였으므로 의학자들은 이런 질문을 간과할 수 없었다. 음식을 먹지 않으면 생기를 잃고 끝내 죽음에 이른다는 사실이 명확했으므로 음식과 생명력을 관련시켜야 했다. 음식은 생명의 근원이었고, 소화기관인 육부가 중시되지 않을 수 없었다. 『황제내경』의 유일한 해부 기록이 육부에 관한 것인 까닭이다.

황제가 백고에게 말했다. "나는 곡식을 전달하는 장 그리고 위의 크기, 길이 및 그 안에 들어가는 곡식의 양에 관해 알고 싶다." 백고가 대답했다. "… 입술에서 치아까지의 거리는 9분이고 입의 너비는 2.5촌입니다. 치아에서 회염에 이르기까지의 깊이는 3.5촌입니다. 크게 입을 벌렸을 때는 5홉이 들어갑니다. 혀의 무게는 10냥이고 길이는 7촌이며 너비는 2.5촌입니다. 목은 무게가 10냥이고 너비는 1.5촌이며 위까지의 길이는 1.6척입니다. 위는 구부러져 있습니다. 위의 길이는 2.6척이고 크기는 1.5척입니다. 너비는 5촌이고, 최대한 2.5말의 음식이 들어갈 수 있습니다. 소장은 척추에 붙은 채 좌측으로 돌면서 쌓입니다. 소장은 배꼽 근처에서 회장으로 들어갑니다. 소장은 16번 구부러집니다. 둘레가 2.5촌이고 직경은 8과 1/3분이며 길이는 3.3장입니다. 회장은 배꼽을 기준으로 왼쪽으로 돕니다. 나뭇잎처럼 쌓이면서 내려옵니다. 16번 도는데, 둘레는 4촌이고 직경은 1과 1/3촌이며 길이는 2.1장입니다. 광장은 등에 붙어 있습니다. 대장의 내용물을 받아 왼쪽으로 돕니다. 켜켜이 쌓이면서 오르락내리락합니다. 둘레가 8촌이고 직경은 2와 2/3촌이며 길이는 2.8

척입니다."[57]

이 글은 소장·대장·직장까지 이어진다. 소화기계의 무게·용량·길이·폭이 계측의 목적이다. 이 글에서 기록하고 있는 내용은 실제에 부합한다. 신체기관의 비율은 이 기록이 실제의 해부를 통해 얻어진 기록임을 알려 준다. 예를 들어, 식도와 창자의 길이는 1.6척 : 55.8척으로 1 : 34.8의 비율이다. 이는 현대 해부학에서 밝힌 25센티미터 : 825센티미터(1 : 33)의 비율에 가깝다. 「장위」편의 계측 자료는 해부를 통하지 않고서는 알 수 없는 내용이다. 「장위」편에서 해부 계측을 한 까닭은 무엇일까? 「평인절곡」편에서 그 동기를 알 수 있다.

황제가 말했다. "사람들이 7일간 음식을 먹지 않으면 죽는 까닭은 무엇인가?" 백고가 말했다. "그 까닭을 말하겠습니다. 위에는 곡식 2말과 물 1.5말이 들어갑니다. 상초에서는 기를 발설합니다. 정미로운 기를 내보내는데, 이 기는 날래면서 빠릅니다. 하초는 아래로 여러 장을 적셔 줍니다. … 장위의 길이는 모두 5.84장으로 수곡 9.21말과 2/3홉을 받아들입

---

57. 『靈樞』「腸胃」: 黃帝問於伯高曰, 余願聞六府傳穀者, 腸胃之大小長短, 受穀之多少奈何. 伯高曰, 請盡言之, 穀所從出入淺深遠近長短之度. 脣至齒長九分, 口廣二寸半. 齒以後至會厭, 深三寸半, 大容五合. 舌重十兩, 長七寸, 廣二寸半. 咽門重十兩, 廣一寸半, 至胃長一尺六寸. 胃紆曲屈, 伸之, 長二尺六寸, 大一尺五寸, 徑五寸, 大容二斗五升. 小腸後附脊, 左環廻周疊積, 其注於廻腸者, 外附於臍上. 廻運環十六曲, 大二寸半, 徑八分分之少半, 長三丈二尺. 廻腸當臍左環, 廻周葉積而下, 廻運環反十六曲, 大四寸, 徑一寸寸之少半, 長二丈一尺. 廣腸傳脊, 以受廻腸, 左環葉脊上下辟, 大八寸, 徑二寸寸之大半, 長二尺八寸. 인용문의 광장과 회장은 현대의 대장에 포함된다.

니다. 이것이 장위가 받아들이는 수곡의 총량입니다. 그러나 평인은 그렇지 않습니다. 위가 차면 장이 비고, 장이 차면 위가 빕니다. 그러므로 기가 위아래로 움직일 수 있어 오장이 안정되고, 혈맥이 조화롭게 순행하며 정신이 거주합니다. 신은 결국 수곡의 정기입니다. 장과 위 속에는 곡식 2말과 물 1.5말이 들어 있습니다. 그러므로 평인이 하루에 두 번 화장실에 가고 한 번에 2.5되의 변을 보면 하루에 5되를 변으로 배출합니다. 7일이면 3.5말을 배출해서 몸속에 있던 수곡이 모두 몸 밖으로 배출됩니다. 그러므로 평인이 7일간 음식을 먹지 않아서 죽는 것은 수곡의 정기와 진액이 다하기 때문입니다."[58]

이곳에서 묘사하고 있는 내용은 「장위」편과 동일하다. 「장위」편은 「평인절곡」편의 밑 자료였다. 「장위」편의 계측은 생명과 음식의 관련성을 설명하기 위한 것이었다. 객관적 계측 자료에 토대해서 생리학 이론을 구축하겠다는 실증정신이 해부의 동기였고, 음식으로부터 생명의 기운을 얻는다는 점을 명확히 드러내야 한다는 것이 이론적 요청이었다. 생명의 기

---

58. 『靈樞』 「平人絶穀」: 黃帝曰, 願聞人之不食, 七日而死, 何也. 伯高曰, 臣請言其故. 胃大一尺五寸, 徑五寸, 長二尺六寸, 橫屈受水穀三斗五升, 其中之穀, 常留二斗, 水一斗五升而滿, 上焦泄氣, 出其精微, 慓悍滑疾, 下焦下溉諸腸. 小腸大二寸半, 徑八分分之少半, 長三丈二尺, 受穀二斗四升, 水六升三合合之大半. 廻腸大四寸, 徑一寸寸之少半, 長二丈一尺, 受穀一斗, 水七升半. 廣腸大八寸, 徑二寸寸之大半, 長二尺八寸, 受穀九升三合八分合之一. 腸胃之長, 凡五丈八尺四寸, 受水穀九斗二升一合合之大半, 此腸胃所受水穀之數也. 平人則不然, 胃滿則腸虛, 腸滿則胃虛, 更虛更滿, 故氣得上下, 五藏安定, 血脈和利, 精神乃居, 故神者, 水穀之精氣也. 故腸胃之中, 當留穀二斗, 水一斗五升, 故平人日再後, 後二升半, 一日中五升, 七日五七三斗五升, 而留水穀盡矣. 故平人不食飲七日而死者, 水穀精氣津液皆盡故也.

운은 위를 통해 몸 안으로 흡수되었고 경맥을 타고 흘렀다. 경맥 체계에 초점을 맞추면 한의학의 몸은 생명의 기운을 받아들여 전화轉化·유주流注·저장·배설하는 개방 시스템이라고 정의할 수 있다.

3. 심장과 기

심장과 기

기氣와 신神 그리고 정精은 동종이명이다. 『관자』에서는 정을 기 중의 정미한 것 또는 기의 정미한 상태라고 말하고 있다.[59] 별도의 설명이 필요했다는 것은 차이점을 함축하지만, 이러한 규정은 사실 정이 기임을 말하고 있다. 정은 특수한 기라고 이해하면 문제가 없다. 신과 기도 가깝기는 하지만 구분할 수 있다. 『관자』에서는 마음을 고요하게 함으로써 신을 머무르게 할 수 있다고 하는데,[60] 기도 유사한 맥락으로 설명한다.[61] 신은 기로 대치할 수 있다. 대동소이하다는 의미다. 그러나 마음에 머무르게 하는 신묘한 대상이라고 할 때 기보다는 신이 주로 쓰인다. 신묘한 생명 현상 등은 신으로 표시하는 경향이 있었다. 다음의 글은 정과 기 그리고 신이 동종이명 즉 맥락에 따라 다르게 불리는 개념임을 알려 준다.

> 무릇 존재의 정, 이것은 곧 생명이 되어 아래로는 오곡을 낳고 위로는 별이 된다. 천지의 사이를 흘러 다닐 때는 귀신이라고 한다. 정을 가슴에 품고 있는 이를 성인이라고 한다. 그러므로 민기民氣는 밝아서 마치 하늘에 오른 듯하고, 아득하여 연못에 들어간 것 같고, 구분할 수 없어서 바다에

---

59. 『管子』「內業」: 精也者, 氣之精者也.
60. 『管子』「心術上」: 掃除不潔, 神乃留處.
61. 『管子』「內業」: 是故此氣也, 不可止以力, 而可安以德; 不可呼以聲, 而可迎以音. 敬守勿失, 是謂成德, 德成而智出, 萬物果得.

있는 듯하고, 끝내는 자기에게 있는 듯하다. 이런 까닭으로 이 기는 힘으로 제어할 수는 없고 덕으로 편하게 할 수는 있다. 소리로 부를 수는 없고 음악으로 맞이할 수는 있다. 삼가 지켜 잃지 않은 상태를 성덕이라고 한다. 덕이 이뤄지면 지혜가 나오고 만물을 얻을 수 있다.[62]

정과 기 그리고 신은 동종이명이다. 하강한 신이 머무는 곳은 본래 심장이었다. 그러나 심장에만 머물지는 않는다. 『맹자』와 마찬가지로 『관자』에서도 기는 몸을 채우는 것이라고 정의된다.[63] 기는 몸 전체에 있다.

다음 글은 심장과 몸 그리고 기의 관계에 대한 개관이라고 할 수 있다. 심장에서 연원하는 기는 몸을 채운다. 몸이 기로 가득해지면 생명은 활발해진다. 기는 곧 생명이다.[64] 심장은 생명이 흘러나오는 우물이다. 심장이라는 우물 안에는 기가 가득 차 있다. 심장 안에 가득 찬 기운이 심장 밖으로 흘러나온다. 심장에서 기가 흘러나와 몸을 영양하는 것은 우물에서 흘러나온 물이 사방을 적셔 주는 것과 같다. 이런 생각은 여러 곳에서 확인된다. 『춘추번로』의 다음 구절도 유사한 생각을 적고 있다.

맑은 기를 정이라고 한다. 기운이 깨끗한 사람을 현자라고 한다. 몸을 다

---

62. 『管子』「內業」: 凡物之精, 此則爲生. 下生五谷, 上爲列星. 流于天地之間, 謂之鬼神; 藏于胸中, 謂之聖人. 是故民氣, 杲乎如登于天, 杳乎如入于淵, 淖乎如在于海, 卒乎如在于己. 是故此氣也, 不可止以力, 而可安以德; 不可呼以聲, 而可迎以音. 敬守勿失, 是謂成德, 德成而智出, 萬物果得.

63. 『孟子』「公孫丑上」: 氣, 體之充也; 『管子』「心術下」: 氣者身之充也.

64. 『管子』「內業」: 精存自生, 其外安榮, 內藏以爲泉原, 浩然和平, 以爲氣淵. 淵之不涸, 四體乃固.

스리는 데 있어서는 정을 쌓는 것이 중요하다. … 몸에서는 마음이 근본이 되고, 나라에서는 임금이 주인이 된다. 정이 그 근본에 쌓이면 혈기가 서로 이어받고, 지혜로움이 주군에게 쌓이면 상하의 계층이 서로 부리고 부림을 받는다. 혈기가 서로 이어받으면 몸에는 고달픈 바가 없다.[65]

심장과 기에 관한 이야기에서 강신의 무속적 분위기를 걷어 내 보자. 생명 그 자체의 힘이 특별한 앎, 예지와 특별한 생명력 같은 신비한 능력의 근원이다. 다음 글은 이 점을 명시하고 있다. "생각하고 생각하라. 또 거듭 생각하라. (그렇게 하면) 생각으로는 통하지 못한다고 해도 장차 귀신이 통하게 해 줄 것이다. (그래서 알게 된 것은) 귀신의 힘이 아니다. 정기의 지극함이다."[66] 심장과 기 사이의 이런 관계는 혈액순환을 상기시킨다. 그러나 경맥 체계는 혈맥이 아니다. 비교의학사가인 구리야마 시게히사는 다음과 같이 말했다.

맥은 신경이나 혈관과는 달리 중심이 없는 하나의 원이다. 맥박은 심장의 말만 전하지도, 주로 심장의 말을 알려 주지도 않는다. 맥박은 모든 장에 관해 똑같이 알려 준다. 맥은 한 곳에서 시작해서 다시 그곳으로 돌아가는데, 촌구寸口가 바로 그곳이다. 경맥에는 맥을 움직이는 동력이나 주

---

65. 『春秋繁露』「通國身」: 氣之淸者爲精, 人之淸者爲賢, 治身者以積精爲寶, 治國者以積賢爲道. 身以心爲本, 國以君爲主, 精積於其本, 則血氣相承受, 賢積於其主, 則上下相制使, 血氣相承受, 則形體無所苦.
66. 『管子』「內業」: 思之, 思之, 又重思之. 思之而不通, 鬼神將通之. 非鬼神之力也, 精氣之極也.

된 동자動者가 없다.[67]

두 가지에 주목해야 한다. 첫째, 맥은 혈관이 아니다. 둘째, 심장은 중심이 아니다. 그러나 중심 없이 순환하는 경맥 체계에 토대하고 있는 『황제내경』에 심장을 중심으로 하는 신체관의 흔적이 남아 있다는 점을 잊지말아야 한다. "심은 군주의 관으로 신명이 그곳에서 나옵니다. … 담은 중정의 관으로 결단이 그곳에서 나옵니다. … 방광은 주도의 관으로 진액이 그곳에 들어 있습니다."[68] 물론 이 구절은 후대에 첨입된 것임에 틀림없다. "중정과 주도는 위의 조조 이후에 설치된 관명이다."[69] 『황제내경』은 한대에 성립되었으므로 위·진 시기의 관명이 들어갈 수 없다. 이 내용은 『소문』「자법론」에서 그대로 반복되고 있다.[70] 주지하듯이 이 편도 후대에 첨입된 위僞논문이다.[71]

그러나 『황제내경』은 본래 다양한 관점의 이질적인 논문을 수백 년 동안 누적시킨 책이다. 나중에 첨입되었다고 해서 『황제내경』이 아니라고 내칠 수는 없다.

---

67. 구리야마 시게히사, 『몸의 노래: 동양의 몸과 서양의 몸』, 정우진·권상옥 올김(서울: 이음, 2013), 162쪽.

68. 『素問』「靈蘭秘典論」: 心者, 君主之官也, 神明出焉.…膽者, 中正之官, 決斷出焉.…膀胱者, 州都之官, 津液藏焉.

69. 龍伯堅, 『黃帝內徑槪論』, 백정의·최일범 옮김(서울: 논장, 1988), 38쪽.

70. 『素問』「刺法論」: 心者, 君主之官, 神明出焉.

71. 직전의 「刺法論」第七十二와 「本病論」第七十三은 후인이 첨입한 글이다. 이런 이유로 후대의 주석자들은 이 글에 주석을 달지 않았다.

심장 중심설과 혈액순환

심장을 중심으로 보는 관점은 『황제내경』 곳곳에서 산견된다.

> 전중은 심주의 궁역이다.[72]

> 심에 정을 보관한다. 그러므로 (심장에 문제가 있으면) 오장 전체에 병이 있다.[73]

> 심은 오장육부의 주인이다.[74]

> 오장육부는 심을 주인으로 삼는다.[75]

심장을 중심으로 보는 신체관은 『황제내경』 이전의 한의학에서도 확인된다. 1973년과 1983년 마왕두이와 장자산張家山에서 발굴된 문헌들은 『황제내경』 이전의 의학에 관해 말하고 있다.[76] 이 중 『족비십일맥구경足臂十一脈灸經』과 『음양십일맥구경陰陽十一脈灸經』 그리고 『맥법脈法』 등은 '맥서'다. 맥에 관한 논의를 다루고 있다. 그런데 『족비십일맥구경』의 족궐음맥 뒤에는 좀 특이한 글이 삽입되어 있다.[77] 체계상 이상하다.

---

72. 『靈樞』「脹論」: 膻中者, 心主之宮域也.
73. 『素問』「金匱眞言論」: 藏精於心, 故病在五藏.
74. 『靈樞』「口問」: 心者, 五藏六府之主也.
75. 『靈樞』「師傳」: 五藏六府, 心爲之主.
76. 이들 문헌의 매장 시기는 마왕두이가 기원전 168년, 장가산이 기원전 186년경으로 추정된다.
77. 『足臂十一脈灸經』은 각 맥의 루트와 증상을 체계적으로 설명하고 있다. 족궐음맥은 『족비십일맥구경』의 11맥 중 여섯 번째에 나온다. 그러므로 이처럼 이질적인 내용이 중간에 나온다는 것은 좀 이상한 일이다.

이와 같은 다섯 가지 병을 앓으면서 번심煩心하면 죽는다. 삼음三陰의 병이 모두 일어나면 열흘을 넘기지 못하고 죽는다. 맥을 잡음에 마치 세 사람이 방아를 찧는 것 같으면 사흘을 넘기지 못하고 죽는다. 맥이 식경 정도 끊어지면 사흘을 넘기지 못하고 죽는다. 번심하고 배가 부으면 죽는다. 눕지 못하고 번심하면 죽는다. 환자가 반복해서 설사를 하면 죽는다. 삼음병에 양병陽病이 겹치면 치료할 수 있다. 양병을 앓으면서 등으로 뜨거운 땀을 흘리면 죽는다. 양병을 앓고 뼈가 부러지거나 근이 끊어진다고 해도 음병이 없으면 죽지 않는다.[78]

인용문의 주제는 태음太陰·궐음厥陰·소음少陰의 삼음병이 위중하다는 것이다. 그러나 현재의 맥락에서는 번심이 나타나면 죽는다는 구절이 더 중요하다. 번심은 최종적인 이별을 알리는 증상이었고, 심장은 어떤 것보다도 중요한 지위를 지니고 있었다. 그런데 심장이 두근거리는 증상인 번심이 정말로 죽음의 대표적 상징일까? 심장의 두근거림 외에도 죽음을 상징하는 다양한 징후가 있다. 오히려 의사들은 몰아쉬다가 멎곤 하는 고르지 않은 거친 숨을 말할 것이다. 게다가 심장의 두근거림은 두려움과 긴장을 상징하는 대표적 징후다. 고양이에게 쫓기는 쥐의 심장을 생각해 보라. 다양한 죽음의 징후 중에서도 번심을 특히 죽음의 대표적 징후로 받아들이게 된 계기는 무엇이었을까?

---

78. 『足臂十一脈灸經』: 皆有此五病者, 又煩心, 死. 三陰之病亂, 不過十日死, 循脈如三人參春, 不過三日死, 脈絶如食頃, 不過三日死, 煩心, 又腹脹, 死, 不得臥, 又煩心, 死, 溏泄恒出死, 三陰病雜以陽病, 可治, 陽病背如流湯死, 陽病折骨絶筋而無陰病, 不死.

3. 심장과 기 143

수양론의 흔적이라고 할 수 있을 것이다. 『관자』에서는 마음의 혼란을 앞의 인용문에 보이는 번심의 번煩자로 표현했다. "(마음을) 번거롭게 하지 말고 어지럽게도 하지 않으면 마음의 조화로움이 저절로 이뤄진다."[79] 번거로운 마음이 제거된 상태를 이상적으로 여기던 수양론의 관념이 한의학에서 질병관으로 나타난 셈이다.

질병관을 매개로 한 수행과 의학의 만남! 현재의 관점에서는 이상하게 여길지 모르겠으나, 그건 현대인이 의학과 수행을 양단兩斷하기 때문이다. 수행과 의학은 모두 자신의 변화를 추구한다는 점에서 동일하다. 방향은 다르지만 기의 수정과 승화를 통해 질적 변화를 이룬다는 점도 같다. 수행과 의학의 연속성을 강조하면 수행의 실패가 질병을 초래한다는 생각을 자연스럽게 받아들일 수 있다.

질병관뿐만 아니라 신체관에서도 수행과 의학의 연속성을 확인할 수 있다. 심장이 몸의 중심이라는 생각은 신이 심장에 거주한다고 보는 수행론의 토대에서 등장한 것이다. 물론 누차 말했듯이 다른 맥락 즉 수행의 주체라는 측면에서도 심이 중시될 이유가 있었을 것이다. 예를 들어, 성악설을 주장한 순자는 고유한 성향의 수정을 주장해야 했고, 그에 따라 교정 주체로서의 마음을 중시하지 않을 수 없었다. "마음은 몸의 군주요, 신명의 주인이다. 명령을 내릴 뿐 받지는 않는다."[80]

자연에 대해서는 별다른 관심을 기울이지 않았던 유학의 태도를 생각해 볼 때 도덕 주체이므로 중심으로 간주되었다는 생각을 쉽게 받아들일

---

79. 『管子』「內業」: 能去憂樂喜怒欲利, 心乃反濟. 彼心之情, 利安以寧, 勿煩勿亂, 和乃自成.
80. 『荀子』「解蔽」: 心者, 形之君也而神明之主也, 出令而無所受令.

수는 없다. 그러나 어쨌든 수행론에서는 심장이 몸을 대표할 충분한 이유가 있었다. 심지어 몸은 심장이라고 말할 수도 있다. 『황제내경』이 저술될 시기에는 수행과 의학의 연속성이 유지되고 있었다. 『황제내경』에 행의 신체관이 남아 있을 만한 상황이었다. 그 결과 혈액순환과는 순환 체계인 경맥에 토대하고 있는 『황제내경』에도 심장이 혈맥을 다는 말이 보이게 되었다.

심장이 맥을 주관한다.[81]

심장은 몸의 혈맥을 주관한다.[82]

심장은 혈맥의 기를 저장한다.[83]

사실상 최초의 제국이라고 할 수 있는 한나라의 도가 통치적 의 을 제시한 『회남자』에서도 심장이 혈맥을 주관한다고 말했다. "심장은 오장의 주인이다. 사지를 제어하고 혈기가 흐르게 만든다. 심장은 시비의 경계를 달리고 온갖 일을 결정한다."[84] 심장은 수양론의 핵심일 뿐만 아니라 시비판단과 같은 이성적 기능의 기반인 동시에 생의 중심이기도 하다. 그런데 『회남자』에서 심장이 혈맥을 유통시킨다고 말한 까닭은 무엇일까?

---

81. 『靈樞』「九鍼論」: 心主脈.
82. 『素問』「痿論」: 心主身之血脈.
83. 『素問』「平人氣象論」: 心藏血脈之氣也.
84. 『淮南子』「原道訓」: 夫心者, 五藏之主也 所以制使四支 流行血氣 馳騁于是非之境 而出 入于百事之門戶者也.

심장은 혈액순환의 중심이다. 경험적 사실이다. 『회남자』의 저자들도 알고 있었을 것이다. 그러나 이것은 적절한 답이 아니다. 의학 지식의 전달은 『회남자』의 목적이 아니다. 『회남자』는 고립된 섬이 아니다. 당연히 사상사적 흐름 속에서 저술되었고, 마땅히 수행론의 영향이 존재해야 한다. 혈색이 수양의 징표로 받아들여지는 문화도 수행론과 유관하다.

혈색은 먼저 생리적 건강을 알려 준다. 그러나 마음의 상태도 알려 준다. 『황제내경』의 저자들 중 일부는 혈색이 마음의 상태를 알 수 있는 단서라는 수행론의 가르침을 받아들였다. 수행론과 의학은 연속적이고, 심장이 혈맥을 주재해야 한다! 그들은 새로운 의학체계를 구성해 냈지만 서로 어울리지 않는 이론의 동거를 허용했다. 심장이 몸의 중심이라는 관점은 깊고 강렬했다. 『황제내경』의 저자들은 감정을 마음의 병적 현상으로 파악하는 수행론의 관점을 답습했고, 심장이 몸의 중심이라는 기본 관념을 받아들였으며, 마음의 상태가 혈색으로 나타난다는 생각을 차용했다.

그러나 심장이 혈액순환의 중심이라는 것은 사실 아닌가? 앞의 설명 순서를 바꿔야 할 것으로 보인다. 혈액순환의 중심이기 때문에 심장이 수양론의 핵심이 되었다고 말해야 하지 않을까?

심장과 인지 과정

『관자』에는 인지에 관해 주목할 만한 글이 있다.

심(심장) 속에 또 마음이 있다. 이 심장 속의 마음은 의로써 앞서 말한다. 의가 생겨난 후에 형태가 나타난다. 형태가 나타난 후에 사려하게 되고

사려한 후에 알게 된다.[85]

첫 문장의 심은 심장이다. 뒤의 마음이라고 번역한 심은 심리적 현상이거나 수행 주체다. 심리적 현상이라고 해도 인지적 현상이면 수행 주체와 다르지 않다. 일단 심리적 현상이라고 가정해 보자.

인용문은 심리적 현상의 발생 과정을 묘사하고 있다. 심리적 현상의 발생 과정에서 가장 먼저 생겨나는 것은 의意다. 의는 심리적 현상이 아직 어떤 형태도 갖추지 못한 상태다. 정서적 현상으로서의 의는 기초 감정이라고 할 수 있는 정동情動에 해당한다. 즉 쾌/불쾌, 홍분/안정의 기본 감정에 부합한다.[86] 형形은 이런 기본 감정이 보다 구체적으로, 예를 들면 분노, 슬픔, 기쁨 등의 양상으로 모습을 드러내는 단계이고, 사思는 이런 감정을 개념화하는 단계다. 그 결과 앎이 형성된다.[87] 다른 해석의 여지가 있겠으나 사부터는 분명히 의식의 단계에 속한다고 할 수 있다.

정서적 현상을 예거한 듯하지만, 인용문에서는 이 점을 확인하기 어렵고, 사실 동양의 철학자들이 인지와 정서를 발생 과정에서부터 떼어낼 수 있다고 생각했다는 근거도 없다. 2세대 인지학자를 대표한다고 할 수 있는 존슨Mark Johnson도 양자의 필수적 수반 관계를 명시했다. "간혹 우리가 사고의 정서적 양상을 제대로 인식하지 못하곤 하지만, 정서 없는 인지

---

85. 『管子』, 「心術下」: 心之中又有心. 意以先言, 意然後形, 形然後思, 思然後知.
86. 정동에 관한 간략하지만 명쾌한 규정은 리사 펠드먼 배럿, 『감정은 어떻게 만들어지는가?』, 최호영 옮김(파주: 생각연구소, 2018), 150쪽 참조.
87. 형을 기초 감정의 단계로 볼 수도 있을 것이다. 그렇다면 의는 그보다 전 단계의 무엇이다. 쾌/불쾌 등으로도 나눌 수 없는 단순한 떨림이라고 할 수 있다.

는 있을 수 없다.″[88] 사고와 감정은 구분될 수 있다. 그러나 구분할 수 있다는 것이 둘이 독자적으로 기능할 수 있음을 함축하지는 않는다. 정서적 상태 없이 무엇인가를 계산하는 것이 가능할까? 그건 인공지능과 똑같을 것인데, 정상적이라면 사람에게는 그런 일이 없을 듯하다.[89]

그렇다면 『관자』의 내용을 심리 현상 일반의 과정을 묘사한 진술로 간주할 수 있을 것이다. 그런데 인용문의 출처인 『관자』「심술하」편에는 '의기意氣'라는 표현도 보인다.

> 외물로 감관을 어지럽히지 마라. 감관으로 마음을 어지럽히지 마라. 이 것을 내덕이라고 한다. 이런 까닭으로 의기가 안정된 연후에 바르게 된다. 기는 몸을 채우는 것이다.[90]

이곳에서는 단순히 의라 하지 않고 의기라고 말하고 있다. 이어서 기가 몸을 채우고 있음을 즉 마음이 아닌 몸을 채우고 있음을 밝히고 있다. 앞의 인용문에서도 몸을 기의 연못으로 묘사하고 있었는데, 주지하듯이 기가 몸을 채운다는 말은 『맹자』에도 보인다.[91] 전국 시기에는 마음뿐 아니

---

88. 마크 존슨, 『몸의 의미』, 김동환·최영호 옮김(서울: 동문선, 2012), 41쪽.
89. "우리는 뭔가를 선택해야 할 경우 그것이 좋은지 싫은지 또는 즐거운지 괴로운지 등의 감정을 직감적으로 느끼면서 그에 따라 선택 대상을 압축한 다음 최종적인 판단을 의식적으로 하게 됩니다. 인간의 모든 감각-지각 활동에는 반드시 어떤 감정이 동반됩니다." 최현석, 『인간의 모든 감정』(파주: 서해문집, 2011), 63쪽.
90. 『管子』, 「心術下」: 無以物亂官, 毋以官亂心, 此之謂內德. 是故意氣定, 然後反正. 氣者身之充也.
91. 『孟子』「公孫丑章句上」: 夫志, 氣之帥也, 氣, 體之充也.

라 몸도 기의 그릇으로 보는 관념이 유행했던 것으로 보인다.

위 인용문에서는 마음의 평정을 강조하면서 심리적 현상의 발생 과정을 일부 암시하고 있다. 즉 외물→감관→심리적 현상의 발생이라는 과정을 엿볼 수 있다. 의기의 안정은 마음의 평정을 의미하므로 결국 외부의 자극에도 불구하고 마음이 안정되어야 한다는 뜻이다. 같은 편의 유관한 맥락을 언급하는 대목에 나오므로 의意와 의기意氣는 다르지 않다고 해석해야 할 것이다. 의기가 의와 같다면 의는 의기를 줄인 말이다. 즉 의기가 본래의 온전한 표현이었을 것이다. 의기라는 표현에서 무엇을 읽어 낼 수 있을까?

나는 의기가 의와 기의 연속성 즉 심리 현상에서 기의 떨림이 판단의 소재가 되는 심상의 형성에 영향을 준다는 점을 보여 준다고 해석한다. 이 생각과 몸이 기의 그릇 또는 연못이라는 생각을 결합해 보자. 그리고 『회남자』에 나오는 다음 진술을 참고해 보자. "외물이 이르면 신이 응한다. 이것이 앎의 움직임이다."[92] 『회남자』의 인용문은 외부의 자극에 신 즉 기가 반응하고, 이로 인해 앎이 형성됨을 말하고 있는 셈이다. 그렇다면 의기라는 단어는 외부의 자극이 몸을 채우고 있는 기의 공명을 초래하고, 그런 떨림이 심장으로 전개되는 심리적 현상의 발생 과정을 암시한다고 해석할 수 있을 것이다. 이 생각은 다음과 같이 도식화할 수 있다.

외부	몸	심장
외물	기의 떨림	의→형→사→지

---

92. 『淮南子』「原道訓」: 物至而神應, 知之動也. 정은 기가 뭉친 것이고 신은 기의 공효이므로 신은 결국 기와 같다.

앞의 논의를 회고해 보자. 몸은 기의 그릇이고 기는 심장 밖으로 흘러나가거나 안으로 흘러든다. 그런데 주지하듯이 기는 심리생리적이다.[93] 그렇다면 특별한 사정이 없는 한 기의 흐름에 기반한 생리적 구도와 심리적 구도가 부합하는 것이 자연스럽다고 할 것인데, 앞에서 확인할 수 있듯이 심리적 현상의 발생 과정은 생리적 구도와 대응한다. '기가 맥을 따라 심장으로 흘러들듯이 기의 공명에 의해 촉발된 심리적 현상의 발생과정은 심장에 이른다.' 이것이 심장이 심리적 현상을 담당하는 기관이라는 견해의 근거일 것이다. 정말일까? 심리적 현상은 이처럼 기의 공명과 심의 개념화 작용이라는 과정을 거쳐서 발생하는가?

음악이 울리는 특정한 곳에 있는 상황을 상정해 보자. 몸을 채우고 있는 기는 음악에 공명한다. 여기에는 어떤 의식적 작용도 개입되지 않는다. "음악을 듣는다는 것은 움직이는 것이며, 음악적 운동의 패턴에 의해 한정된 방식으로 느낀다는 것이다. 이런 느낌은 정서적 흐름의 패턴이 전반성적인 인식의 층위에서 유의미하게 되는 것과 동일한 방식으로 유의미하다."[94]

개념화의 과정을 거치지 않은 기의 떨림에 의한 인지도 가능할 것이다. 그러나 공명으로 인한 떨림이 서서히 모습을 갖춰 나가다가 개념화되는 인지도 있다. 감정이 단순한 반응이 아니라 구성된 것이라고 주장하는 배럿Lisa F. Barrett도 감정 발생 과정을 전의식 단계와 의식 단계로 양분한다.

---

93. 예를 들어, 『孟子』의 浩然之氣나 夜氣 또는 平旦之氣 등을, 또는 『논어』의 辭氣나 怒氣라는 일상어를 상기해 보라.

94. 마크 존슨, 『몸의 의미』, 366쪽.

나는 당신이 감정을 경험할 때마다 또는 다른 사람의 감정을 지각할 때마다 당신이 또다시 개념을 사용해 범주화하면서 내수용과 오감을 통해 들어오는 감각에 의미를 부여한다고 설명할 것이다. 이것이 바로 구성된 감정 이론의 핵심주제다. … 범주화는 뇌의 일상적인 활동이다. 그리고 이것은 지문을 가정하지 않고도 감정이 만들어지는 방식을 설명해 준다.[95]

심리적 현상의 발생 과정을 두 단계로 나누는 배럿의 설명은 『관자』의 인용문에 관한 나의 해석과 부합한다. 심장은 혈액순환의 중심이다. 따라서 생명 활동의 중심이라고 할 수도 있다. 고대 동아시아인은 혈과 기를 구분했다. 그러나 혈기라는 말에서 알 수 있듯이, 이 둘은 서로 무관하지 않다.

존재를 물질-생명-정신의 세 층위로 나눌 수 있다고 가정해 보자. 기는 생명이고 혈은 물질이다. 양자는 다르다. 그러나 혈은 기와 가장 가까운 물질이다. 혈기라는 말의 빈번한 사용은 이 점을 증명한다. 심장이 혈액순환의 중심이라는 생리적 사실이 심장을 인지 과정을 담당하는 기관으로 받아들이게 했을 것이다. 앞으로 돌아가 보자.

고대 동아시아 신체관의 궁극적 연원은 무속이다. 하늘에서 내려온 신이 몸에 거주한다는 생각이 신체관의 시작이었다. 그러나 무속이라는 연원이 신체관에서 심장이 차지하는 위상을 설명해 주지는 못한다. 왜 뇌에 거주하지 않는가? 왜 배꼽에 거주하지 않는가? 심장이 신의 거주지가 된

---

95 리사 펠드먼 배럿, 『감정은 어떻게 만들어지는가?』, 174-175쪽.

다른 이유를 찾아야 한다. 가장 중요한 것은 혈액순환의 중심이 심장이라는 사실이다. 심장이 혈액순환의 중심이라는 사실에 토대해서 수행론의 부수적 원칙이 추가되었다. 혈색은 수행의 정도를 알려 주는 징표였다. "말하지 않는 소리가 천둥번개보다 빠르다. 심기가 모양을 나타냄이 일월보다 밝다."[96] 마음의 기운은 밖으로 드러난다.

또는 기운이 마음의 상태를 알려 준다. 마음은 뿌리이고 얼굴은 꽃이다. 『논어』에 나오는 다음 글을 보자. "자하가 효에 관해 물었다. 공자가 답했다. '낯빛이 어렵다. 일이 있으면 제자들이 그 일을 하고, 먹을 것이 있으면 부모에게 먼저 드리는 것만으로 효가 될 수 있겠는가?'"[97] 온갖 잡일을 하고 연로한 부모님께 필요한 것을 준비해 드리는 것만으로는 효가 되지 않는다. 효에는 반드시 알맞은 얼굴 표정이 수반되어야 한다. 요지는 다음과 같다. '마음은 수행론의 중심이다. 혈색은 수행의 징표다. 심장에 있는 기운이 마음과 색 즉 낯빛을 연결한다.' 이런 생각은 『황제내경』에서도 볼 수 있다.

> 심장은 오장육부의 큰 주인이요, 정신의 집이다. 그 장은 견고해서 사기가 침입하지 못한다. 사기가 침입하면 심이 해를 입고, 심이 해를 입으면 신은 떠난다. 신이 떠나면 죽는다.[98]

---

96. 『管子』「內業」: 不言之聲, 疾于雷鼓. 心氣之形, 明于日月.
97. 『論語』「爲政」: 子夏問孝. 子曰, 色難. 有事弟子服其勞, 有酒食先生饌, 曾是以爲孝乎?
98. 『靈樞』「邪客」: 心者, 五藏六府之大主也, 精神之所舍也, 其藏堅固, 邪弗能容也. 容之則心傷, 心傷則神去, 神去則死矣.

심장은 생명의 근본으로, 신의 변화는 그 꽃이 얼굴에 나타난다.[99]

마음은 밖으로 드러난다. 기운이 꽃처럼 피어난다. 같은 말이다. 마음의 수양 상태를 기가 알려준다! 기는 심장에서 얼굴로 움직여야 한다. 또는 몸의 다른 곳으로. 수행론의 맥락에서 마음은 먼저 심장과 연결되었다. 다음으로 몸의 표면과 연결되었다. 수행론의 논의는 심장과 몸의 체표를 포함했다.

정리해 보자. 무엇이 심장을 몸의 중심으로 받아들이게 만들었는가? 첫째, 몸에는 신의 거주지가 필요했다. 둘째, 심장은 혈액순환의 중심이었다. 셋째, 수행의 정도는 혈색으로 표현된다. 그리고 마지막으로 심장은 인지 과정을 담당하는 궁극적 기관이라는 점이 중요하다. 심장은 동양 신체관의 중심이다. 현대인도 최소한 감정에 대해서는 그렇게 생각하는 경향이 있다. 한의학에서도 당연히 그래야 할 것으로 보인다.

그러나 누차 말했듯이 12경맥 체계에서 보면 심장은 오장 중 하나에 불과하다.

---

99. 『素問』「六節藏象論」: 心者, 生之本, 神之變也, 其華在面.

IV

생명이 흐르는 몸

생명의 기운이 흐른다는 생각은 생명을 담고 있는 그릇이라는 원형에서 겨우 한 발 나아간 것이지만, 작지 않은 도약이라고 평가할 수 있다. 생명의 그릇에서 생명이 흐르는 장소라는 생각으로 확장되었을 때 몸 안에 생명이 흐르는 관인 경맥이 생겨났고, 오장육부를 중심으로 직조되었던 몸은 생명이 종횡으로 흐르는 곳으로 변모했다. 이런 도약을 주도한 이들은 의학자였다. 그러나 수행자들도 수행 체험에 근거해서 특수한 맥 체계를 만들었다. 어느 쪽이 영향을 주었는지는 알 수 없다. 가능성이 높지는 않으나 수행자와 의학자가 자신의 영역에서 각각 어떤 상호영향도 없이 몸의 도화지 위에 기가 흐르는 노선도를 그렸을 수도 있다.

의학자들은 12경맥을 만들었다. 12경맥을 구성해 낸 이들의 정체는 단순하지 않다. 초기에는 뜸 치료를 위주로 하는 뜸법파가 주로 활약했다. 이들은 11경맥 체계를 만들어 냈다. 물론 이보다 전에 종기 치료의 임상 경험을 통해 혈관의 위치와 분포 및 성격을 잘 알고 있던 폄법파가 있었다. 폄법砭法은 폄이라는 날카로운 돌칼로 종기를 째고 고름을 제거하는 치료다. 뜸법파는 폄법파의 지식에 기반해서 혈맥과는 다른 경맥 체계를 구성해 냈다. 그러나 뜸은 당시에 만연하던 종기 치료에는 적용할 수 없다는 분명한 한계가 있었다. 이 때문에 폄법파의 후손이라고 할 수 있는 침법파가 돌연 등장해서 뜸법파의 뒤를 이었다.

수행 의학자들은 훗날 기경팔맥이라고 부르게 된 경맥 체계를 구성해 냈다. 기경팔맥은 수행자들의 수행 체험에 근거한다. 수행 체험에서 명확하게 드러나는 것은 척추를 따라 머리로 흐르는 독맥督脈이고, 한대 수행 신체관을 일부 보여 주는 슈앙바오산雙包山 목인형에도 수행 관련 맥으로는 독맥만 있으므로 수행자들이 처음에 고안한 맥은 독맥뿐이었을 것이다. 이들이 독맥이라는 단일 맥 체계를 기경팔맥으로 확장한 배경에는 '수행 의학'이 있었을 것이다. 자신의 고양과 타인의 구제를 목적으로 하는 수행의 특성상 수행 의학의 존재는 필연적이다. 특히나 수행자들은 외딴 곳에서 생활했으므로 자신들의 치료를 위해서도 나름의 의학적 지식이 요구되었다.

수행가들은 자신의 변화와 수행 과정에서 발생하는 질병의 치료 그리고 대중 구제를 위해 수행 의학을 만들었다. 그 결과 우리는 도교 의학이나 불교 의학이라고 불리는, 주류 의학과 유사하면서도 다른 특수한 의학을 접할 수 있다. 수행 의학은 동아시아 의학의 주류는 아니었으나 주류 의학의 옆에서 주류 의학과는 다른 양상의 의학을 영위함으로써 동아시아 의학을 풍부하게 만들었다. 기경팔맥은 수행 의학자들이 수행 체험에 근거해서 확장한 수행 의학 신체관의 핵심 요소라고 할 수 있다. 뒷날 침법파는 자신의 12경맥 체계 내에 수행자들의 생리학이라고 할 수 있는 기경팔맥을 포섭함으로써 수행과 의학의 결합을 시도했다.

1. 12경맥

경맥의 원형

경맥은 한의학 신체관의 핵심 요소 중 하나다. 그러나 물리적 실체가 확인되지 않았으므로 현재에도 그 연원과 정체에 관한 논쟁이 이어지고 있다. 경맥에 관한 복잡한 논쟁 속에서 진실에 다가가기 위해서는 몇 가지 가정해야 할 것이 있다.

첫째, 경맥은 '발견'되지 않았다는 점이다. 이 점은 경맥을 흐르는 기가 무형의 생명이라는 점을 상기하면 알 수 있다. 생명이 유형의 존재인가? 생명을 간접적으로 포착할 수는 있다. 예를 들어 체온이 떨어지고 심박수가 느려지면 생명이 약해졌다고 할 수 있다. 이런 방식은 현대에도 널리 사용되고 있다. '정신질환의 진단 및 통계편람DSM'에서는 각 항목에 증상을 나열하고 그중 몇 가지 증상이 발현되면 특정한 질병이라고 판단한다. 이 경우에도 증상은 정신질환에 대한 간접적인 규정일 뿐이다. 조작적 정의.

증상은 곧 정신질환을 인과적으로 나타내지 않는다. '상징'할 뿐이다. 체온계와 혈압기에 나타난 숫자도 생명의 상태를 말 그대로 간접적으로 상징할 뿐이다. 생명 자체를 가리키지 않는다. 생명이 어떻게 물리적으로 직접 지시될 수 있겠는가? 이것은 논리적인 문제다. 무엇인가를 정지시키지 않으면 표상하지 못하는데, 생명은 정지하지 않는다. 그러므로 경맥이 물리적 층위에서 직접적으로 확인될 수 있다는 생각은 오류다.

둘째, 경맥이 물리적으로 확인될 수 없다면 그것은 오랫동안의 임상 경험을 통해 누적적으로 구성되었을 것이다. 경맥이 모종의 임상 경험에서 도출되었다면 경맥의 토대인 임상 경험은 무엇이었을까? 경맥은 침의 토대이므로 경맥의 임상 경험은 침이라고 생각되어 왔다. 그래서 경맥의 유래와 형성 과정을 밝히려는 과거의 노력은 '점에서 선으로'라는 가설로 귀일되었다. "맥의 발견에서는 종래 거의 자명한 것으로 간주되던 것이 있었다. 치료 점으로서의 혈위가 경험적으로 발견되고, 관련 통(통증의 원인이 있는 곳과 다른 곳에서 느껴지는 통증), 기타의 생리 현상을 통해 침자리와 같은 것이 관련되어진 후 맥으로 파악되기에 이르렀다는 것이 그것이다."[1] 뤼쇼우옌(陸瘦燕)이 이 가설을 대표한다. "1950년대에 침구학자 뤼쇼우옌은 경락학설은 같은 효능을 가진 침구의 혈위들을 귀납해 연결하는 것에서 기원했다는 견해를 제시했다."[2]

'점에서 선으로'라는 가설은 점과 선 사이를 메우기 위한 보완 가설을 제안해야 한다. 침자리는 경험에 의해 발견될 수 있지만, 침자리를 이은 선은 그렇지 않기 때문이다. 침자리의 관련성을 경험적으로 발견하는 것과 그 침자리의 배후에 경맥이라는 기가 흐르는 노선의 존재를 가정하는 것도 별개의 문제다. 관찰만으로는 침자리라는 점과 맥이라는 선 사이를 넘어설 수 없다. 관련 있는 침자리를 이은 작은 선과 맥이라는 작은 선을 잇는 긴 선 사이에도 경험이라는 다리만으로는 넘을 수 없는 깊은 협곡이 존재한다. 점에서 선으로 나아가기 위해서는, 그리고 작은 선에서 몸 전

---

1. 山田慶兒, 『中國醫學の起源』(東京: 岩波書店, 1999), 53쪽.
2. 周一謀, 『고대 중국의학의 재발견』, 김남일 외 옮김(서울: 법인문화사, 2000), 34쪽.

체를 흐르는 선들의 체계로 확장하기 위해서는, 그 사이의 비약을 채워 주기 위한 또 다른 요소가 필요하다. 학자들이 점과 선, 짧게 끊어진 작은 선과 전체적으로 연결된 선의 체계 사이에 있는 협곡을 넘어서기 위한 가설을 완료하기 전에 경맥의 성립사를 알려 주는 문헌이 발굴되었다. 기대와 달랐다. 몹시.

발굴 문헌에는 침자리가 없이 노선만 있는 경맥 체계가 기록되어 있었기 때문이다. 야마다 게이지山田慶兒는 발굴 문헌의 등장으로 인해 침자리의 연결을 통해 경맥이 발견되었다는 견해가 성립하기 어렵게 되었다고 말했다. "출토 의서는 그것이 전혀 거꾸로 되어 있다는 것을 증명했다. 우선 맥이 발견되고, 후에 그 맥에 따라서 또는 맥 부근의 자리에서 침자리의 소재가 확인되었던 것이다."[3]

그러나 출토 문헌에 침자리가 보이지 않는다고 해서 선이 먼저 발견되었다고 단정할 수 있을까? 침자리가 없는 맥서가 발견되었다고 해도 침자리가 경험적으로 먼저 발견되고 이런 경험들을 이론화하는 과정에서 경맥 체계가 구성되었을 가능성은 여전하다. 특정 시점을 찍은 한 장의 사진만으로도 그 사진의 앞과 뒤를 예상할 수는 있으나 그것은 말 그대로 예상일 뿐이다. 야마다는 너무 멀리 뛴 게 아닐까? 그러나 점에서 선으로라는 가설에 대한 신뢰를 의심해야 한다는 것, 그러므로 다시 처음으로 돌아가야 한다는 점은 분명해 보인다. 그동안 경맥의 기원 또는 원형과 관련해서 제기되었던 가설들 중에는 수리모델설, 내관법을 통한 확인 등 몇

---

3. 山田慶兒, 『中國醫學の起源』, 53쪽.

개의 모델이 있다. 부분적으로 그럴듯해 보이는 지점도 있으나 전체적으로 보면 옳지 않다.

내 생각을 미리 말하면, 경맥은 혈관에서 유래했다. 먼저 맥이라는 글자가 혈관을 암시한다. 글자의 원형이 잘 보이는 전문篆文에서 脈은 뜻을 나타내는 血과 뜻과 음을 나타내는 《(나뉘어 흐르다)의 결합이다. 흐르는 맥은 살 속에 혈액이 분류分流한다는 뜻이다. 한의학의 맥은 혈관이 아닌 기가 흐르는 통로지만, 맥이라는 관념은 혈맥에서 빌려 왔을 것이다. 이상의 내용은 자원字原에 근거한 추정이다.

맥이 혈관의 뜻으로 쓰인 직접적 예가 있는가? 맥에 관한 최초의 기록은 『좌전』 희공 15년 기사에 보인다. 한韓과의 전투에서 외산의 말을 타려고 하는 진후晉侯에게 경정慶鄭이 말했다. "이제 타국에서 난 말을 타고 전투하려 하시는데, 말이 놀라서 성질이 변하면 장차 부리는 사람과 맞지 않게 될 것입니다. (그러면) 어지러운 기운이 차올라서 음혈이 두루 일어나고 (이로 말미암아) 팽창한 맥이 부풀어 오르게 될 것입니다."[4]

인용문의 맥은 말의 혈관을 가리킨다. 『좌전』에는 오직 이곳에서만 맥 자가 쓰이고 있다. 춘추 시기의 노나라 역사를 기록하고 있는 『국어』에는 맥 자가 모두 세 번 나오는 데 그중 두 번은 다음 글에 보인다. "태사가 때에 순하여 토를 살핌에 양기가 그득하여 분기탱천하고 토기가 떨쳐 일어나며 방성이 새벽에 남중하고 일월이 내려오면 토는 맥발脈發한다. 이때보다 9일 앞서 태사는 직에게 고하여 말하되 '오늘부터 2월 초하루에 이

---

4. 『左傳』: 今乘異産, 以從戎事, 及懼而變, 將與人易. 亂氣狡憤, 陰血周作, 張脈僨興.

르면 양기가 모두 쪄 오르고 토는 살쪄 움직인다. 떨쳐서 풀어 내지 않으면 맥에는 재앙이 들어 곡식은 심을 수 없게 된다'고 했다."[5]

시선을 끄는 것은 당연히 '맥발'이다. 땅속에 양기가 두텁게 축적되면 땅의 기운이 움직인다는 것은 신체의 맥을 비유한 것이다. 거듭 땅이 살쪄 오른다고 한 것은 맥 즉 혈관의 유비에 따라 촉발된 것이다. 맥에 재앙이 든다는 것도 같은 식으로 보아야 할 것이다. 『관자』「수지」편의 다음 글도 마찬가지로 해석할 수 있다. "수水는 땅의 혈기로 (혈기가) 근맥筋脈을 (타고) 흐름과 같은 것이다."[6] 원 관념은 인체의 혈관이다. 맥은 본래 혈관을 가리키는 글자였다. 경맥으로 바뀌면서 혈관과는 멀어졌지만 완전히 사라지지는 않았다. 맥의 본의는 오랫동안 사라지지 않은 채 잠복해 있다가 문득문득 자신을 드러냈다.

마왕두이 발굴 문헌인 『족비십일맥구경』과 『음양십일맥구경』에서 확인할 수 있듯이 기원전 2세기에 이미 기의 노선으로서의 맥이 정립되었지만, 기원후 16년 왕손경의 해부에 참여했던 태의太醫와 상방尙方 그리고 교도巧屠는 둘 사이의 차이를 정확하게 이해하지 못했다.[7] 태의는 관료로서의 의사를, 교도는 백정을 말한다. 상방은 주로 왕궁의 기물을 담당했지만 의약의 관리에도 참여했다. 의학과 해부의 전문가였던 이들이 대꼬

---

5. 『國語』「周語上」: 太史順時覛土, 陽癉憤盈, 土氣震發, 農祥晨正, 日月底于天廟, 土乃脈發. 先時九日, 太史告稷曰: 自今至於初吉, 陽氣俱蒸, 土膏其動. 弗震弗渝, 脈其滿眚, 穀乃不殖.

6. 『管子』「水地」: 水者, 地之血氣, 如筋脈之通流者也.

7. 『漢書』「王莽傳」: 翟義黨王孫慶捕得, 莽使太醫尙方與巧屠共剖剝之, 量度五臟, 以竹筳導其脈, 知所終始, 云可以治病.

챙이로 맥을 끊었다! 맥은 대꼬챙이로 뚫을 수 있는 유형의 관 즉 혈관이었다. 당시 최고의 의학 관련 전문가들조차 혈관과 경맥의 차이를 무시했던 것은 경맥과 혈관의 관련성을 함축한다.

이런 혼동은 개념에도 반영되어 있다. 사실 맥은 혈과 기가 함께 다니는 통로였다. 영기營氣는 수곡에서 생기며 중초에서 나와 혈액을 화생하고 전신을 영양하는 기능을 한다. 『영추』「사객」편에서는 "영기는 그 진액을 분비하여 이를 맥에 흘려보내니 화하여 혈이 되어 사지를 영양하고, 안으로 오장육부에 흘러 들어간다"[8]고 했다. 인용문의 맥은 혈이 흐르는 혈관이다. 인용문과 달리 다른 곳에서는 영기가 맥 속을 흐른다고 말한다. 사실 영혈營血이라는 표현에서도 알 수 있듯이, 영기와 혈은 하나의 조합이다. 혈이 유주하는 관을 혈관이라고 하면 영혈은 어디에 있을까? 경맥의 연원은 혈관이고 혈관 개념을 차용해서 성립된 후의 경맥 개념에도 혈관이라는 뜻이 포함되어 있다고 할 수 있다. 최소한 그렇게 말하는 구절이 있다는 점은 인정해야 한다.

『황제내경』에서 찾을 수 있는 또 다른 증거, 맥에 혈관이라는 의미가 포함되어 있다는 증거가 「경맥」편에 있다. "십이경맥은 살 사이로 숨어 운행하는데 깊어서 보이지 않는다. 늘 보이는 것은 족태음맥으로 바깥복사뼈를 지날 때 보인다. 이곳은 숨을 곳이 없기 때문에 보이는 것이다. 모든 맥 중에 떠서 늘 보이는 것은 모두 낙맥絡脈뿐이다."[9] 보이고 보이지

---

8. 『靈樞』「邪客」: 氣泌其津液, 注之於脈, 化以爲血, 以榮四末, 內注五藏六府.
9. 『靈樞』「經脈」: 經脈十二者, 伏行分肉之間, 深而不見, 其常見者, 足太陰過於外踝之上, 無所隱故也. 諸脈之浮而常見者, 皆絡脈也.

않는다는 말의 의미는 분명하다. '혈관을 말하는 것이다.' 복사뼈 바깥의 혈관은 눈으로 확인된다. 맥과 혈관은 다르지만, 양자는 섞여 있었다. 혈관은 맥의 일부였다. 한의학 성립기에 경맥과 혈관이 혼동되고 있었다는 강력한 증거가 『맥법』에도 나온다. 『맥법』에서는 "폄을 써서 맥을 여는 자는 규칙에 따른다"[10]라고 말한다. 폄은 돌칼이다. 돌칼로 째는 맥은 당연히 기가 흐르는 경맥이 아니라 혈관이다.

그러나 오해해서는 안 된다. 경맥이 혈관에서 기원했다는 것은 경맥이 혈관에서 발전했다는 뜻이라기보다는, 처음에는 혈관으로 인식되다가 후에 다른 것으로 정립되었다는 의미다. 예를 들어, 앞에 저수지가 있는 마을을 생각해 보자. 그 마을의 사람들이 어느 해 봄에 저수지에서 자신들에게도 익숙하던 물고기와 유사하지만 조금 다른 민물고기를 발견했다고 해 보자. 두 물고기는 똑같은데 다만 옆구리에 기존의 물고기는 푸른 선이 있으나, 새로 발견된 물고기는 선이 분명하지 않고 중간중간 끊어져 있었다. 마을 사람들은 처음에는 똑같은 이름으로 부르다가 나중에야 두 물고기가 다르다는 것을 확인하고 새로운 물고기에 다른 이름을 붙였다. 이 상황처럼 혈관으로 생각되던 경맥이 나중에 독립된 기관으로 재인식되었을 수 있다. 그런데 이런 상황과 같다면 경맥은 처음부터 선으로 착안되었다는 야마다의 생각이 맞는 것처럼 보인다. 사람들이 새로운 물고기의 선이 끊어져 있는 것을 확인하지 못했기 때문이다.

정말로 그럴까? 다른 상황을 생각해 볼 수 있다. 처음에 마을 저수지에

---

10. 『脈法』: 用砭啓脈者, 必如式.

그 물고기를 풀어 놓은 사람이 있었다고 해 보자. 그는 그 물고기가 기존의 물고기와 다르다는 것을 알고 있었다. 다만 아직 이름을 정하지 않은 상태였다. 설령 그가 이름을 정했다고 해도 마찬가지인데, 물고기를 착각한 마을 사람들이 새로운 물고기를 기존의 물고기 이름으로 불렀기 때문이다. 뒤에 마을 사람들도 그 물고기가 다르다는 것을 인식했으나, 이 시기가 되자 그 물고기를 들어온 사람은 사실 두 물고기가 같은 과에 속한다는 것을 알게 되었다. 그는 새로 들어온 물고기 옆구리의 점은 사실 그 안쪽에 있는 선이 잘 보이지 않을 뿐이라고 생각하게 되었고, 그 결과 기존 물고기의 이름을 따서 새로운 물고기의 이름을 지었다고 가정해 보자. 이 경우는 경맥이 본래부터 혈관과 달리 점으로 되어 있는 것으로 착상되었으나, 후에 혈관과 유사하다는 점이 확인되어 개념의 정립 과정에 혈관에서 일부를 차용했을 뿐이라고 말할 수 있다. 이런 상황이라면 경맥은 그 원형이 혈관일지라도 점에서 선으로 발전했다고 할 수 있을 것이다.

이러한 물고기 이야기는 경맥의 성립 과정을 비유한 것이다. 물고기를 들어온 이 즉 경맥을 처음에 착안한 이는 누구일까?

경맥의 성립사

물고기를 들어온 사람이자 그 물고기가 기존의 물고기와 다름을 알고 있던 이 즉 경맥을 창안한 이는 뜸법파다.

맥법으로 학생들을 환하게 가르칠 것이다. 맥은 또한 성인이 귀하게 여겼던 것이다. 기라는 것은 아래에 이롭고 위에 해로우며, 따뜻한 곳을 향하고 차가운 곳에서 멀어진다. 그러므로 성인은 머리를 차갑게 하고, 발을 따뜻하게 한다. 병을 치료할 때는 남는 것을 취하고 부족한 것은 늘려준다. 그러므로 기가 올라가기만 할 뿐 내려오지 않으면, 병후가 있는 맥을 살펴서 환에 뜸을 떠야 한다. 병이 심해지면 뜸을 뜬 환의 두 치 위에 한 번 더 뜬다.[11]

이 글은 뜸법에 관한 지침이다. 내용을 세분해 보면 이렇다. ① 기는 아래에 있는 것이 이롭고 위에 있는 것이 해롭다. ② 기는 따뜻한 곳으로 향하고 차가운 곳에서 멀어진다. ③ 성인은 머리를 차갑게 하고 발을 따뜻하게 했다. ④ 기가 올라가서 내려오지 않으면 뜸을 떠 따뜻하게 함으로써 기를 유도한다.

이 세부 지침의 사이에서 다음과 같은 생각을 읽어 낼 수 있다. ① 뜸은 기를 유도하는 치법이다. ② 뜸은 하체 쪽에 떠야 한다. ③ 뜸법파가 인식했던 병인은 기의 역상이다.

뜸은 손발이 차가운 증상을 개선함으로써 관련된 증상들을 없애는 치료법이었던 셈이다. 뜸법파는 원치遠治 즉 증상에서 멀리 떨어진 곳, 대체로 손·발·팔·다리에 뜸을 떴으므로 치료 지점과 증상 지점 사이에 일정한 경로를 가정해야 했다. 뜸법파는 이런 가정에 토대해서 경맥을 착상했다. 그러나 뜸은 한계가 있는 치료법이다. 전근대 시기의 주된 병은 뜸으

---

11. 『脈法』: 以脈法明敎下, 脈亦聖人之所貴也. 氣也者, 利下而害上, 從暖而去淸焉. 故聖人寒頭而暖足. 治病者, 取有餘而益不足也. 故氣上而不下, 則視有過之脈, 當還而灸之. 病甚而上於還二寸, 益爲一灸.

로는 치료하기 어려운 종기였다. 뜸이 유행할 상황이 아니었다. 방성혜는 조선 시대 왕실에서 종기가 얼마나 유행했는지를 재미있게 소개했다.[12] 한의학의 아스클레피오스라고 할 수 있는 편작扁鵲도 종기 전문가였을 가능성이 높다.

> 의사인 편작이 진나라의 무왕을 알현했다. 무왕이 편작에게 병을 보여주었다. 편작은 병을 제거하기를 청했다. (그러나) 좌우의 사람들이 말했다. "군의 병은 귀의 앞, 눈의 아래에 있습니다. 그것을 제거한다고 해도 반드시 제거할 수 있는 것은 아닙니다. (치료가 잘못되면) 장차 귀는 총기를 잃고 눈은 밝음을 잃을 것입니다." 무왕은 그 내용을 편작에게 알렸다. 편작은 노해서 자신의 석을 던졌다.[13]

구체적 위치가 언급되고 있다는 점에서 그리고 석石이라는 말에서 무엇을 알 수 있는가? 인용문에서 편작은 종기를 치료하려 했고, 석은 종기를 째는 데 사용하는 돌침 즉 폄이었다. 폄은 고대의 외과용 칼이다. 폄법파는 종기를 째서 고름을 짜내거나 사혈을 통해 종기가 악화되는 것을 막았을 것이다. 뜸법파는 자신의 임상 경험을 누적시켜 구성해 낸 경맥 체계에 토대해서 폄법을 받아들였다.

마왕두이 발굴 문헌 중에는 『족비십일맥구경』이 있다. 이와 거의 유사

---

12. 방성혜, 『조선 종기와 사투를 벌이다』(서울: 시대의 창, 2012).
13. 『史記』 「扁鵲倉公傳」: 醫扁鵲見秦武王, 武王示之病. 扁鵲請除. 左右曰: "君之病在耳之前, 目之下, 除之未必已也, 將使耳不聰; 目不明." 君以告扁鵲. 扁鵲怒而投其石.

한 문헌으로 『음양십일맥구경』도 있었는데, 『족비십일맥구경』은 본래 뜸법파의 문헌이었던 것으로 보이고, 『음양십일맥구경』은 뜸법과 폄법을 겸하는 이들의 문헌이었던 것으로 추정된다. '~맥구경'이라는 이름은 발굴 문헌을 정리한 중국의 학자들이 명명한 것으로, 이 두 종의 문헌을 뜸법의 전문서라고 생각했던 듯하다. 그러나 두 문헌에 구灸 즉 뜸법만 있는 것은 아니다. 특히 『음양십일맥구경』에는 복수의 치료법이 있었을 것으로 추정된다. 족양명맥에 관한 『족비십일맥구경』과 『음양십일맥구경』의 기술을 비교하면 이 점을 확인할 수 있다.

> 족양명맥의 병은 다음과 같다. 가운뎃발가락을 쓰지 못함, 정강이뼈의 통증, 무릎과 배가 부음, 유방 안쪽의 통증, ▢바깥이 붓는 증상, ▢통증, 코피, 간질 발작이 잦음, 식은땀, ▢간지러움, 얼굴이 차가움, 이런 증상을 앓는 이들은 모두 양명맥에 뜸뜬다.[14]

> 족양명맥이 동하면 오한이 있고, 기지개를 펴며 하품을 자주하고, 얼굴빛이 검다. 몸이 붓고, 병이 심해지면 사람과 불을 싫어한다. 목음木音을 들으면 깜짝 놀란다. 문을 닫고 홀로 있으려고 한다. 병이 심해지면 높은 곳에 올라 노래를 부르고 옷을 벗고 달리려고 한다. 이것을 한궐이라고 하는데 이런 증상은 양명맥으로 치료한다. 그 소산병으로는 얼굴 통증, 코피, 턱과 목의 통증, 가슴의 통증, 심장과 겨드랑이 통증이 있다. 배의

---

14. 『足臂十一脈灸經』: 其病, 病足中趾廢, 胻痛, 膝中腫, 腹腫, 乳內廉痛, ▢外腫, ▢痛, 鼽衄, 數癲, 熱汗出, ▢搔, 顏寒. 諸病此物者. 皆灸陽明脈.

바깥쪽이 부풀어 오르고, 장의 통증이 있으며, 무릎이 뻣뻣해지고, 발등에 감각이 없는 등 열 가지의 증상이 있다.[15]

앞의 인용문은 『족비십일맥구경』의 글이고 뒤엣것은 『음양십일맥구경』의 글이다. 『족비십일맥구경』에서는 단순히 뜸뜬다는 표현이 『음양십일맥구경』에서는 치료한다로 바뀌었다. 이 변화에서 무엇을 읽어 낼 수 있을까? 나는 복수의 치료법을 암시하고 있다고 생각한다. 앞서 보았던 『맥법』의 글은 『음양십일맥구경』과 함께 '맥서'라는 이름의 문헌으로 발굴되었다. 『맥법』에서 말하는 지침은 『음양십일맥구경』에 관한 것이었으리라고 추정된다. 발굴 문헌에 관한 한 중국 쪽의 대표적 학자인 리아오 위췬廖育群은 다음과 같이 말했다. "맥법은 … 음양십일맥구경의 내용을 가리키는 것이다. 맥법 아래에는 구법과 폄법의 구체적인 응용 법칙이 나온다. 이것은 경맥에 관하여 말한 것이다."[16] 『맥법』에 폄법에 관한 내용이 보인다는 것은 최소한 『맥법』을 지침서로 삼는 『음양십일맥구경』의 치법에 뜸 외에도 폄법이 포함된다는 것을 의미한다.

뜸법파의 임상 경험에 토대해서 구성된 경맥 체계는 종기를 치료해야 한다는 요청에 응해야 했을 것이다. 그렇지 않다면 뜸의학의 신체관은 될 수 있으나 의학의 신체관은 될 수 없기 때문이다. 그러나 좁은 의미의 폄법은 이미 곪은 종기를 치료하는 것이고, 종기를 예방하는 치료법이 아니

---

15. 『陰陽十一脈灸經』: 是動則病, 灑灑病寒, 善伸, 數欠, 顔黑, 病腫, 病至則惡人與火, 聞木音則惕然驚心, 欲獨閉戶牖而處, 病甚則欲乘高而歌, 棄衣而走, 此爲寒厥, 是陽明脈主治. 其所産病, 顔痛, 鼻鼽, 頷頸痛, 乳痛, 心與胠痛, 腹外腫, 腸痛, 膝跳, 跗上痹, 爲十病.
16. 廖育群, 『岐黃醫道』(遼寧: 遼寧敎育出版社, 1991), 22쪽.

다. 이미 생긴 종기를 째고 고름을 긁어내는 치료법은 경맥보다는 혈관과의 관련성이 높다. 때마침 예방의학을 추동할 수 있는 철학인 황로학黃老學이 시대사조로 대두했다. 정치화된 도가라고 할 수 있는 황로학의 이념은 무위이무불위無爲而無不爲다.[17] 의도와 목적 없이 행함으로써 모든 것을 이룬다는 황로학의 이념은 예방치료와 잘 어울린다. 폄법파는 사혈을 통해 종기를 예방하려 했던 것으로 보인다. 그러나 문제가 있었다. 사혈은 종기의 예방 치료법으로 적절했지만 동아시아 지성의 중심으로 편입되기 어려웠다. 생명의 유출을 막고 잘 보존해야 한다는 동아시아 수행론 및 의학의 기본 이념과 상치하기 때문이다.

종기가 곪은 후에는 치료하기 어렵다는 것을 알려 준 임상 경험, 황로학 같은 시대정신의 요청에 따라 등장한 예방의학의 이념, 그리고 사혈은 예방책이기는 하지만 수행과 의학의 핵심적 이념과 어긋난다는 사실이 결합함으로써 침법이 성립했고, 경맥은 결국 침법의 토대가 되었다.

12경맥

서로 관련된 증상군과 치료의 위치 등 임상 경험이 경맥 체계의 토대가 되었으므로 경맥 체계는 임상 경험의 누적에 따라 변할 수 있어야 한다. 그러나 기존의 경맥 체계 내에 포섭되지 않는 증상이나 치료 효과 등을 설명해야 하는 등의 이유로 새로운 경맥이 요구되었지만 경맥 체계는 더 늘

---

17. 무위는 도가를 대표하지만 장자의 무위는 무엇인가를 목적으로 하는 수단의 의미가 아니다. 그 자체가 목적적인 행위로서 놀이나 예술과 같은 것에 부합한다. 이에 반해 노자의 무위는 무불위를 목적으로 하는 수단적 의미가 강하다. 황로학도 마찬가지다.

어나지 않았다. 가능한 한 기존의 구도로 설명하고자 하는 경향은 어디에서나 찾을 수 있다. 그러나 어쩔 수 없이 경맥을 새로 가설해야 하는 경우가 있었을 것이다. 새로운 맥이 등장할 때마다 기존의 맥과 새로운 맥을 구분해야 할 필요가 생겼고, 이런 상황이 누적되자 기존의 맥을 경맥經脈이라고 부르게 되었다.

마왕두이 발굴 문헌에도 경맥에서 가지 쳐 나온 지맥支脈의 존재가 확인되지만, 경맥이라는 표현은 없다. 지맥은 새로 발견된 침자리를 포섭하기 위해 기존의 맥 체계를 확장한 것이다. 가지를 그려서야 설명할 수 있었으나, 아직은 기존 맥의 이름을 변경할 정도에 이르지는 않았을 것이다. 주로 전한기에 활동했던 의사 순우의淳于意는 대략 25종에 이르는 진료 기록부를 남겼다. 사마천은 이 진료 기록을 『사기』「편작창공전」에 실었다. 이 의안에도 경맥이라는 말은 나오지 않는다. 다만, 순우의가 자신이 제자에게 가르쳐 준 내용을 언급하는 중에 경맥이라는 표현이 나온다.

> 황제가 순우의에게 물었다. "관리와 백성 중 너의 방술을 배운 이가 있는가? (그들은) 너의 방술을 모두 다 익혔는가? 어느 곳의 사람인가?" 순우의가 대답했다. "임치 사람인 송읍이 배웠습니다. 저는 그에게 오진을 일 년 여 동안 가르쳤습니다. 제북왕은 태의인 고기와 왕우를 보내 저의 방술을 배우도록 했습니다. 저는 경맥 고하와 기결락 및 수혈이 위치를 논하는 것을 가르쳤고, 기의 위아래로의 움직임, 정기와 사기의 출입, 역순의 변화에 응해서 참석을 쓰는 법 및 폄과 뜸자리를 확정하는 법을 일 년 여간 가르쳐 주었습니다. 치천왕이 때로 태장의 장관인 풍신을 보내

서 처방을 바로잡게 했습니다. 저는 법에 의거하여 역순을 가르쳤고, 약법을 논하였으며, 오미와 제탕법을 확정했습니다. 고영후 집안의 집사인 두신은 맥을 좋아하여 (제게) 와서 배웠습니다. 저는 상하·경맥·오진을 이 년 여 동안 가르쳤습니다. 임치 소리의 당안도 와서 배웠습니다. 저는 오진, 상하경맥, 기해, 사시에 응해서 음양이 변하는 것을 가르쳤습니다. 그러나 아직 완성되기 전에 제왕의 시의로 갔습니다."[18]

순우의가 스승으로부터 배우거나 전수받은 문헌도 「편작창공전」에 보인다. 그곳에는 『석신石神』이라는 책 등 초기 의학사에 관한 흥미로운 정보가 존재하지만, 경맥이라는 표현은 없다. 『석신』은 폄법에 관한 책일 가능성이 높으므로 순우의가 스승에게서 가르침을 받았을 때는 침법이 등장하기 이전이었을 가능성도 있다. 그런데 스승에게서 받은 가르침에는 없으나 제자에게 전해 준 내용에는 있다면 이 사실을 어떻게 해석해야 할까? 경맥은 순우의가 활동하던 한대 초기 당시에 순우의 자신 또는 다른 이들에 의해서 비로소 사용되기 시작했을 것이다. 그들은 기존의 맥 체계를 새롭게 정리하고 개념을 정립해야 할 필요가 있었을 것인데, 당연히 경맥의 지선이라고 할 수 있는 지맥 또는 낙맥의 존재를 알고 있었을 것이다. 이후에도 경맥 체계는 다양한 요청에 의해 변화를 겪었지만 골간

---

18. 『史記』「扁鵲倉公傳」: 問臣意曰: 吏民嘗有事學意方, 及畢盡得意方不? 何縣里人? 對曰: 臨菑人宋邑. 邑學, 臣意敎以五診, 歲餘. 濟北王遣太醫高期=王禹學, 臣意敎以經脈高下 及奇絡結, 當論兪所居, 及氣當上下出入邪[正]逆順, 以宜鑱石, 定砭灸處, 歲餘. 菑川王 時遣太倉馬長馮信正方, 臣意敎以案法逆順, 論藥法, 定五味及和齊湯法. 高永侯家丞杜 信, 喜脈, 來學, 臣意敎以上下經脈五診, 二歲餘. 臨菑召里唐安來學, 臣意敎以五診上下 經脈, 奇咳, 四時應陰陽重, 未成, 除爲齊王侍醫.

은 바뀌지 않았다. 핵심은 12경맥이다.

경맥은 쉼 없는 순환 체계이므로 시작과 끝이 없다. 그러나 기운이 곡식으로부터 얻어진다는 점을 생각해 보면 경맥의 시작이라는 말이 성립할 수도 있음을 알 수 있을 것이다. 곡식에서 나온 기를 처음으로 받는 경맥은 수태음폐경이다. 그다음에는 순서대로 나머지 11경맥을 순환한 후, 다시 수태음폐경으로 돌아온다. 12경맥의 운행 순서는 다음과 같다. 수태음폐경→수양명대장경→족양명위경→족태음비경→수소음심경→수태양소장경→족태양방광경→족소음신경→수궐음심포경→수소양삼초경→족소양담경→족궐음간경.

이름에는 경맥 체계의 질서가 반영되어 있으나, 순서대로 적으면 명명의 질서가 잘 보이지 않는다. 두 개씩 짝을 지어서 기술하면 다음과 같다.

수태음폐경　　→　수양명대장경

족태음비경　　←　족양명위경

수소음심경　　→　수태양소장경

족소음신경　　←　족태양방광경

수궐음심포경　→　수소양삼초경

족궐음간경　　→　족소양담경

본래 경맥은 오장육부와 필연적 관련성 없이 성립되었다. 발굴 문헌에서 이 점을 확인할 수 없다. 뜸은 주로 손과 발, 팔과 다리에 놓고, 체간의 증상보다는 사지의 증상을 치료한다. 뜸법파의 임상 경험에 토대했으므로 경맥은 특히 오장육부와 연관될 필요가 적다. 그러나 경맥은 지맥 등의 변화를 허용했던 것처럼 그리고 폄법파와 침법파의 토대가 되었던 것처럼 자신의 정체성에 머무는 대신 다양한 요청에 의해 확장되었다. 확장을 위해서는 오장육부라는 의학적 신체관을 구성하는 중요 요소와의 결합을 피할 수 없었을 것이다.

경맥의 이름에 있는 폐, 대장, 위, 비 등은 경맥과 오장육부 사이의 관계를 나타낸다. 예를 들어, 족소음신경은 신장에 속한다. 음맥은 오장에 속하고 양맥은 육부에 속한다. 본래 오장은 10천간에서 따온 것이므로 하늘에 속해야 하고, 그렇다면 음이 아닌 양에 포함되어야 한다. 그런데도 오장을 음맥이라고 한 것은 음식을 소화시켜 밖으로 배출하는 육부의 기능과는 달리 기운을 저장하기 때문이다. 즉 외부에서 들어온 기운과의 관계에서는 육부가 오장에 비해 일차적이고 보다 개방적이다. 생명을 저장하는 오장은 보다 안쪽에 있고 폐쇄적이다. 음陰적이라고 할 수 있다. 이 점도 고려되었을 것이다. 그러나 음양의 규정은 상대적이다. 그 여자에 대해 그 남자는 양陽적이겠지만 그 남자도 다른 남자에 대해 음적이라고 할 수 있다.

음양의 이름은 경맥이 흐르는 체표상의 위치와도 관련되어 있다. 즉 시점과 종점이 몸의 바깥쪽에 있으면 양맥이고 안쪽에 있으면 음맥이다. 예를 들어, 수양명대장경의 시점은 손의 외측인데 반해 수궐음심포경의 종점은 손의 내측이다. 음양은 또 다른 특성도 나타낸다. 즉 양맥은 기운이 위에서 아래로 흐르는데 반해 음맥은 아래에서 위로 흐른다. 수궐음심포경은 기운이 체간에서 손 쪽으로 흐르고, 수양명대장경은 손에서 아

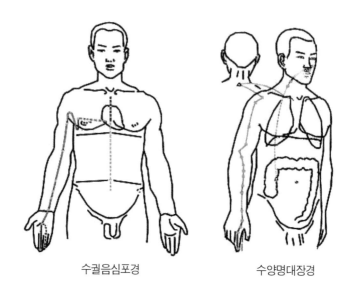

수궐음심포경   수양명대장경

래로 흐른다.

정리해 보자. 음양은 최소한 세 가지를 상징한다. 먼저, 음양은 각각 오
장과 육부를 상징한다. 음맥은 오장과 관련되어 있고 양맥은 육부와 관련
되어 있다. 둘째, 음양은 신체의 안쪽과 바깥쪽을 각각 상징한다. 음맥은
수궐음심포경처럼 신체의 안쪽을 흐르고 양맥은 바깥쪽을 흐른다. 셋째,
음양은 기운이 흐르는 방향을 상징한다. 음맥은 아래로 흐르고 양맥은 위
로 흐른다.

족과 수는 시점 및 종점과 관련되어 있다. 족맥은 발에서 시작되거나 끝
나고 수맥은 손에서 시작되거나 끝난다. 예를 들어, 족양명위경은 발에서
끝나고, 수양명대장경은 앞의 그림에서 볼 수 있듯이 손에서 시작된다. 말
했듯이 양맥과 음맥은 기가 흐르는 방향과 관련되어 있다. 소양·양명·태
양의 이름을 가진 양맥은 기운이 위에서 아래로 흐른다. 반대로 태음·소

음·궐음의 음맥은 아래에서 위로 흐른다. 경맥은 크게 땅에 속함으로써 위로 상승하는 것과 하늘에 속함으로써 아래로 하강하는 것, 두 가지로 나뉘었던 셈이다. 오장육부가 천지로 구분되는 것과 마찬가지다.

12경맥을 유주하는 기운은 곡식에서 뽑아낸 곡기다. 그런데 소화되고 배출되는 찌꺼기는 땅에 속하지만 곡기는 위로 상승하여 폐에 속한다. 하늘기운인 셈이다. 폐가 구름을 닮았다는 점을 생각해 보자. 곡기가 우선 폐로 전달된다고 말하는 대목에서 무엇을 읽어 낼 수 있는가? 곡기는 지기임에 틀림없지만 그 지기는 하늘기운을 받아서 만들어진다. 즉 하늘기운인 셈이다. 곡식에서 기운을 뽑아내는 것은 하늘기운을 뽑아내는 것과 같다. 그런 기운을 구름을 닮은 폐로 전달하는 것은 모종의 승화로 해석될 수 있다. 위로 상승하는 승화는 변화를 추구하는 수행론과 잘 어울리는 개념이다. 생명의 유지를 추구하는 의학에서는 굳이 기운을 승화시킬 필요가 없다. 즉 기운의 질적 차이를 주장할 필요가 없다. 그러므로 승화를 읽어 낼 수는 있되 승화가 있었다고 단언할 수는 없고, 설령 있었을지라도 의학에서 중요한 위치를 점거할 만한 가치가 있지도 않다.

이에 반해 자신의 변화를 목표로 하는 수행론에서는 기운의 질적 차이가 참으로 중요하고, 이로 인해 수행론의 신체관은 의학과는 다른 변화를 겪는다. 예를 들어, 수행론의 분야에서는 수행자가 흡입해야 하는 기운이 바깥 기운에서 신체 내의 기운으로 바뀌는 사건이 있었다. 신성한 기운을 담고 있는 금과 같은 것 또는 무한히 가역반응을 하는 수은을 복용하는 외단, 호흡과 같이 신성한 기운을 받아들여 생명을 신성하게 만들겠다는 생각에 기반한 수행법은 기본적으로 외기를 흡입하는 수행법이다. 초기에는 이런 생각이 지배적이었다.

그러나 대체로 수·당대에 이르면 내부에 이미 주어져 있는 기운으로 신성한 생명을 만들겠다는 생각으로 바뀌었다. 외부의 기운에는 좋지 못한 요소가 있다는 생각 즉 기운의 질적 차이를 중시하는 태도가 이런 변화를 이끌었다고 말해지곤 한다. 그러나 의학에서는 지기의 흡입을 자연스럽게 여겼고, 외기에서 내기로의 전환 같은 사건은 일어나지 않았다. 생명은 어디까지나 음식에서 얻어져야 했다. 의학에서도 질병을 초래하는 기운을 정상적인 기운과 구별했지만, 그렇지 않은 상황에서는 질적 차이를 문제 삼지 않았다. 수행론과 의학의 차이라고 할 수 있다. 수행론은 초월적이지만 의학은 현세적이다. 성스러운 기운 같은 것은 불필요하다.

경맥은 오장육부와 몸의 각 부위를 연결한다. 몸은 오장육부와 경맥 체계의 성립에 의해 유기적인 조직으로 탈바꿈한다. 몸의 사지와 체간까지 체표의 곳곳이 연결되고, 몸의 깊은 곳과 표면이 서로 관련지어진다. 몸의 안쪽은 바깥쪽으로 표현되고, 바깥쪽에 가해진 자극이 내부에도 영향을 미친다. 기운은 질서 있게 몸의 곳곳을 흐른다. 경맥의 참다운 의의는 여기에 있다. 오장육부만의 몸이 단순히 기의 그릇이었음에 반해, 경맥을 갖춘 몸은 생명이 흐르는 장소로 변모했다.

경맥의 등장으로 동아시아 신체관의 기본 결격이 완성되었다. 몸은 오장, 육부 그리고 경맥의 세 요소를 직조해서 구성되었다. 앞서 보았듯이 의학자들은 오장육부를 직접 관찰하고자 했다. 경맥에 대해서는 어떻게 했을까? 경맥은 직접적으로 관찰되지 않는다고 말하지 않았던가?

소우주로서의 경맥 체계

『영추』「골도」편에서는 신체를 정면→옆→정면에서 본 신체의 폭→팔·다리→후면의 순서로 측량하고 있다. 이 중 측면 측량의 내용은 다음과 같다.

> 머리 모서리부터 주골柱骨까지의 거리가 1자다. 주골부터 겨드랑이까지의 거리가 4촌이다. 겨드랑이 아래로 옆구리 끝까지는 1.2자다. 옆구리 끝에서 비추髀樞까지는 6촌이다. 비추 아래로 무릎 중앙까지의 길이가 1.9자다. 무릎으로부터 아래로 바깥복사뼈에 이르기까지가 1.6자다. 바깥복사뼈에서 아래로 경골京骨까지가 3촌이다. 경골 이하에서 땅까지의 길이는 1촌이다.[19]

1척은 10촌이다. 1척은 주周대에는 19.91센티미터, 신新대에는 23.04센티미터였다. 환산해 보면 위의 내용은 사실과 대략 부합한다. 한 사람을 해부한 결과이므로 부분적 길이로는 객관성을 확인할 수 없지만, 부분과 부분의 비율을 따져 보면 비교적 확실함을 알 수 있다.

그런데 뼈의 길이를 측정한 이유는 무엇일까? 맥의 길이를 알기 위해서다. 맥의 길이 즉 맥도를 알아야 했던 이유는 무엇인가? 맥도를 앎으로써 대우주와 소우주 간의 대응 즉 맥이 하루에 몸을 50회 순환한다는 점

---

19. 『靈樞』「骨度」: 角以下至柱骨, 長一尺. 行腋中不見者, 長四寸. 腋以下至季脇, 長一尺二寸. 季脇以下至髀樞, 長六寸. 髀樞以下至膝中, 長一尺九寸. 膝以下至外踝, 長一尺六寸. 外踝以下至京骨, 長三寸. 京骨以下至地, 長一寸.

을 증명해야 했기 때문이다. 이와 관련된 내용은 『영추』「오십영」과 「위기행」편에 자세히 나와 있다.

사람의 경맥은 좌우전후로 28맥이다. (기는) 몸(에 있는 경맥의 길이) 16장 2척을 운행한다. 이로써 28수에 응한다. … (물시계로 하루는 100각이다.) … 사람이 한 번 숨을 내쉴 때 맥은 두 번 뛰고 기는 3촌을 움직인다. 한 번 숨을 들이쉴 때 맥은 두 번 뛰고 기는 3촌을 움직인다. 호흡하는 동안 기는 6촌 운행한다. 열 번 숨 쉴 때 기는 6척을 운행하고 태양은 2분을 움직인다. 270번 숨 쉬는 동안 기는 16.2장을 운행한다. 기는 경맥 속을 관통해서 몸을 한 바퀴 돈다. 물시계로 2각의 시간이 걸린다. … 13,500번 숨 쉬는 동안 때 기는 몸을 50번 순환한다. 물시계로 백각이 되고, 태양은 28수를 모두 운행한다.[20]

일 년에는 12개월이 있고, 하루는 12진으로 나뉜다. … 하늘은 28수를 돈다. 각 방위마다 7개의 별자리가 있다. … 따라서 위기의 운행은 하루 동안 몸을 50바퀴 돈다. 낮에는 몸의 바깥쪽을 25바퀴 돌고, 밤에는 몸의 안쪽을 25바퀴 돈다. 이때 오장을 주류한다.[21]

---

20. 『靈樞』「五十營」: 人經脈上下左右前後二十八脈, 周身十六丈二尺, 以應二十八宿.…人一呼, 脈再動, 氣行三寸, 一吸, 脈亦再動, 氣行三寸, 呼吸定息, 氣行六寸, 十息氣行六尺, 日行二分. 二百七十息, 氣行十六丈二尺, 氣行交通於中, 一周於身, 下水二刻.…一萬三千五百息, 氣行五十營於身, 水下百刻, 日行二十八宿.
21. 『靈樞』「衛氣行」: 歲有十二月, 日有十二辰,…天周二十八宿, 而一面七星,…衛氣之行, 一日一夜五十周於身, 晝日行於陽二十五周, 夜行於陰二十五周, 周於五藏.

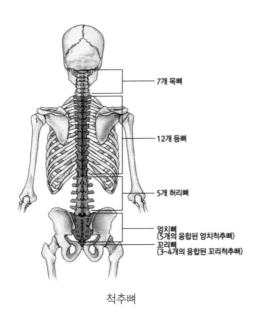

척추뼈

경맥의 총길이가 16장 2척이라는 것을 어떻게 알았을까? 해부를 통해서 알았을 가능성이 있다. 물론 무형의 생명이 흐르는 경맥의 길이를 잰다는 소리는 이상하게 들리지만, 경맥이 있는 곳의 신체 부위를 측정함으로써 간접적으로 경맥의 길이를 확인할 수 있을 것이다. 뼈는 비교적 정확한 기준이라고 말할 수 있다. 「골도」편에는 이와 관련된 내용이 상세히 기록되어 있다. 그런데 몇몇 학자들의 해석과는 달리 「골도」편에 보이는 계측 기록은 해부를 통해 파악한 것이 아니다. 해부를 통해서 알아낸 것이 아니라는 사실을 증명하는 두 가지 정황증거가 있다.

먼저, 「골도」편에서 말하는 척추뼈의 개수는 해부를 통해 확인되는 수와 다르다. 현대 해부학에 따르면 흉추부터 미추까지의 척추뼈 수는 흉추 12개, 요추 5개, 천추 5개, 미추 3~4개로 모두 26개다. 「골도」편에서는 제

1흉추부터 꼬리뼈까지가 21절로 길이가 3척이라고 했다.[22] 다섯 개가 부족하다. 왜 같지 않을까? 손으로 눌러 가면서 척추 뼈를 세어 보면 잘 만져지지 않는 것이 있기 때문이다. 꼬리뼈의 숫자를 만져서 알 수 있을까? 경추는 하나의 뼈로 되어 있지 않다. 그러나 단순히 눌러 보기만 해서는 나뉘어져 있다는 것을 알기 어렵다. 「골도」편에서는 경추의 수를 따로 말하지 않고 있다. 밖에서 만져서 확인했기 때문일 것이다. 이런 이유로 뼈의 개수가 다르다.

해부의 존재를 부정하는 또 다른 근거가 있다. 즉 신체의 전면을 기술하는 부분에서는 "머리카락부터 턱까지의 길이는 1자다"[23]라고 말하고 있다. 해부를 했다면 머리카락을 말할 이유가 없다. 머리카락을 말하는 것은 「골도」편의 계측이 해부를 통하지 않고 밖에서 측량했을 가능성을 높여 준다.

「골도」편에는 몸의 전면부를 계측한 결과도 실려 있다. "결후結喉 이하로 결분 중까지의 길이가 4치다. 결분으로부터 갈우髑骬까지는 9치다. 이 사이의 길이가 9치 이상이면 폐가 크고, 9치보다 작으면 폐가 작다. 갈우로부터 천추에 이르기까지는 8치다. 이 길이를 넘어서면 위가 크고 작으면 위가 작다."[24] 이 내용은 대장까지 이어진다. 이것도 해부를 통해서 파악한 것이 아닐까? 갈우는 검상돌기로 명치끝의 조금 돌출된 뼈다. 이곳까지의 길이로 폐의 대소를 판단하는 것은 상식적이다. 해부를 통해 알

22.『靈樞』「骨度」: 脊骨以下至尾骶二十一節, 長三尺.

23.『靈樞』「骨度」: 髮以下至頤, 長一尺.

24.『靈樞』「骨度」: 結喉以下至缺盆中, 長四寸. 缺盆以下至髑骬, 長九寸, 過則肺大, 不滿則肺小. 髑骬以下至天樞, 長八寸, 過則胃大, 不及則胃小.

아낸 사실이라고 말해서는 안 된다. 물론 폐의 실제 위치와 크기를 알지 못했다면 그런 판단은 쉽지 않다.

그러나 모든 내장기관의 위치와 크기에 관한 지식이 해부를 통해 얻어지는 것은 아니다. 사실 폐의 위치에 관한 지식은 군이 해부를 필요로 하지 않을 것이다. 「골도」편 등을 근거로 『내경』의 해부 운운하는 것도 난센스다. 그러나 비교적 정확한 측량을 했다는 것은 사실이다. 「골도」편의 내용에 대한 신뢰도는 「골도」편에 토대해서 파악한 경맥의 길이 등에 관한 내용에 대한 신뢰도를 높여 주는 듯하다. 그러나 경맥의 숫자와 순환에 관한 내용은 허구다.

먼저, 28맥은 좌우에 있는 12정경 총 24맥에 독맥·임맥·음교맥·양교맥의 넷을 더한 것이다. 아마도 28수의 별자리에 맞추기 위해 의도된 숫자일 것이다. 앞서 보았듯이 맥에는 12정경 외에 경맥을 연결해 주는 15낙맥 등도 있다. 기경팔맥은 임맥·독맥·양교맥·음교맥에 한정되지 않는다. 그럼에도 불구하고 28맥을 말한 것은 의도적이다.

둘째, 위기가 몸을 순환하는 회수 즉 하루에 50회를 순환한다는 것도 의도적 구성에 불과하다. 사실 기가 일 초에 움직이는 거리를 측량하는 것은 불가능하다. 억지를 부려서 혈류의 움직임을 계산한 것이라고 우겨도 마찬가지다. 혈류의 이동 거리를 어떻게 측량할 수 있단 말인가? 그렇다면 왜 이런 교묘한 사이비 계산을 자행했을까? 몸은 소우주로서 대우주의 구조 및 패턴과 공명해야 한다는 믿음 때문이다. 28맥이라고 해서 28수에 대응시킨 것은 구조적 대응을 증명하기 위한 것이고, 몸을 50회 순환한다는 것도 패턴의 대응을 보여 주기 위한 것이다. 경맥 체계는 몸이 대우주의

견본으로서 소우주임을 담보하는, 의학적 신체관의 핵심 요소였다.

경맥 체계는 기가 흐르는 노선이다. 이게 경맥의 바뀔 수 없는 정체다. 그런데 이뿐일까? 후대에 이르면 생명이 흐르는 노선이었던 경맥 체계가 다른 용도로 사용되었다.

방어하는 몸

기는 천지공간을 가득 채우고 있다. 몸 안의 기와 바깥의 기는 다르고 출입이 온전히 자유롭지는 않지만 사실상 같은 기다. 그런 기 중에는 외부에서 침입하는 사기邪氣도 있다고 생각되었다. 송대의 진무택陳無擇은 한의학의 질병관을 내인과 외인 그리고 소화불량 같은 불내외인으로 설명했다. 이 관점은 후대에 개진된 것이지만, 『황제내경』에 적용해도 별다른 문제가 없다. 말단적 자극이나 지나친 애착 등으로 인해 발생하는 감정 등이 질병의 내인이라면, 외인으로 인한 질병은 외부의 물리적 자극으로 인해 발생한다고 믿었다. 밖에서 들어와 몸 안의 조화를 깨트리는 기운은 사기라고 특칭되었다.

> 기백이 말했다. 피부는 맥의 부部다. 사기가 피부에 침입하면 주리가 열린다. (주리가) 열리면 사기는 낙맥으로 들어가 머무는데客, 낙맥을 채우면 사기는 다시 경맥으로 흘러 들어간다. 경맥이 그득해지면 사기는 다시 장부로 들어간다. 그러므로 피부에는 나뉘어서 맡는 부가 있는 법이다. 피부의 특정 부위가 다른 곳과 같지 않으면 큰 병이 난다.[25]

---

25. 『素問』「皮部論」: 歧伯曰 皮者, 脈之部也. 邪客於皮, 則腠理開, 開則邪入客於絡脈, 絡脈

기는 감응을 매개한다. 질병을 초래하는 사기는 피부에서 살 속으로, 살 속에서 다시 작은 맥으로, 그리고 큰 경맥으로 들어왔다가 장부로 침입한다. 사기의 침입은 일종의 감응이지만, 당연히 피해야 한다. 인용문의 부部와 객客은 모두 병법에서 사용되는 용어다.

신성근의 설명에 따르면, 한대에 객은 부곡민部曲民과 같은 성격의 집단을 일컫는 말로 사용되었다.[26] 신성근은 부도 군대 편제 단위라고 말했다. 그는 1978년 칭하이성 다퉁大通현 상손가채上孫家寨에서 발견된 병법과 관련된 목간을 근거로 현행본 『손자병법』에는 보이지 않는 부部가 일종의 군대 편제 단위로 쓰였음을 밝혔다.[27]

『내경』의 저자들이 병법의 개념을 빌려 외인의 질병관을 체계화했음을 알 수 있다. 몸은 외부의 기운을 막아서는 진지처럼 다뤄졌다. 사기의 공격을 방어하는 정기正氣라는 개념이 창안되었다. 『소문』 「자법론」에서는 정기가 내부에 있으면 사기가 침범하지 못한다고 말했다. "정기가 안에 보존되면 사기가 침입하지 못한다."[28] 「상고천진론」의 다음 구절은 사기에 대한 정기의 개념이 도가 수양론에서 연원했음을 알려 준다.

무릇 상고 시기의 성인이 사람들에게 가르치기를 허사적풍虛邪賊風을 피함에는 때가 있다고 했다. 염담하무恬惔虛無하면 진기가 따라 들어와 정신이 안에서 지키니, 병이 어떻게 생기겠는가?[29]

滿則注於經脈, 經脈滿則入舍於府藏也. 故皮者, 有分部, 不與而生大病也 『素問』.

26. 신성근, 『중국의 부곡, 잊혀진 역사 사라진 인간』(서울: 책세상. 2005), 77쪽.

27. 신성근, 『중국의 부곡, 잊혀진 역사 사라진 인간』, 34-35쪽.

28. 『素問』 「刺法論」: 正氣存內, 邪不可干.

인용문에 암시되어 있는 허정虛靜은 어떤 의도와 욕망 또는 감정적 동요와 같이 마음을 채우는 일체의 것이 제거된 상태를 이르는 말로, 도가 수행론의 핵심 개념이다. 어떤 것도 없는 상태라고 했지만 허정은 정기라는 생명력이 격정적 감정이나 욕망을 따라 밖으로 유출되지 않은 상태 즉 생명력이 충실하게 몸을 채우고 있는 상태라고 정의할 수도 있다. 마음 안에 욕망이나 감정의 파란이 없다는 뜻에서 텅 비어 고요하다고 말한 것이다. 몸 안에 보존된 생명력은 몸을 특정한 감응으로부터 보호하는 역할을 한다. 위 인용문이 마음을 허정하게 하면 마음의 분란이 일어나지 않는다는 도가 수행론의 의학적 각색이라는 것은 두말할 필요가 없다.

『황제내경』의 저자들은 기론氣論을 재해석함으로써 외부의 자극에 의한 떨림이 질병의 원인이 된다는 이론을 구축했다. 피부를 통해 들어온 기운은 주리를 열고 낙맥으로 그리고 경맥으로, 이어 장부로 들어간다는 말은 외부로부터 안으로 향하는 기의 전개 과정을 보여 주는 동시에, 외부에서 내부로 향하는 구조적 신체관을 미약하게나마 드러낸다. 그들은 이 과정을 경맥 체계로 보완했다. 즉 『황제내경』의 저자들은 이런 신체관 즉 외부에서 내부로 향하는 신체관을 경맥 체계에 토대해서 설명했다.

한사寒邪에 상해서 하루가 지나면 거양이 한사를 받는다. 그러므로 머리와 목의 통증이 있으며 허리와 등이 뻣뻣해진다. 이틀이 되면 양명이 한사를 받는다. 양명은 육을 주관하고 그 맥은 코를 끼고 눈에 이어지므로

---

29. 『素問』「上古天眞論」: 夫上古聖人之敎下也, 皆謂之虛邪賊風, 避之有時, 恬惔虛無, 眞氣從之, 精神內守, 病安從來.

몸에 열이 나고 목에 통증이 있으며 코가 마르고 눕지 못한다. 사흘이 되면 소양맥이 받는다. 소양은 담을 주관하고 그 맥은 옆구리를 끼고 귀에 닿는다. 그러므로 가슴과 옆구리 통증이 있고 귀가 들리지 않는다. 삼양의 경락이 모두 그 병을 받았지만 아직 장에는 들어가지 않았으므로 발한하는 방식으로 치료할 수 있다. 나흘이 되면 태음맥이 받는다. 태음맥은 위중을 두르고 목구멍에 이어지므로 배가 그득해지고 목이 마른다. 닷새가 되면 소음맥이 받는다. 소음맥은 신장을 뚫고 폐에 닿으며 혀뿌리로 이어진다. 그러므로 입과 혀가 마른다. 엿새가 되면 궐음맥이 받는다. 궐음맥은 음기를 따라 간으로 이어진다. 그러므로 번만증이 있으면서 고환이 쪼그라든다. 삼음삼양과 오장육부가 모두 병을 받아 영기와 위기가 운행하지 못하면 오장이 통하지 않으므로 죽는다.[30]

직전의 「피부론」에서 보았던 관점 즉 외부에서 내부로 향하는 신체의 구조적 이해가 경맥 체계로 대치되었다. 기운이 외부에서 안으로 들어온다는 것은 동일하지만 침입의 단계를 설명하는 기준이 바뀐 셈이다.

이처럼 경맥 체계가 기운의 침입이라는 맥락에서 사용된 경우를 보다 체계적으로 보여 주는 문헌이 『상한론傷寒論』이다. 『상한론』은 외감성 열병에 관한 처방집으로 장중경張仲景이 후한 시기에 저술했다고 한다. 이

---

30. 『素問』「熱論」: 帝曰, 願聞其狀. 岐伯曰, 傷寒一日, 巨陽受之, 故頭項痛, 腰脊強. 二日, 陽明受之, 陽明主肉, 其脈俠鼻絡於目, 故身熱目疼而鼻乾, 不得臥也. 三日, 少陽受之, 少陽主膽, 其脈循脇絡於耳, 故胸脇痛而耳聾. 三陽經絡皆受其病, 而未入於藏者, 故可汗而已. 四日, 太陰受之, 太陰脈布胃中絡於嗌, 故腹滿而嗌乾. 五日, 少陰受之, 少陰脈貫腎絡於肺, 繫舌本, 故口燥舌乾而渴. 六日, 厥陰受之, 厥陰脈循陰器而絡於肝, 故煩滿而囊縮. 三陰三陽, 五藏六府, 皆受病, 榮衛不行, 五藏不通, 則死矣.

책은 『황제내경』과 달리 상당히 체계적이기 때문에 한 사람에 의해 저술되었음을 알 수 있다. 그리고 음양오행 같은 관념보다는 임상의 효과를 중시하는 태도도 읽어 낼 수 있다. 실제로 의사로 활동하는 이가 자신의 임상 경험에 토대해서 저술한 문헌일 것이다. 그러나 그 저자가 장중경인지 어쩐지는 결코 알 수 없다.

『상한론』에 따르면 한사에 상하면 먼저 태양경에 문제가 발생한다. 태양경은 머리·목덜미·등·허리를 지나므로 초기에는 이곳에 통증이 있다. 두 번째는 양명경으로 진행된다. 양명경은 눈이나 코를 지나기 때문에 해당 부위에 통증이 있다. 또한 온몸이 뜨겁고 괴로워서 누울 수도 없을 정도가 된다. 이후에는 소양경으로 병이 전해진다. 소양경은 가슴이나 어깨·귀를 지나기 때문에 가슴이나 어깨가 아프고 귀가 들리지 않게 된다. 삼양경이 병든 경우에는 발한으로 치료한다. 이후에는 음경으로 진행된다. 먼저 태음경으로 이어진다. 태음경으로 병이 진행되면 배가 당기고 목구멍이 마른다. 다음으로는 소음경이 열을 받고, 끝으로 궐음경으로 진행된다. 기본적으로 삼음경의 병은 설사를 하도록 함으로써 치료한다.

12경맥 체계의 기본은 기운의 노선이라는 것이다. 기운이 흐르는 노선으로서 12경맥은 몸을 구분하는 기준으로 쓰일 수 있다. 기氣적 세계관을 지니고 있던 고대 동아시아인은 외부의 원인에 의해 질병이 발생할 수 있다는 점을 알고 있었다. 초기에는 단순히 피부-살결-경맥-오장육부의 순으로 기운이 침입한다고 생각했던 것으로 보인다. 경맥 체계의 성립이 이런 해석에 영향을 주었다. 경맥 체계는 몸의 깊이뿐만 아니라 표면의 영역도 설명할 수 있다는 장점이 있었기 때문이다. 그 결과 외기는 태양-양명

-소양-태음-소음-궐음의 순서를 따라 몸 안으로 들어온다고 말해졌다.

경맥은 몸 안에서 기운을 실어 나르는 역할을 할 뿐만 아니라 외부의 기운이 몸 안으로 들어오는 과정을 설명하는 기준으로 사용되기에 이르렀다. 이 과정을 통해 경맥은 생리와 병리 그리고 치료의 기준으로 확고하게 자리 잡았다. 그런데 『황제내경』에는 12경맥과는 관련이 없어 보이는 기이한 맥이 있다.

2. 기경팔맥

연원과 역사

『본초강목本草綱目』의 저자인 이시진李時珍은 기경팔맥의 연원이 수행
자의 수행 체험일 가능성을 암시했다.

> 단서丹書에서 논의가 양정하거에까지 이르면 종종 임맥·충맥·독맥·명문·
> 삼초를 가지고 설명한다. 오직 음교만을 말하는 경우는 없다. 자양의 『팔
> 맥경』에서 말하는 경맥은 의가의 설과 조금 다르다. 그러나 내경수도內
> 景隨道는 오직 반관자反觀者만이 능히 살필 수 있다고 한다. 이 말은 틀림
> 없다.[31]

본래 내경內景은 『황정내경경』에서 연원한 말이다. 『황정외경경』을 인
식해서 명명된 것으로 몸의 안쪽이라는 뜻은 아니었다. 그러나 『동의보
감』의 「내경편」과 「외형편」에서 알 수 있듯이 후대에는 몸의 안쪽 풍경이
라는 뜻으로 사용되었다. 인용문에서도 마찬가지다.

수도隨道는 기운의 통로라는 뜻이다. 당연히 의학의 경맥과 통한다. 저우
이모우周一謀는 이곳의 내경수도가 12정경을 포괄한다고 해석했다.[32] 즉 12

---

31. 『奇經八脈考』: 丹書論及陽精河車, 皆往往以任衝督脈命門三焦爲說, 未有專指陰蹻者, 而
    紫陽八脈經所載經脈, 稍與醫家之說不同, 然內景隨道, 惟反觀者能照察之, 其言必不謬也.
32. 周一謀, 『고대 중국의학의 재발견』, 37쪽.

정경을 포함하는 모든 맥이 수행자의 체험에서 연원한다고 보았다. 그러나 앞에서 보았듯이 12정경은 주로 뜸법파의 임상 체험에 토대해서 성립했다. 물론 몸 안의 혈관 그리고 기적 세계관 등 경맥을 탄생시킨 여러 재료가 있었다는 것도 사실이다. 그러나 이런 재료를 섞어 경맥을 만들어 낸 주재료는 뜸을 사용하던 이들의 임상 경험이었다. 뜸법파는 관련 증상 및 치료 효과 등을 엮어서 경맥을 만들었다. 반관反觀은 수행자가 수행 중에 몸의 안쪽을 살피는 것을 말한다.

존사수행을 예로 들면 몸 안에 존재하는 가상의 체내신 등을 상상한다. 예를 들어, 폐에 병이 있는 경우에는 어떤 크기 어떤 색의 옷을 입고 있는 폐의 신을 상상한다. 존사수행은 특히 다른 수행과 함께 수행되는 경우가 많다. 존사수행과 태식 등의 수행법이 겹쳐져 있는 경우에는 체내신을 상상하면서 기운의 운행을 좇는다고 할 때도 존사수행이 있고, 내단수행에서 임맥을 따라 내려가다가 독맥을 따라 오르는 소위 주천周天의 경로를 상상하는 것도 존사수행과 무관하지 않다. 이처럼 반관은 수행자가 몸의 안쪽을 들여다보는 것을 말한다. 그런데 반관은 존사수행과는 달리 특정한 대상을 상상하지 않아도 된다. 위빠사나 수행에서 몸의 특정 부위를 관하는 것도 반관이라고 할 수 있다. 내경수도 즉 몸 안에 있는 기의 경로를 반관해서 알 수 있다는 것은 내경수도의 존재가 수행 체험에서 연원한다는 말이다.

그런데 저 앞의 인용문을 살펴보면 경맥이 반관에서 유래한다는 주장은 이시진 자신의 것이 아님을 알 수 있다. 이시진의 주장은 『팔맥경』에 근거한 것이다. 『팔맥경』의 저자는 장백단張伯端이다. 송대 도교는 남종과

북종으로 나뉘는 불교의 선종과 마찬가지로 남북으로 나뉜다. 장백단은
송대 도교 남종파의 영수로, 인용문의 자양紫陽은 장백단의 호다. 장백단
은 『팔맥경』에서 다음과 같이 말한다.

> 충맥은 뇌의 뒤쪽에 있고, 임맥은 배꼽 앞에 있으며, 독맥은 배꼽 뒤에 있
> 고, 대맥은 배에 있으며, 음교맥은 음낭 밑에 있고, 양교맥은 꼬리뼈에 있
> 으며, 음유맥은 정수리 앞에 있고, 양유맥은 정수리 뒤에 있다. 사람에게
> 있는 여덟 맥은 모두 음인 신에 속하고 닫혀서 열리지 않는다. 오직 신선
> 만이 양기로서 열게 되므로 진리를 얻을 수 있다.[33]

『팔맥경』에서 논하는 것은 기경팔맥이다. 『팔맥경』이라는 이름도 기경
팔맥에서 따온 것이다. 기경팔맥이 펼쳐 놓는 무늬에 관해서는 뒤에 상론
할 것이다. 초점을 맞춰야 하는 곳은 인용문의 뒷부분이다.

양기로 연다는 것은 기를 운행시킨다는 의미이고, 기를 운행시키는 것
은 동양 수행론의 핵심 원리 중 하나다. 동아시아의 수행론에는 기운이
흐르지 않으면 부패한다는 관념이 있다. 기를 운행시켜야 한다는 생각은
이 관념에서 유래한다. 『황정내경경』에서는 기운이 체간의 전면부에서
상하로 순환하지만, 내단 수련에서는 체간의 앞뒤로 순환한다. 『혜명경』
의 저자인 청대의 유화양이 한 말도 임맥·독맥이 수행자의 수행 체험에서

---

33. 『八脈經』: 衝脈在腦後, 任脈在臍前, 督脈在臍後, 帶脈在腹, 陰蹻在囊下, 陽蹻在尾閭, 陰
維在頂前, 陽維在頂後, 人有八脈, 俱屬陰神, 閉以不開, 惟神仙以陽氣沖開, 故能得道.
『八脈經』.

연원한다는 해석과 어울린다. 그는 먼저 임맥·독맥에 관한 의학계의 설명에 오류가 있음을 밝힌 후 다음과 같이 말했다. "그들이 선가에서 말하는 임맥과 독맥이 사실은 수행자 자신이 직접 맥 속에서 지나가는 것을 가지고 증험으로 삼았음을 알겠는가?"[34]

그러나 이미 말했듯이 내단수행은 몸의 앞과 뒷면을 순환할 뿐, 체간의 옆과 관계가 있지는 않다. 특히 기경팔맥 중 하나인 대맥帶脈처럼 허리를 횡으로 싸고도는 노선은 수행 체험과는 전혀 관련이 없다. 수행자의 체험을 묘사하는 데 여덟 개나 되는 노선이 필요하지도 않다. 그럼에도 불구하고 기경팔맥과 같은 복잡한 노선이 가설되었다는 것은, 기경팔맥이 수행자의 '수행' 신체관이기보다는 수행 체험에 근거해서 만들어진 '수행 의학' 신체관의 맥 체계임을 알려 주는 듯하다. 즉 기경팔맥의 연원은 수행자의 체험이되 기경팔맥을 정립한 이들은 수행가가 아닌 수행 의학자였을 것이다. 그리고 본래는 독자적인 의학 체계를 구축하고 있던 기경팔맥의 의학이 어느 땐가 12경맥을 위주로 하는 주류에 포섭되게 되었을 것이다. 기경팔맥을 사용했던 수행 의학이 어떤 의학이었는지를 정확히 알 수는 없으나 『황제내경』에 작은 단서가 있다. 기경팔맥의 팔맥은 여덟 개의 맥이라는 뜻이다. 기경은 어떤 뜻일까?

그것은 정맥 즉 정통적인 맥에 대한 이질적 맥을 의미한다. 그런데 앞서 보았듯이 『황제내경』에는 기항지부奇恒之府라는 명칭도 보인다. 기항지부는 뇌, 수, 골, 맥, 담, 여자포 즉 자궁의 여섯을 가리킨다.[35] 이 중 담은

---

34. 豈知仙家說任督 實親自在脈中所行過以爲證驗. 柳華陽, 『金仙證論』, 柳正植 옮김(여강출판사, 2005), 202, 333-334쪽.

육부에 속하지만, 수와 골 그리고 맥은 내장기관이라고 할 수 없다. 이들을 함께 묶은 데에는 특별한 이유가 있을 것이다. 류정아는 기경팔맥과 기항지부가 상호 협조적이라고 말했다. "임맥, 독맥, 충맥 및 대맥의 기경맥들이 여자포를 비롯한 기항지부의 기능을 지원하는 데에는 천계가 중요한 작용을 하고 있다. 천계는 형체의 성장과 이차성징의 발현, 생식, 노쇠 등에 작용한다. … 기항지부와 기경팔맥은 인체의 형태 발생과 유지, 생식, 노화, 수명 등 선천 및 후천 과정에 상호 협력하여 오장의 기와 근골피의 형을 매개하고 조절하는 역할을 한다."[36]

설명이 길지만 요체는 천계다. 천계는 성장 및 생식과 관련된 물질이라고 정의할 수 있다. 중추신경계 및 생식과 관련된 것으로 임맥·독맥을 순환하는 내단수행도 연상시킨다. 앞에서 『황제내경』의 뇌를 수해髓海 즉 수의 바다라고 하는 규정을 보았다. 뇌와 척수 그리고 뼈와 여자포는 모두 척추 속을 흐르는 생명의 정수와 관련된 기관이다. 그렇다면 기항지부는 생식을 위주로 몸을 보았던 방사들의 신체관을 구성하는 요소였고, 기경팔맥도 그들에 의해 구성되었을 것이라고 추정할 수 있다. (연단, 방중, 의학 등의 전문가였던 방사는 고대 중국의 마법사라고 할 수 있다.) 이것이 나의 추론이다. 뒤에서 다룰 대표적 방중서인 『소녀경』에서는 정액과 척수 그리고 뇌를 연결시켜서 말한다. "정기를 돌려보내 수와 뇌를 가득하게 만든다."[37] 독

---

35. 『素問』「五藏別論」: 腦髓骨脈膽女子胞, 此六者, 地氣之所生也, 皆藏於陰而象於地, 故藏而不寫, 名曰奇恒之府.

36. 유정아·정창현, 「기항지부와 기경팔맥의 관련성 고찰」, 《대한한의학원전학회지》, 2014, 65-66쪽.

37. 『素女經』: 精氣還化, 塡滿髓腦.

맥을 연상시키는 이 구절은 기경팔맥과 생식을 위주로 파악된 기항지부의 관련성을 강화해 준다.

직전『소녀경』의 인용문에서 말하고 있는 것은 환정보뇌還精補腦다. 환정보뇌는 동양 방중술의 요체다. 그런데 방중술은 비교적 후대의 수행법이므로『황제내경』의 기항지부를 방중과 연결시킬 수 있는가라는 반론이 제기될 수도 있을 것이다. 그러나『소녀경』은 최소한 수·당대에는 성립되었다고 보이고, 마왕두이 발굴 문헌 중에도 매우 유사한 문헌이 있는 것으로 보아『황제내경』의 기항지부를 이해하기 위해『소녀경』의 구절을 인용하는 것이 그리 이상하지는 않을 것이다. 물론 수행만을 위해서는 기항지부 같은 복잡한 인식이 필요치 않다. 이 지적이 함축하는 반론에 대해서는 방사가 단순한 수행자가 아닌 의사醫士 수행자였다는 앞의 추정을 들어서 재반론할 수 있을 것이다. 당시에 방사라고 불리기도 했던 수행자들은 자신들의 수행론을 의학으로 확장시켰으며, 그 와중에 의학자들이 기이한 장부와 맥이라고 인식한 독특한 신체관을 구성해 냈을 것이다.

조금 더 추론해 보자. 기경팔맥은 처음에는 단순히 독맥만으로 구성된 경맥 체계였을 것인데, 이후 점차 확장되기 시작했을 것이다.『황제내경』에서 임맥·독맥·충맥·교맥은 확인되지만 대맥과 유맥의 존재는 불확실하다. 이 점은 기경팔맥이 처음부터 완결된 상태로 의공醫工의 의학과 결합되지는 않았을 가능성을 함축한다. 이런 추정을 강화시키는 동시에 더 많은 사실을 알려 주는 자료가 있다.[38] 1993년 쓰촨성 몐양綿陽 용싱젠永興鎭에

---

38. 馬繼興,「雙包山漢墓出土的鍼灸經脈漆木人形」,《文物》4, 1996, 58쪽에서 전재.

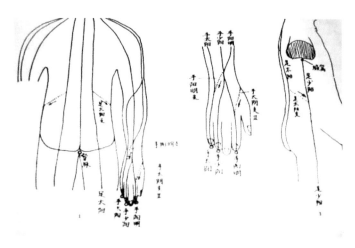

슈앙바오산 목인형의 후면도와 측면도 등

서, 후에 슈앙바오산雙包山 목인형이라고 불리게 된 목인형이 발굴되었다. 리쉐친李学勤은 발굴 유물을 근거로 슈앙바오산 목인형이 발굴된 묘가 기원전 179~141년에 형성되었을 것으로 추정했다.[39] 이 시기는 기원전 168년에 매장된 마왕두이 의서와 동시대라고 볼 수 있다.

이 목인형에는 수삼음맥·수삼양맥·족삼양맥의 아홉 맥과 함께 독맥이 새겨져 있었다. 특이하게도 『십일맥구경』에는 나오지 않는 수궐음맥이 있는 대신에 족삼음맥은 표시되어 있지 않았다. 앞에서 마왕두이와 장자산 발굴 문헌에 근거해서 12경맥이 족맥에서 시작되었다고 했으므로 슈앙바오산 목인형의 발굴은 경맥의 형성사에 관한 나의 가설을 보완·수정해야 한다는 것을 의미하지만, 동아시아의 몸을 개관해야 하는 이곳에서는 추론에 추론이 겹쳐지는 그 논의를 돌아볼 겨를이 없다. 간단히 말하면,

---

39. 馬繼興,「雙包山漢墓出土的鍼灸經脈漆木人形」, 57쪽에서 재인용.

나는 이 목인형이 침구목인형이 발굴된 지역에서 발전한 또 다른 경맥 체계를 보여 준다고 해석한다. 침구목인형이 발굴된 지역에는 고유한 침법이 있었던 것으로 보인다. 침구목인형이 발굴된 몐양시 슈앙바오산은 푸강涪江 즉 한대의 부수涪水가에 있다. 『후한서』에는 화제和帝 때 태의승을 지낸 곽옥郭玉이라는 인물의 전傳이 있다. 이 전의 앞부분에 그의 집안에 관한 기록이 전한다.

> 곽옥은 광한군 락현 사람이다. 처음에는 늙은 아버지가 있었는데 어느 곳 사람인지는 알 수 없다. 이 이는 항상 부수가에서 낚시를 했기에 부옹이라고 불렸다. 민가에서 걸식하다 병이 든 이를 보면 때때로 침을 놓았는데 곧 효과가 있었다. 이에 『침경』과 『진맥법』을 저술해 세상에 전해지게 했다. 제자인 정고가 이치를 연구하기를 몇 해 동안이나 하자 옹은 그에게 침술을 전수했다. … 옥은 어려서 고를 스승으로 섬겨 … 화제의 때 태의승이 되어 효험을 낸 일이 많았다.[40]

곽옥이 활동하던 시기인 화제의 재위년이 88~105년이므로 곽옥의 아버지도 후한기에 활동했을 것이다. 슈앙바오산 목인형이 발굴된 묘가 179~141년에 형성되었다고 보는 리쉐친의 생각이 맞는다면 이 지역에는 오랫동안 고유한 침법이 전해졌으리라는 추정이 가능하다. 추정컨대 슈앙바

---

40. 『後漢書』「郭玉傳」: 郭玉者, 廣漢雒人也. 初有老父, 不知何出, 常漁釣於涪水, 因號涪翁, 乞食人間, 見有疾者, 時下針石, 輒應時而效. 乃著『針經診脈法』傳於世. 弟子程高尋求積年, 翁乃授之. 高亦隱蹟不仕. 玉少師事高, 學方診六微之技, 陰陽不測之術, 和帝時爲太醫丞, 多有效應.

오산 목인형은 이곳을 중심으로 전수되는 침법의 원형을 보여 주는 자료일 것이다. 경맥 체계는 단일한 계통을 따르기보다는 다양한 계통이 경쟁하듯 번성했을 것이다. 물론 주류는 두 종의 『십일맥구경』에서 『영추』「경맥」편으로 이어지는 전통이었을 것이라고 나는 생각한다.

본론으로 돌아가자. 요체는 독맥의 존재와 그 함의다. 기경팔맥은 몸을 수직으로 흐르는 독맥을 중심으로 형성되었고, 독맥이 성립되자마자 곧 의공의 의학과 결합되었을 것이다. 그러나 그 결합은 강제적이지 않은 차용에 의한 것이었을 터이므로 방사의 경맥 체계는 독자적으로 성장할 수도 있었을 것이다.

『황제내경』에는 유맥과 대맥이 보이지 않고, 기경팔맥을 독자적인 경맥 체계로 다루기보다는 12맥의 체계 안에 포함되는 것으로 언급하고 있다. 기경팔맥이 현재의 모습을 갖추게 된 것은 『난경』에 이르러서다. 『황제내경』의 시기에는 아직 대맥이 성립되어 있지 않았을 것이다. 대맥 등이 늦게 성립된 이유는 무엇일까? 대맥의 모양을 보면 직관적으로 이해할 수 있다. 대맥은 다른 맥과 달리 허리를 두른다. 이러한 기의 노선은 참으로 엉뚱하다. 그것은 종종 체계화에 수반되곤 하는 억지스러움을 상징하는 것처럼 보이지 않는가?

기경팔맥의 양상과 결합

앞서 말했듯이 기경팔맥에는 임맥, 독맥, 대맥, 충맥, 음교맥, 양교맥, 음유맥, 양유맥의 여덟 개가 있다. 『황제내경』에서와 달리 『난경』에 이르면 기경팔맥은 독자적인 그러나 12경맥 체계와 협조적인 체계로 정리되었다. 『난경』은 『황제내경』의 주석서라고 할 수 있다. 『난경』의 난難은 힐난하다 즉 따져 묻는다는 뜻이다. 『난경』은 모두 81가지의 문제에 대해 질문하고 답하는 형태로 되어 있다. 각 장의 이름은 「일난」, 「이난」 등이다. 『난경』의 성립 시기는 후한이라고 말해지지만, 위·진·남북조 시기일 가능성도 있다. 내 느낌으로는 위·진·남북조 시기가 더 맞는 듯 보인다. 『난경』의 「이십칠난」, 「이십팔난」, 「이십구난」에 기경팔맥에 관한 내용이 정리되어 있다. 「이십칠난」은 기경팔맥을 소개하고, 「이십팔난」은 운행 부위를 언급했으며, 「이십구난」에서는 각 맥의 증상을 설명하고 있다.

이십칠난에서 말한다. 맥에는 기경팔맥이 있어서 12경맥에 포함되지 않습니다. 기경팔맥은 무엇입니까? 그렇습니다. 양유맥, 음유맥, 양교맥, 음교맥, 충맥, 독맥, 임맥, 대맥의 여덟 맥은 12경맥에 속하지 않습니다. 그러므로 기경팔맥이라고 합니다.[41]

독맥은 회음혈에서 시작하여 척추의 안쪽을 타고 올라가 풍부에 이르고 뇌로 들어갑니다. 임맥은 중극의 아래에서 일어나 턱 위로 올라가 복부 안쪽을 따라 관원으로 올라가 인후咽喉에 도달합니다. 충맥은 기충에서 시작하여 족양명위경과 병행합니다. 배꼽을 끼고 위로 올라가 흉중에 이르면 흩어집니다. 대맥은 계협에서 시작하여 몸을 한 바퀴 돕니다. 양교맥은 발뒤꿈치 가운데서 일어납니다. 바깥쪽 복숭아뼈를 따라 위로 올

---

41. 『難經』 「二十七難」: 脈有奇經八脈者, 不拘於十二經, 何也? 然: 有陽維, 有陰維, 有陽蹻, 有陰蹻, 有衝, 有督, 有任, 有帶之脈, 凡此八脈者, 皆不拘於經, 故曰奇經八脈也.

라가 풍지혈로 들어갑니다. 음교맥도 역시 발뒤꿈치 가운데서 시작하여
안쪽 복숭아뼈를 따라 위로 올라가 인후에 이르고 충맥과 만나 통합니다.
양유맥과 음유맥은 온몸에 그물과 같이 얽혀 있습니다. 양유맥과 음유맥
의 기혈이 가득 차서 넘쳐도 십이정경으로는 되돌아 흘러들어갈 수 없습
니다. 그러므로 양유맥은 모든 양경이 모이는 곳에서 일어나고, 음유맥
은 모든 음경이 서로 교차하는 지점에서 시작합니다.[42]

  기경팔맥은 몸을 수직으로 움직이는 일곱 개의 맥과 허리를 한 바퀴 도
는 대맥으로 되어 있다. 다음의 그림은 순서대로 양교맥, 음교맥, 양유맥,
음유맥이다. 핵심은 독맥과 임맥이다. 독맥과 임맥은 체간의 전면과 후
면을 유주한다.

  주의할 것은 임맥·독맥의 운행 방향이 수행론과 다르다는 점이다. 후대
의 내단수행에 따르면 독맥은 위로 유주함에 반해 임맥은 아래로 흐르는
데, 앞의 인용문을 통해 확인할 수 있듯이 『난경』에서의 임맥·독맥은 모
두 위로 흐른다. 의학의 전 범위로 시선을 넓혀 보자. 독맥은 상승, 임맥은
하강의 흐름을 보이기도 하나 대체로 임맥·독맥은 모두 위로 흐른다.

  김수일은 이 차이를 세 가지 이유를 가지고 설명했다. 첫째, 의학에서
는 기운의 흐름을 관觀하였음에 반해 수행자들은 의도적으로 흐름을 만

---

42. 『難經』「二十八難」: 督脈者, 起於下極之兪, 並於脊裏, 上至風府, 入屬於腦. 任脈者, 起
   於中極之下, 以上毛際, 循腹裏, 上關元, 至喉咽. 衝脈者, 起於氣衝, 並足陽明之經, 夾臍
   上行, 至胸中而散也. 帶脈者, 起於季脅, 迴身一周. 陽蹻脈者, 起於跟中, 循外踝上行, 入
   風池. 陰蹻脈者, 亦起於跟中, 循內踝上行, 至咽喉, 交貫衝脈. 陽維陰維者, 維絡於身, 溢
   畜不能環流灌漑諸經者也, 故陽維起於諸陽會也, 陰維起於諸陰交也.

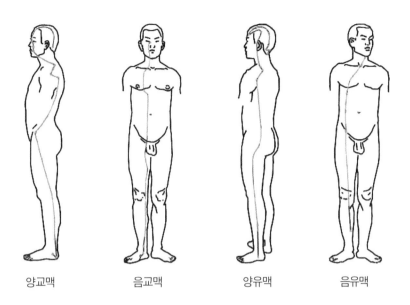

| 양교맥 | 음교맥 | 양유맥 | 음유맥 |

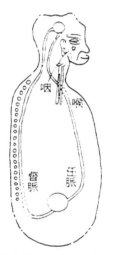

『혜명경』의 임맥·독맥도

들었다는 것, 둘째, 수행론에서 임맥·독맥의 순환을 지칭하는 주천이라는
명칭이 천문학에서 유래했음을 근거로 수행론에서의 임맥·독맥은 태양

의 원운동을 따라 순환한다는 것, 셋째, 내단수행자들의 오랜 체험에 기반해서 결정되었다는 것을 근거로 들었다.[43]

첫째와 셋째 이유는 겹친다. 수행자의 수행 체험으로 묶을 수 있다. 수행으로 돌리면 어떤 답도 가능하다. 체험했다고 하는데 무슨 말을 할 것인가? 둘째는 그럴듯하다. 뒤의 논의를 통해 분명해지겠지만 수행론에서는 천지의 결합을 본떠 신성한 생명을 만들어 낸다는 이념이 매우 중요하다. 내단의 단(또는 성태), 태식의 성태, 외단의 단은 모두 그런 과정을 거쳐서 만들어진 성스러운 생명이다. 그러므로 천지의 운행을 벗어나기 어렵다. 의학도 우주를 본떴다는 점은 다르지 않다.

사실 이 땅에 살면서 이 땅의 흐름을 벗어난 존재가 있을 수 있겠는가? 유비라는 것은 이러한 흐름의 준수를 느슨하게 논리적으로 포착한 것일 뿐이다. 그러나 경직된 모방은 이상한 결과를 초래한다. 고통과 생명을 다뤄야 하는 의학은 모방이라는 이념과 현실적 가치 사이에서 절충점을 찾아야 한다. 수행가들이 비교적 이념에 충실할 수 있는 것과 다르다. 그러나 대우주를 본떠야 한다는 이념도 수행 체험과 어긋나서는 안 된다.

이 사실이 12경맥에 대해 그리고 의학의 기경팔맥에 대해 알려 주는 것이 있다. 의학자들은 맥의 흐름을 체험하지도 관찰하지도 않았다! 의학의 경맥은 그 뿌리가 관련된 증상 그리고 치료와 증상 사이의 관계라는 점이 무엇을 의미하겠는가? 연결은 중요하지만 방향은 그다지 의미가 없다. 방향이 중요한 이들은 기의 흐름을 상상해야 하는 수행가들이다. 그러므로

---

43. 김수일, 「의가와 내단학의 기경팔맥 비교연구」, 《도교문화연구》 27집, 2007, 280쪽.

차이가 있다면 그것은 의가들이 만들어 낸 것이리라. 의가들은 수행 의학의 영역에서 성장한, 본래 순환하던 임·독맥의 흐름을 의학의 논의에 적합하게 교정했을 것이다. 그런데 의학자들에게는 12경맥이 위주였으므로 기경팔맥은 12경맥의 보완물에 불과했다.

경에는 12개가 있고 낙맥도 15개가 있어서 모두 27맥이 위아래로 서로 이어집니다. 어찌하여 기경팔맥만 경맥에 포함되지 않습니까? 그렇습니다. 성인은 도랑을 파서 물길을 통하게 함으로써 일상적이지 않은 상황에 대비하고자 했습니다. 비가 와서 도랑이 가득 찼는데 이때 다시 비가 퍼부으면 성인이라고 어쩔 수 없습니다. 이는 낙맥이 가득 차면 어떤 경맥이라도 다시는 구속하지 못하기 때문입니다.[44]

성인이 도랑을 만들었으나 도랑이 가득 차서 넘치면 깊은 호수로 흘러들어 가는 것을 막을 수 없는 것에 비유할 수 있습니다. 기가 맥으로 들어가 맥이 융성해지면 팔맥으로 들어가서 다시는 돌아 나오지 않습니다. 그러므로 12경맥으로는 넘친 기혈을 구속할 수 없습니다. 기경팔맥이 사기를 받아 축적되면 종기가 나고 열납니다. 그러므로 폄으로 사해야 합니다.[45]

요지는 경맥은 도랑이고 기경팔맥은 도랑에 문제가 생겼을 때를 대비

---

44. 『難經』「二十七難」: 經有十二, 絡有十五, 凡二十七氣, 相隨上下, 何獨不拘於經也? 然, 聖人圖設溝渠, 通利水道, 以備不然, 天雨降下, 溝渠溢滿, 當此之時, 霧霖妄作, 聖人不能復圖也. 此絡脈滿溢, 諸經不能復拘也.
45. 『難經』「二十八難」: 比於聖人圖設溝渠, 溝渠滿溢, 流於深湖, 故聖人不能拘通也. 而入脈隆盛, 入於八脈而不環周, 故十二經亦不能拘之, 其受邪氣, 畜則腫熱, 砭射之也.

하기 위해 파 둔 호수라는 것이다. 물론 호수의 비유만으로는 기경팔맥의 의미를 충분히 설명할 수 없다. 기경팔맥은 12경맥을 소통시키는 역할도 한다. 그러나 부수적인 기능에 불과하다.

『황제내경』에서 『난경』에 이르는 과정에 의학자들은 수행자의 의학적 성취를 충분히 수용했다. 그 결과 수행 의학의 신체관을 구성했던 기경팔맥은 12정경을 보완하는 의학의 경맥으로 자리매김하게 되었다. 12정경이 의사의 임상 경험에서, 기경팔맥이 수행자의 체험에서 비롯했으나, 신체관이라는 관점에서 보면 양자는 동일한 것을 말하고 있다. 생명은 흐른다! 경맥이 등장함으로써 몸은 단순히 생명을 담고 있는 그릇에서 생명이 흐르는 장소로 바뀌었다.

그러나 기의 순환은 기의 변화를 함축하지 않는다. 기의 순환을 기의 변화로 해석하기 위해서는 다른 요소가 필요하다. 수행자들은 체간의 뒤쪽을 거슬러 올라가는 기의 노선 즉 독맥의 순환에 착안함으로써 이 문제를 해결했다. 방중술이 특히 큰 기여를 했다. 그런데 방중이 어떻게 수행법일 수 있을까?

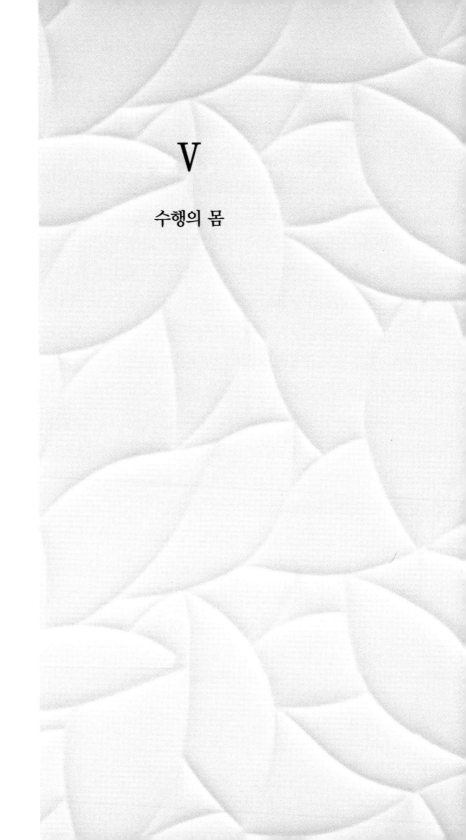

V

수행의 몸

4세기 포박자 갈홍葛洪은 수행 문화 전반을 대여섯 개로 정리했다. 갈홍이 소개하는 양생술에는 등급이 있다. "호흡도인을 행하고 초목약을 복용하면 수명을 늘릴 수는 있지만 죽음을 피하지 못한다."[1] 그는 오직 복약, 그중에서도 환단과 금 등의 복용에 의해서만 불사에 이를 수 있다고 보았다.[2] 초목은 영원하지 않으므로 영원한 생명을 보장하지 못한다는 것이 논리다. "세상 사람들은 신단을 만들지 않고 거꾸로 초목약을 믿는다. 그러나 초목약은 묻으면 썩고 삶으면 문드러지며 불사르면 타 버린다. 초목약 스스로도 불사할 수 없거늘, 어찌 사람을 살릴 수 있겠는가?"[3]

갈홍은 자신이 선약 위주였던 신선 수행의 방법을 극복했다고 생각한 것으로 보인다. 그런데 연단으로 불사에 이를 수 있다고 생각한 까닭은 무엇일까?

무릇 금단이라는 것은 오래 제련할수록 변화가 더욱 오묘해진다. 황금을

---

1. 『抱朴子』,「金丹」: 雖呼吸道引, 及服草木之藥, 可得延年, 不免於死也.

2. 『抱朴子』에서 복약과 관련된 편은 「金丹」·「仙藥」·「黃白」이다. 이 중 선약은 초목약이므로 복약의 정수가 아니다. 「금단」편에서는 태청단·구정단·금액에 관한 소개가, 「황백」편에서는 금은의 조제법이 나온다.

3. 『抱朴子』,「金丹」: 世人不合神丹, 反信草木之藥. 草木之藥, 埋之卽腐, 煮之卽爛, 燒之卽焦, 不能自生, 何能生人乎.

불에 넣으면 백 번을 제련해도 없어지지 않고, 묻어도 영원히 썩지 않는다. 이 두 가지를 복용하면 신체가 더욱 단련되기 때문에 늙지도 죽지도 않는다. 이는 외물에서 빌려 스스로를 견고하게 하는 것이니, 기름이 촛불을 밝히면 불이 꺼지지 않는 것과 같다. 청동을 다리에 바르면 물에 들어가도 다리가 썩지 않는다. 이것은 청동의 견고함을 빌려서 살을 보호하는 것이다. 금단이 몸 안으로 들어가면 영기와 위기를 증익하고 윤택하게 해 주니 비단 청동을 바깥에 붙이는 정도에 그치지 않는다.[4]

결국 불사의 믿음에는 불변의 유비적 효과와 기운의 양육이 전제되어 있음을 알 수 있다. 온몸의 기혈을 생명의 원천으로 간주하는 관점과 금단이 그런 생명의 원천을 양육한다는 생각이 금단불사의 배후에 있는 생각이었다.

갈홍의 양생술 중에는 신체 기법이라고 볼 수 없는 특이한 양생술이 있다. 그건 윤리와 생명을 연관시키는 양생 윤리로서 주로 『포박자』「대속」편과 「미지」편에서 다뤄지고 있다. 양생 윤리는 선한 행위를 하면 수명이 늘어난다는 것으로 오두미도五斗米敎의 소의경전인 『노자상이주역주老子想爾注譯註』의 핵심 논리이자 도교 전체의 교리를 대표한다고 평가할 수 있다. 그러나 몸과는 관련성이 떨어진다. 갈홍이 소개한 수행법에서 양생 윤리와 금단을 제해 보자. 나머지는 셋 또는 넷으로 정리할 수 있다.

---

4. 『抱朴子』,「金丹」: 夫金丹之爲物, 燒之愈久, 變化愈妙. 黃金入火, 百煉不消;埋之, 畢天不朽. 服此二物, 煉人身體, 故能令人不老不死. 此蓋假求於外物以自堅固, 有如脂之養火而不可滅, 銅靑塗脚, 入水不腐, 此是借銅之勁, 以扞其肉也. 金丹入身中, 沾洽榮衛, 非但銅靑之外傳矣.

신선이 되고자 한다면 반드시 그 지극한 요체를 얻어야 한다. 지극한 요체는 보정과 행기 대약의 복용이다. 대약은 하나만 먹어도 족하다. 너무 많이 쓸 필요가 없다.[5]

비록 복약이 장생의 근본이기는 하지만, 행기를 겸할 수 있으면 그 이익됨이 더욱 빠르다. 약을 얻지 못하고 행기만을 행한다고 해도 그 이치를 다할 수 있으면 또한 수백 세를 살 수 있다. 그러나 방중술도 알아야 한다.[6]

각기 자신이 잘하는 것에 의존한다. 현소玄素의 술을 아는 이는 오직 방중술로 신선이 될 수 있다 하고, 토납吐納의 도에 밝은이는 행기行氣만이 수명을 늘릴 수 있다고 하며, 굴신屈伸의 법을 아는 이는 오직 도인道引을 행해야만 늙음을 방지할 수 있다고 하며, 초목의 방술을 아는 이는 오직 약이藥餌만이 무궁한 생명을 준다고 말한다.[7]

현소의 술은 방중 문헌에 등장하는 현녀와 소녀의 이름을 딴 것으로 방중술의 이칭이다. 토납의 도는 일종의 호흡법인데, 이것을 기를 운행시킨다는 뜻의 행기行氣라 하고 있음을 기억해 두자. 세 번째 인용문에 보이는 굽히고 펴는 굴신의 도는 당연히 도인導引이다. 갈홍은 도인과 행기를 구

---

5. 『抱朴子』, 「釋滯」: 欲求神仙, 唯當得其至要. 至要者, 在於寶精行氣, 服一大藥便足, 亦不用多也.

6. 『抱朴子』, 「至理」: 服藥雖爲長生之本, 若能兼行氣者, 其益甚速, 若不能得藥, 但行氣而盡其理者, 亦得數百歲. 然又宜知房中之術.

7. 『抱朴子』, 「微旨」: 各仗其所長. 知玄素之術者, 則曰唯房中之術, 可以度世矣; 明吐納之道者, 則曰唯行氣可以延年矣; 知屈伸之法者, 則曰唯道引可以難老矣; 知草木之方者, 則曰唯藥餌可以無窮矣.

분한다. "세상에는 복식약물과 행기도인으로도 죽음을 면하지 못하는 이들이 있으니, 그 까닭은 무엇인가?"[8] 그런데 도인도 기운을 운행시키는 것으로 넓은 의미에서 행기에 속한다고 할 수 있다. 게다가 도인수행법에는 호흡이 수반된다. 도인과 호흡행기를 떼어 낼 수 있지만, 사실 둘은 한 몸이나 마찬가지다. 공통된 신체관에 토대하고 있었을 가능성이 있다.

기를 담고 있는 그릇이라는 동아시아 신체관의 원형은 수행법에 따라 다채롭게 변모했다. 이 장에서 제기할 질문은 다음과 같다. 도인과 행기는 어떤 신체관에 토대하고 있을까? 방중의 신체관에서 주목할 부분은 무엇인가?

---

8. 『抱朴子』, 「極言」: 世有服食藥物, 行氣導引, 不免死者, 何也.

1. 도인의 몸

이전에는 도인에 관한 가장 오래된 문헌 근거가 『장자』「각의」편에 나오는 글이었다. "취吹·구呴 소리를 내면서 호흡하여 옛 기운을 내쉬고 새로운 기운을 들이마시며 곰처럼 목을 빼고 새처럼 몸을 펴는 것은 장수를 위한 것일 뿐이다. 이는 도인지사나 양형지인으로 팽조처럼 오래 살고자 하는 이들이 좋아하는 것이다."[9]

과거에는 이 글 외에 도인에 관한 다른 정보가 없었기 때문에 고대 중국의 도인에 대해서는 깊이 알 수 없었다. 다행히도 1973년과 1983년에 연이어 발굴 문헌에서 도인 관련 자료가 나오면서 좀 더 정확한 정보를 얻을 수 있게 되었다. 도인이 매우 오래된 수행법이라는 것은 의심할 필요가 없다. 가오다룬高大倫은 도인이 원시 무도에서 유래했을 가능성을 말했다.

> 역사상 도인에 관해서는 지체운동, 안마와 지체운동, 호흡, 호흡과 지체
> 운동이라는 네 가지 설이 있어 왔다. … 형식과 내용으로 보자면 도인은
> 원시 사회의 무도舞蹈에서 유래한다. 그러나 그것이 중국에서 나온 것은
> 중국의 원시 자연 환경과 관련 있다.[10]

---

9. 『莊子』,「刻意」: 吹呴呼吸, 吐故納新, 熊經鳥申, 爲壽而已矣., 此導引之士.養形之人, 彭
   祖壽考者之所好也.
10. 高大倫, 『張家山漢簡引書硏究』(成都: 巴蜀書社, 1995), 22쪽. 다음 도표는 가오다룬이 제
    안하는 도인의 유래에 관한 내용을 옮긴 것이다.

가오다룬의 주장 중 도인이 원시 무도에서 유래했다는 설은 그럴듯하다. 그렇지만 좀 더 구체적으로 물어보자. 누가 어떤 이유로 춤을 췄을까? 도인의 원류가 되는 원시 무도는 무당이 접신에 들기 전에 추던 춤이다. 접신에 들기 전 무당이 추는 춤은 현대 한국에서도 볼 수 있다.[11] 도인이 무속에서 연유했다는 점에 착안하면, 도인의 목적인 기의 운행을 더 잘 설명할 수 있다. 몸 안을 운행하는 기는 몸 안으로 들어온 생명력 즉 신이 소우주로서의 몸을 움직이는 것처럼 보이기 때문이다. 하퍼Donald Harper 는 진간秦簡『일서日書』[12]에 보이는 굴와窟臥·기좌箕坐 같은 벽사辟邪 자세가 도인술의 자세와 일치한다는 점을 근거로 도인술 중 일부가 주술적 벽사술 즉 무속의 귀신을 물리치는 술법에서 유래했다고 주장했다.

귀신에게 질책을 가한다. 사람을 해치는 망령된 행실은 사람들에게 상서롭지 못하다. 고함은 힐난하는 것과 같다. 사람들로 하여금 흉한 재앙에 걸리지 않도록 만들어야 한다. 귀신이 싫어하는 것은 굴와·기좌·연행連

원시 사회	原始 舞踏
春秋 이전	肢體運動
戰國·秦·漢	按摩, 肢體運動, 行氣
魏·晉~隋	按摩, 肢體運動, 肢體運動 + 行氣, 行氣
唐·宋 이후	按摩, 肢體運動, 肢體運動 + 行氣, 行氣

11. 약 30년 전 늦은 밤 계룡산 신원사 아래 마을에서 무당이 춤을 추는 것을 본 일이 있다. 시골이라 오직 그 집에만 불이 켜져 있었으므로 논을 끼고 꽤 멀리 있었는데도 선명하게 보였다. 간섭하는 불빛 없이 짙은 어둠 속 무당이 홀로 껑충거리는 춤을 추고 있었다. 정성스럽고 신령스러웠다.

12. 일서는 판단하는 점서로서 개인의 저작이 아니라 동시대에 유행하던 택일 방법을 모은 편집서에 가깝다. 현재까지 다양한 일서가 출토되었는데, 대략 전국 말부터 전한까지의 문헌이므로 전국 말부터 전한 초까지 중국인의 생활상을 알려 준다.

行·기립奇立이다.[13]

하퍼는 인용문의 굴와·기좌 등은 도인법에서 쓰이는 것이라고 말한다. "도교의 문헌에서는 잠잘 때의 바른 방법을 가르쳐 준다. … 이 선천적인 자세는 몸의 기력을 증강시켜 주고 사벽의 침입을 막아 준다고 알려져 있다. 또한 같은 자세가 치료 행위(도인술)에도 사용된다. 기좌는 … 이 자세는 도가의 치료술에서 사용되었고 중세 방중술에서 권장되던 성교의 자세였다."[14] 방중술에 관한 생각은 좀 이상하다. 일단 이 생각을 제해 두자. 하퍼는 이 주장의 근거를 손사막孫思邈의 『천금요방千金要方』 등에서 구한다. 주지하듯 손사막은 수·당 교체기의 한의학을 대표하는 인물이다. 이때까지도 도인술에서 무속의 흔적을 발견할 수 있었다는 의미다.

무속에서 유래한 도인은 비교적 다른 수련법보다 일찍 수행법으로 자리 잡은 것으로 보인다. 억측이라는 핀잔을 들을 수도 있겠지만, 나는 『장자』에서 행기와 도인을 언급하면서 양형지인養形之人이라고 말한 것을 볼 때 수행법 중에서 가장 먼저 성립한 것은 행기와 도인이었다고 생각한다. 그리고 행기와 도인의 뿌리는 모두 무속으로 하나였는데, 이후 수행법이 정교해지면서 행기와 도인이 분기되었을 것이라고 간주한다. 호흡과 기운의 순환을 떼어 낼 수 있을까? 행기(호흡+도인)와 도인의 결합은 극히 자연스럽다. 그럼에도 불구하고 양자가 구분된 배후에는 호흡술과 도인의

---

13. 『睡虎地秦簡日書』: 詰詰咎鬼, 害民罔行爲民不羊, 告如詰之, 道令民毋麗兒央, 鬼之所惡, 彼窋臥箕左連行奇立.

14. Donald Harper, "A Chinese Demonography of the Third Century B.C.," *Havard Journal of Asiatic Studies*, 1985, pp.483-484.

마왕두이 발굴 〈도인도導引圖〉(복원)

전문화라는 흐름이 있었을 것이다.

　전한 이전의 도인수행을 보다 정확히 보여 주는 발굴 자료는 마왕두이의 〈도인도導引圖〉와 장자산의 『인서引書』다. 마왕두이 발굴 문헌 중에는 〈도인도〉 이외에 다른 도인 관련 자료가 없다. 마왕두이 발굴 문헌인 『십문十問』은 수행법의 종합서라고 할 수 있다. 방중을 중심으로 호흡과 복식 등 다양한 수행법이 등장한다. 그러나 도인에 관한 명확한 언급은 없다. 장자산에서 관련 자료가 발견되었다. 『인서』는 도인수행의 전문서다. 가오다룬은 『인서』와 〈도인도〉가 서로 관련되어 있다고 말한다.[15] 〈도인도〉의 각 그림에는 이름이 기록되어 있는데, 20번은 인롱引聾이다. 그런데 『인서』에는 〈도인도〉 20번과 같은, 그리고 관련 있어 보이는 제목의 글이 있다.

---

15. 高大倫, 『張家山漢簡引書硏究』, 34-41쪽.

인롱 복원도

인롱引聾: 단정히 앉는다. 좌측이 안 들릴 때는 좌측 팔을 펴고 엄지 끝을 들어 올린다. 팔을 쭉 편다. 이후 힘껏 목과 귀를 당긴다. 우측도 좌측과 같이 한다.[16]

인이통引耳痛: 손가락을 귀에 집어넣고 힘껏 당긴다. 아래위로 앞뒤로 한 차례씩 한다. 그치면 우측 손으로 왼쪽 어깨를 잡고 힘껏 당긴다. 그치면 왼쪽 손으로 우측 어깨를 잡고 힘껏 당긴다. 이렇게 세 차례 한다.[17]

〈도인도〉의 그림과 인용한 『인서』의 내용은 대략 일치한다. 더군다나 맥 관련 발굴 문헌에서 알 수 있듯이 장자산과 마왕두이 발굴 문헌 중에는 『음양십일맥구경』처럼 중복되는 문헌도 있다. 『인서』와 〈도인도〉 사이에 일정한 관련이 있다는 것을 의심할 필요는 없을 것이다. 조금 더 과감하게 말해도 될까? 『인서』를 그림으로 묘사한 것이 〈도인도〉일 수도

---

16. 『引書』: 引聾, 端坐, 聾在左信在臂, 播拇指, 端伸臂, 力引頸與耳, 右如左.
17. 『引書』: 引耳痛, 內指耳中而力引之, 壹上下, 壹前後, 已因右手據左肩力引之, 已左手據右肩力引之, 皆三而已.

있다.

『인서』에서는 도인이 일종의 치료법으로 사용되고 있다.

> 통증 때문에 목을 돌려 돌아볼 수 없을 때는 도인으로 치료한다. 누워서
> 눈을 감고 수족을 편다. 다른 이에게 자신의 머리를 최대한 들게 하여 이
> 어서 천천히 늘리도록 한다. 쉬었다가 다시 한다. 열 번 반복한다. 늘릴
> 때는 힘써 숨을 참는다. 잠깐 사이에 땀이 난다. 최대한 하고 그만둔다.[18]

현대의 추나 요법이나 도수 치료를 연상시키는 이러한 내용은 양생보
다는 의학에 가까워 보인다. 도인은 의학과 양생 모두에 걸쳐 있었다. 다
만, 장자의 평가에서 알 수 있듯이 일반적으로 치료보다는 수행으로 인식
되었을 뿐이다. 또 다른 특징으로 근·골격계 질환에만 적용되지도 않았다
는 점을 들 수 있다.

> 창병이 시작되면 반드시 복부가 창만해진다. 그러면 정신을 아랫배에 집
> 중하고 작게 숨을 내쉰다. 백 번하고 마친다.[19]

창병은 몸의 일부분 또는 전신이 붓는 병이다. 도인은 의료와 결합된
수행법으로서 비교적 다양한 질환을 치료하는 방법이었던 셈이다. 물론

---

18. 『引書』: 項痛不可以顧, 引之. 偃臥□目, 伸手足□□□□已, 令人從前擧其頭極之, 因徐直
之. 休, 復之, 十而已. 因□也, 力拘毋息, 須臾之頃, 汗出腠理, 極已.
19. 『引書』: 病脹之始也, 必前脹. 當脹之時, 屬意小腹, 而精吹之, 百而已.

수행과 의학의 경계를 정확히 나누는 것은 불가능하다. 치료가 의학의 목적이고 변화가 수행의 목적이므로 원칙적으로는 양자를 구분하는 것이 가능하지만, 변화는 치료를 함축하는 경우도 있고 치료도 마찬가지다. 의학과 수행은 임의적으로 그리고 대체적으로 구분할 수 있을 뿐이다. 수행과 의학은 신체관에서도 유사한 점이 있다.

도인은 말 그대로 기운을 유주시키는 수행법이다. 이런 기법은 흐르지 않고 정체된 기운이 병을 초래한다는 관념을 전제하고 있다. 심지어 현대인이 근·골격계나 신경계의 문제라고 볼 만한 것들도 기운의 정체 때문이라고 생각했다. 도인가가 현대의 물리치료사와 함께 누군가를 치료하고 있다고 가정해 보자. 외관상으로는 유사해 보일 수 있다. 그러나 그들의 생각은 다르다. 물리치료사는 근·골격계나 신경계 같은 육체로서의 몸을, 도인가는 기운이 흐르는 몸을 보고 있다. 도인가는 환자들의 호흡에 집중하면서 마음의 움직임에 유의하라고 말할 것이다. 육체를 보는 눈에는 생명이 보이지 않고, 생명을 보는 눈에는 육체가 들어오지 않는다. 동시에 보는 것은 불가능하다.

몸이라는 그릇에 담겨 있는 생명은 순환하지 않으면 부패한다. 도인의 신체는 정체되면 부패하는 몸이다. 부패하는 몸은 수행과 의학을 관통하는 원형적 신체관의 여러 측면 중 하나다.

2. 호흡하는 몸

호흡

현대인은 호흡을 수행법의 대표로 생각하는 경향이 있는 듯하다. 불교 수행을 대표하는 수식관數息觀 즉 호흡에 집중하는 수행의 영향 때문이기도 하지만, 동아시아 수행을 대표하는 내단도 호흡수행법에 포함되기 때문이다. 호흡수행의 가장 오래된 증거는 역시 『장자』에 보인다. 전체적으로 보면, 모두 세 곳에서 확인되는데 하나는 「각의」편에 있다. "취·구 소리를 내면서 호흡하여 옛 기운을 내쉬고 새로운 기운을 들이마시며 … 장수를 위한 것일 뿐이다. 이는 도인지사나 양형지인으로 팽조처럼 오래 살고자 하는 이들이 좋아하는 것이다."[20]

두 가지 유형의 호흡법이 보인다. 하나는 일정한 소리를 내며 호흡하는 것이고, 둘째는 옛 숨을 내쉬고 새 숨을 들이쉬는 호흡법이다. 전자의 호흡법은 '취' 같은 특정한 소리를 내며 호흡함으로써 질병을 치료하고 몸을 강화시키는 방식으로 현대인에게 어느 정도 알려져 있는 육자결六 字訣 같은 유형의 수행법이다. 환경이나 목적하는 내용에 따라 다른 소리를 내면서 호흡하는 것인데, 뒤의 옛 숨을 내쉬고 새 숨을 들이쉰다는 것과 관련지어 생각할 수도 있다. 그렇다면 앞의 구분은 무의미하다. 위 인용문의 호흡법은 소리를 내면서 내쉬거나 들이쉬는 방식의 호흡이다.

---

20. 『莊子』「刻意」: 吹呴呼吸, 吐故納新, 熊經鳥申, 爲壽而已矣., 此導引之士. 養形之人, 彭祖壽考者之所好也.

몸 즉 육체는 기를 담고 있는 그릇이라는 점을 생각해 보자. 이런 호흡법에 전제되어 있는 생각은 다음과 같을 것이다. '생명은 마치 그릇 속에 담긴 물이나 음식과 같아서 시간이 지나면 탁해지기 때문에 새로운 기운을 받아들여야 한다.' 이 생각에서 정체된 생명의 부패라는 암묵적 가정을 읽을 수 있다.

생명의 부패를 극복하기 위한 지극히 간단한 방법은 내용물의 교체다. 과잉이 부패를 초래한다고 생각했던 서양에서 사혈이 발달한 이유다. 동양에서는 과잉보다는 정체가 부패를 초래한다고 생각했다. 정체가 부패를 초래할 때 이것을 극복하는 방법은 우선 순환시키는 것이다. 외부와의 순환뿐만 아니라 내부에서의 순환도 도움이 된다. 따라서 동아시아의 호흡법은 기본적으로 도인과 연결될 소지가 적지 않다. 이런 호흡법의 목적은 특별한 체험, 변형된 의식에서 발생하는 체험이 아니다.[21] 그러므로 순수하게 수행적이기보다는 단순히 물리적 육체의 건강을 지향하는 듯하고, 이런 이유로 『장자』 「각의」편의 저자는 그들을 양형지인이라고 약간 낮춰 말했다.

호흡수행의 몸에 관해 좀 더 살펴보자.

기를 흡입할 때는 반드시 사지의 끝에 이르게 해야 합니다. (그러면) 정이 생겨서 빈 곳이 없습니다. 아래위가 모두 정미롭다면 한열(의 병)이 어떻게 생기겠습니까? 숨은 반드시 깊이 오랫동안 쉬어야 합니다. (왜냐하면) 새

---

21. 서양에서는 신과의 합일 또는 신의 말씀을 듣는 것이 체험의 주된 내용이고, 동아시아에서는 망아가 주된 내용이다.

로운 기는 (외사로부터 몸을) 잘 지키기 때문입니다. 묵은 기는 (사람을) 늙게 만들고 새로운 기는 장수하게 합니다. 기를 잘 다스리는 이는 묵은 기를 밤에 흩어지게 하고 새로운 기는 아침에 모아서 구규를 통하게 하고 육부를 채웁니다.[22]

몸은 단순히 기를 담고 있는 그릇 또는 내부에서 기가 흐르기만 하는 장소가 아니다. 육체는 기가 출입하는 그릇이다. 기는 생명이므로 정체되면 늙는다. 몸 안으로 들어온 기는 생명의 정수라고 할 수 있는 정精의 연원이다. 정 자체가 기가 쌓여서 이뤄진 것이므로 이런 소결은 자연스럽다. 그리고 앞서 보았듯이 침입하는 기는 사기를 방어해서 몸을 지킨다.

이런 관점은 무속과 병가의 사유에서 연원한 것으로 보이는데, 『황제내경』과 『회남자』에서 표준화된 설명을 확인할 수 있다. "진기가 따라 들어와 정신이 안에서 지키니 병이 어느 곳을 통해 들어오겠는가?"[23] "정신이 안에서 몸을 지킨다."[24] 기는 정체되면 부패하고 묵으면 늙는다. 그리고 기는 몸을 방어 즉 밖에서 침입하는 기운으로부터 보호한다.[25]

---

22. 『十問』: 吸氣之道, 必致之末, 精生而不缺, 上下皆精, 寒溫安生? 息必深而久, 新氣易守. 宿氣爲老, 新氣爲壽. 善治氣者, 使宿氣夜散, 新氣早最, 以徹九竅, 而實六府.

23. 『素問』「上古天眞論」: 眞氣從之, 精神內守, 病安從來.

24. 『淮南子』「精神訓」: 精神內守形骸.

25. 이런 생각은 기에도 나쁜 것이 있다는 가정에 토대하고 있다. "무릇 간사한 소리가 사람을 감촉하면 거스르는 기가 응하고 거스르는 기가 형상을 드러내면 어지러움이 생긴다. 바른 소리가 감촉하면 순기가 응하고 순기가 형태를 드러내면 다스려짐이 생겨난다(『荀子』「樂論」: 凡姦聲感人而逆氣應之, 逆氣成象而亂生焉. 正聲感人而順氣應之, 順氣成象而治生焉). 기 자체는 가치와 무관하겠지만, 개체의 생명을 목적으로 하는 의학에서는 가치적 평가와 떼어낼 수는 없다. 예를 들어 고통 받는 이의 슬픔에 공명하는 것뿐만 아니라, 광란의

그런데 『장자』에는 체험 자체를 목적으로 하는 호흡법도 있다. 하나는 「제물론」에, 다른 하나는 「대종사」에 보인다.

남곽자기는 책상에 걸터앉았다가 하늘을 향해 숨을 '허' 하고 내뱉었다. 그 모양이 마치 짝을 잃은 듯했다. 안성자유가 입시하고 있다가 말했다. "어째서입니까? 모양을 진정 고목처럼 만들 수 있고, 마음을 다 타버린 재처럼 만들 수 있습니까? 지금 책상에 앉아 계신 분은 어제의 그분이 아니십니다." 남곽자기가 말했다. "…오늘 나는 나를 잃었다. 너는 그것을 아느냐?"[26]

예문의 '허噓'는 호흡을 참다가 특별한 소리를 내면서 내뱉는 숨소리일 가능성이 있다. 허가 호기呼氣와 무관하다고 해도 별 문제가 없다. 인용문에 호흡술을 읽어 낼 근거가 여럿 있기 때문이다. '고목사회枯木死灰'도 그런 호흡법에 수반되는 신체의 변화다. 그렇다면 '오상아吾喪我'는 호흡법을 통해서 도달하는 주관적 체험일 것이다.

어떻게 나를 잃게 되는 걸까? 로젠버그Larry Rosenberg는 『호흡관법경』에 근거해서 불교의 수식관을 자세히 소개하고 있는 책에서 자신의 스승으

폭동에 휩쓸리는 것도 기를 통한 소통일진대, 후자는 방지되어야 하기 때문이다. 즉 모든 기의 떨림에 공명해서는 안 된다. 몸은 외부와 소통해야 하되 온갖 변화에도 불구하고 안정을 유지해야 한다. 기는 단순히 생명의 연원이라는 위치에서 더 나아가 몸을 호위하는 역할을 담당하는 것으로 간주되었다.

26. 『莊子』「齊物論」: 南郭子綦隱机而坐, 仰天而噓. 荅焉似喪其耦. 顔成子游立侍乎前曰, 何居乎. 形固可使如槁木, 而心固可使如死灰乎. 今之隱机者, 非昔之隱机者也. 子綦曰, … 今者吾喪我, 汝知之乎.

로부터 들은 말을 전한다. "의문의 여지없이 여러분은 숨을 쉬고 있다. 하지만 그 어느 곳에도 숨 쉬는 자는 존재하지 않는다는 사실을 아는가? 몸도 공이고, 숨도 공이며, 당신 역시 공이다."[27] 수식관은 호흡에 집중하는 극히 간단한 수행이다. 그러나 그 단순함으로 인해 굉장히 어렵기도 한데, 일정한 수준에 도달하면 그런 경지에 쉽게 도달하는 특성이 있다. 요지는 다음과 같다. '호흡에 집중하면 호흡이 자꾸 느려진다. 더욱 집중하면 더욱 느려지고 아무것도 없고 오직 호흡의 움직임만 체험하는 상태에 접어든다. 곧이어 호흡마저 사라진다.'

진인의 호흡은 일반인의 호흡과는 확연히 다르다. 가늘고 긴 미미한 숨이 오래오래 이어진다. 그러므로 장자는 「대종사」에서 이렇게 말했다.

> 옛날의 진인은 잠잘 때 꿈을 꾸지 않았고, 깨어 있을 때도 근심을 하지 않았다. 음식을 달게 먹지 않았으나 숨을 깊게 쉬었다. 진인은 발뒤꿈치로 숨을 쉬고, 평범한 사람들은 목구멍으로 숨을 쉰다.[28]

이런 호흡법은 후에 태식의 폐기 즉 숨을 쉬지 않는 단계로 발전했다. 나를 잃는다는 의미는 논리적으로는 명확하다. 나는 개체로서 존재한다. 개체로서 존재하지 않는다면 나는 없다. 그러므로 나를 잃는다는 것은 개체성을 소실했다는 뜻이다. 어떻게 소실하는가, 개체성을.

---

27. 래리 로젠버그, , 『일상에서의 호흡명상 숨』, 미산·권선아 옮김(서울: 한언, 2009), 15쪽.
28. 『莊子』「大宗師」: 古之眞人, 其寢不夢, 其覺無憂, 其食不甘, 其息深深. 眞人之息以踵, 衆人之息以喉.

기를 타고 유영함으로써 나를 잃는다. 기는 나를 세계와 이어 주는 모종의 매개물이다. 육체는 기본적으로 기를 담고 있는 그릇이다. 동양의 몸은 그릇 즉 껍데기로서의 형체와 형체 속에 들어 있는 기다. 내게 고립되어 있던 기를 터놓아 세상의 기와 교감하게 하면 '나'라는 개체성을 넘어설 수 있다. 음악을 들을 때 느껴지는 떨림을 생각하면 이것이 무엇을 말하는지 알 수 있을 것이다. 질적으로 다르기는 하지만 음악을 통해서도 망아에 빠질 수 있다. 물론 극히 흥분된 상태라는 점에서 안정된 상태에서 체험하는 수식관의 망아와는 다르지만, 이런 호흡법에서 나의 몸은 마치 악기와 같다. 잔잔한 봄의 소생하는 힘에 교감하고, 여름의 수려한 생명에 감복하며, 가을의 숙강하는 힘에 엄숙해지는 호흡수행자의 몸은 악기와 같다. 그러므로 장자는 호흡을 말하면서 '사람 피리'라는 표현을 사용했다.[29]

모종의 신비 체험을 가능하게 하는 호흡법이 외기의 흡입으로서의 호흡법과 다른 것이라고 판단할 근거는 없다. 오히려 두 가지 목적은 상호 수반적 관계였을 수도 있다. 이 점은 내단호흡법을 통해서도 망아의 체험에 들 수 있다는 점을 생각해 보면 비교적 분명히 알 수 있다. 어쨌든 초기의 호흡법은 신선한 또는 성스러운 외기의 흡입을 목적했다. 이것을 기운을 먹는다는 점에 착안해서 복기服氣라고 해 보자. 복기호흡법은 태식호흡법으로 발전했다. 보다 정확히 말하면, 태식호흡법이 나타났다고 해야 할 것이다. 복기호흡법은 이후에도 사라지지 않은 채로 지속되었기 때문이다.

---

29. 『莊子』 「齊物論」: 人籟.

태식

『포박자』「석체」편에서는 행기의 효과를 말한 후 그 큰 요체는 태식이라고 말한다.

그 큰 요체는 태식일 뿐이다. 태식법을 체득한 이가 마치 태아처럼 호흡하고, 코와 입으로 숨 쉬지 않으면 도가 이뤄진다. 처음에 행기를 익힐 때는 코로 흡기하고 숨을 멈춘다. 속으로 스물까지 센 후 조금씩 숨을 뱉어낸다. 숨을 들이쉴 때는 절대로 그 숨이 출입하는 소리가 들리지 않게 해야 한다. 늘 많이 들이쉬고 적게 내쉬며, 깃털을 붙여서 숨을 내쉴 때 털이 움직이지 않는 것을 징후로 삼는다. 점차 그 수를 늘려서 오래되어 천에 이르게 한다. 천까지 셀 수 있으면 노인은 다시 젊어진다. 하루하루 젊어진다. 무릇 행기는 마땅히 생기의 시간에 행해야 하고, 사기의 때에 행해서는 안 된다. 선인이 육기를 복식했다는 것은 이것을 말하는 것이다. 하루는 열두시로 나뉘니, 반야에서 일중까지의 육시가 생기의 때이고 일중에서 야반까지의 육시가 사기의 때다. 사기의 때에는 행기해도 무익하다.[30]

육기는 시간에 따라 명명된 기의 이름이다. 이황의 『활인심방活人心方』

---

30. 『抱朴子』, 「釋滯」: 其大要者, 胎息而已. 得胎息者, 能不以鼻口噓吸, 如在胞胎之中, 則道成矣. 初學行氣, 鼻中引氣而閉之, 陰以心數至一百二十, 乃以口微吐之. 及引之, 皆不欲令己耳聞其氣出入之聲. 常令入多出少, 以鴻毛著鼻口之上, 吐氣而鴻毛不動爲候也. 漸習轉增其數, 久久可以至千, 至千則老者更少, 日還一日矣. 夫行氣當以生氣之時, 勿以死氣之時也. 故曰仙人服六氣, 此之謂也. 一日一夜有十二時, 其從半夜以至日中六時爲生氣, 從日中至夜半六時爲死氣. 死氣之時, 行氣無益也.

에도 나오는 육자결의 원형이라고 할 수 있다. 육기호흡은 시간에 따라 숨을 쉬는 것이 원칙이다. 신선한 기운의 흡입을 목표로 했던 초기의 호흡법 즉 복기호흡법이 좀 더 복잡해진 것으로 본질적으로는 차이가 없다. 인용문에서는 태식이 이런 육기호흡과 다를 바 없다고 말하지만 그렇지 않다. 육기호흡은 생기 즉 신선한 기운을 흡입하는 복기服氣. 이에 반해 태식은 호흡을 막는 폐기閉氣에 방점이 있다. 그런데도 육기호흡과 같다고 한 것은 호흡법의 계승에 대한 인식 때문이었을까? 태식가들도 초기에는 외기 흡입이라는 관념에서 벗어나지 못했을 수 있다.

태식이라는 것은 무엇일까? 태식법은 말 그대로 태아가 숨 쉬듯이 하는 호흡법이다. 다만 직접적 목적은 단순히 들숨과 날숨에 집중함으로써 망아의 상태에 빠지는 것이 아니다. 그런데 이미 말했듯이 본래의 태식법은 기본적으로 외기外氣에 관한 것으로, 결국 엄밀한 의미에서 기를 흡입하는 방법이라고 할 수 있다. 즉 복기에 해당한다고 해도 문제가 없다.[31] 외기의 흡입술인 태식법은 마찬가지로 기를 생명 활동의 근원으로 보는 사고방식에 근거한다.[32] 기의 흡입이 중심이기 때문에 생기를 흡입해야 하고 사기를 흡입해서는 안 된다는 논리가 따라 나온다. 복기법과 마찬가지다. 배후에는, 앞서 말했듯이 정체된 생명은 부패한다는 관념이 있다. 이것도 초기의 호흡법과 동일하다. 다만, 호흡을 길게 가져가는 것이 요체라는 것이 특이하고, 호흡을 길게 가져가므로 망아 체험이 있었을 것이며, 체험이 비교적 중시된 호흡법이었을 것이라고 추정할 수 있다.

---

31. 앙리 마스페로, 『불사의 추구』, 표정훈 옮김(서울: 동방미디어, 2000), 49쪽.
32. 窪德忠·西順藏 외, 『중국종교사』, 조성을 옮김(서울: 한울아카데미, 1996), 78쪽.

호흡 사이의 시간을 늘리면 심박수가 줄고 시간은 천천히 흐르며 몸은 민감해진다. 요체는 느린 호흡이다. 단순히 생기의 호흡 즉 복기에 집중했던 수행자들도 체험을 통해 이 점을 알게 되었을 것이다. 그렇지 않다면 『장자』에 나오는 발뒤꿈치로 숨을 쉰다는 말을 설명하기 어렵다. 이 말은 『장자』 내편의 「대종사」편에 나오기 때문에 불교의 영향 때문이었다고 말하기도 어렵다.[33] 불교는 아무리 빨라도 전한대에 이르러서야 실질적 영향을 준 것으로 보인다. 물론 『장자』라는 문헌은 너무나 싯다르타의 가르침과 유사해서 둘 사이에 무슨 관련이 있었던 것이 아닌가 하는 의심이 들기는 한다. 장자와 싯다르타는 동일인처럼 생각될 때가 있고, 중국 불교사는 도가철학사처럼 보인다. 지나친가?

어쨌든 깊은 호흡은 느린 호흡을 의미한다. 요컨대 깊은 호흡을 중시한다면 흡기 후 점차 체내에 기운이 머무는 시간을 늘리는 것이 중요하다. 따라서 행기는 새벽공기와 같은 살아 있는 기운의 흡입에서 긴 호흡으로 변해 갔다. 긴 호흡의 저 끝에서 거의 숨을 쉬지 않는 듯이 느껴질 때가 있었을 것이다. 그것을 두고 태아처럼 호흡한다고 생각한 것이다. 그런데 어떤 수행법이든 수행자 자신의 변화가 목적이다. 긴 호흡의 끝에 도달하는 것도 자신의 변화이지 않을 수 없는데, 후에 이렇게 변화한 자아를 성태聖胎라고 불렀다. 태식에서 연유한 표현일 것이다.

태식수행자는 천천히 숨을 뱉어 내야 하고, 숨을 뱉어 낼 때는 코끝에 붙여 놓은 거위의 털이 움직이지 않아야 하며, 최후에는 태식의 경지 즉

---

33. 『장자』는 내편·외편·잡편으로 되어 있다. 이 중 내편만 장자의 저술이라고 받아들여진다. 그렇다면 내편은 전국 중·후기에 저술되었다고 볼 수 있다.

〈도태도道胎圖〉

코와 입으로 호흡하지 않아 마치 어머니의 태 안에 있는 아이처럼 호흡해
야 한다. 그렇다면 태식은 행기를 통해 도달하는 일정한 경지라고 할 수
도 있을 것이다. 결국 생기를 먹는다는 의미의 복기와 흡입한 생기가 어느
방향으로 움직이게 한다는 행기는 모두 태식에 도달하기 위한 과정상의
호흡법이라고 할 수도 있다.

태식은 당대까지 유행했다. 그러나 내단의 성립 이후 자취를 감췄다. 이
것은 어떤 뜻인가? 내단이 호흡수행법의 전개 과정에서 최종지였다는 것
을 의미한다고 볼 수 있을 것이다. 호흡수행법의 역사는 종횡으로 어지러
워서 간단히 정리할 수 없다. 그러나 '복기-태식-내단'으로 표현할 수 있
을 것이다.

내단 이전의 태식은 내용과 시기를 기준으로 둘로 나눌 수 있다. 최초
의 태식은 여전히 바깥 기운인 외기의 흡입을 목적하는 수행법이었다. 그

러나 당 이후에는 흡입해야 하는 기가 내기內氣로 바뀌었다. 종종 외기 중에는 사기邪氣가 있다는 생각 때문이었다고 말해진다. 사실 수행가들에게는 사기를 어떻게 처리할지가 특히 큰 숙제였다. 의학에서는 그것을 부정적인 것으로 보았으므로 몸을 방어하면 된다는 논리를 곧 창안해 낼 수 있었다. 그러나 수행자들에게는 그렇게 간단하지 않다. 수행은 자신을 변화시키는 것인데 이 변화는 궁극적으로 개체성의 극복을 목적으로 한다. 그런데 개체성을 극복하기 위해서는 육체에도 담겨 있는 기에 공명할 수 있어야 하기 때문이다. 기에 공명해야 한다는 지침과 외기의 침입으로부터 몸을 방어한다는 생각은 양립하기 어렵다. 도홍경陶弘景의『복기경服氣經』에는 당 이전 태식법의 전형이 보인다.

복기경에서는 말한다. 도라는 것은 기다. 기를 보존하면 득도할 수 있고 득도하면 장수할 수 있다. 신이라는 것은 정이다. 정을 보존하면 신이 밝아지고 신이 밝아지면 장생할 수 있다. 정이라는 것은 혈맥의 개천이요, 뼈를 지키는 영험한 신이다. 정이 없어지면 뼈가 마르고 뼈가 마르면 죽게 된다. 이런 까닭으로 도는 그 정을 보배처럼 보존하려 한다. 한밤에서 정오까지를 생기라 하고 정오에서 자정까지를 사기라고 한다. 마땅히 생기 시에는 똑바로 누워 눈을 감고 악고握固해야 한다. 악고라는 것은 갓난아이가 손을 말듯이 네 손가락으로 엄지를 누르는 것이다. 폐기하여 숨을 쉬지 않은 채 마음속으로 이백까지 세고 나서 입으로 기를 내보낸다. 매일 숨을 늘려 나가면 몸과 신이 갖추어지고 오장이 편안해진다. 이백오십을 셀 때까지 폐기할 수 있으면 눈썹이 밝아지고 눈썹이 밝아지

면 이목이 총명해져서 온몸에 병이 없어지고 사기가 사람을 방애하지 못
한다.[34]

『복기경』의 행기법은 『포박자』 「석체」편의 설법과 유사하다. 포박자 갈
홍도 『복기경』 등의 설을 채록했을 것이다. 어쩌면 반대일 수도 있지만, 가
능성이 높지는 않아 보인다. 어쨌든 『복기경』의 행기법은 다음과 같이 요
약할 수 있다. ① 똑바로 누워 눈을 감고 손을 꽉 쥔 채 코로 들이쉬고 입
으로 내쉰다. ② 숨을 들이마신 후에는 폐기하고 조금씩 안으로 끌어들이
되 마음속으로 200까지 센다. ③ 흡기와 토기는 모두 소리가 들리지 않을
정도로 미세하게 해야 하며, 숨이 나가는 모양을 볼 수 없어야 한다.

당대唐代의 태식수행자들은 일반적 복기법은 천지일월의 정기를 복식
하는 것을 위주로 하는 곧 오아五芽·울의鬱儀·결린結璘·분신奔辰의 수행법
인데, 태식은 폐기하여 호흡을 하지 않으니 자신의 몸 안에 있는 원기元氣
를 호흡하는 것이고 천지 사이에 있는 기는 아니라고 여겼다. 이 때문에
당대의 태식가들은 기를 내기와 외기의 둘로 구분했다.

당 현종 때의 『유진선생봉내원기결幼眞先生服內元氣訣』에서는 복기법을
내기복식법과 외기복식법의 둘로 나눠 일월의 정기 즉 울의, 결린과 오천
의 정기 즉 오아를 복식하는 것은 외기를 복식하는 것이며 태식은 내기를

34.『正統道藏』洞神部 方法類『服氣經』: 道者, 氣也. 保氣則得道, 得道則長存. 神者, 精也.
保精則神明, 神明則長生. 精者, 血脈之川流, 守骨之靈神也. 精去則骨枯, 骨枯則死矣.
是以為道務寶其精. 從夜半至日中為生氣, 從日中後至夜半為死氣. 當以生氣時正偃臥,
瞑目握固握固者, 如嬰兒之捲手, 以四指押大母指也. 閉氣不息, 於心中數至二百, 乃口
吐氣出之. 日增息, 如此身神具, 五臟安. 能閉氣至二百五十息, 華蓋明. 華蓋明, 則耳目
聰明, 舉身無病, 邪不忓人也.

복식하는 것이라고 했다.[35] 외기는 강경하니 민간의 선비들이 복용할 만한 것이 아니다. 내기에 이르러서는 태식이라고 하는데, 내기는 본래 몸에 있는 것으로 밖에서 얻는 것이 아니다. 『태청조기경太淸調氣經』에서도 태아가 어머니의 배 속에 있을 때는 먹지 않고도 자라니, 이는 원기를 복식했기 때문이라고 여겼다.

복기의 수행은 곧 태식이다. 태식이라는 것은 어머니의 배 속에 있을 때의 호흡과 같다. 태아는 열 달간 먹지 않고도 자랄 수 있다. 뼈는 가늘고 근력은 부드럽지만 악고하고 일을 지킬 수 있는 것은 사려하지 않기 때문이고, 원기를 머금고 있기 때문이다. 문득 어머니의 배 속에서 나오면 외기를 흡입하여 울부짖는 소리를 내고 마르고 습한 것 배고픔과 배부름을 아는 것은 원기를 잃었기 때문이다. 이제 코로 끌어서 삼키는 것은 외기로서 복식을 감내하지 못한다.[36]

『태식정미론胎息精微論』에서도 다음과 같이 말했다.

오늘날의 도를 닦는 이들은 오아五牙, 팔방八方, 사시四時, 일월성신日月

---

35. 『正統道藏』洞神部 方法類 『幼眞先生服內元炁訣』: 其二景, 五牙, 六戊及諸服炁法, 皆爲外炁. 外炁剛勁, 非俗中之士所宜服也. 至如內炁, 是曰胎息, 身中自有, 非假外求, 不遇眞人, 不得口訣, 徒為勞苦, 終久無成.

36. 『正統道藏』洞神部 方法類 『太淸調氣經』: 服氣之道, 本名胎息. 胎息者, 如嬰兒在母腹中, 十個月不食而能長養, 成就骨細筋柔握固守一者, 為無思慮故, 含元氣之故, 忽出母腹即吸納外氣, 有啼叫之聲, 知乾濕飢飽者, 即失元氣也. 今鼻引而咽者, 外也, 不堪服之.

星辰 등의 기운을 복식하지만 잘못되었다.[37]

당대의 태식수행자들이 기존의 복기법을 버리고 점차 밖에서 안으로 움직이고 있었음을 알 수 있다. 외기는 지나치게 강성하고 잡스러운 사기를 품고 있으므로 태식수행자들은 내기를 흡입해야 한다는 것과 외기가 몸으로 들어오는 것을 방지해야 한다는 점을 강조했다. 그러나 처음에는 복기하지 않을 수 없는데, 그 경우에도 복기할 때의 기운이 코와 입 사이에 있어야 하고 목구멍으로 들어오게 해서는 안 된다. 예컨대 『연릉선생집신구복기경延陵先生集新舊服氣經』의 태식잡결胎息雜訣에서는 말한다.

어떤 경에서는 천천히 기를 끌어서 호흡하면 원기도 나가지 않아 자연히 내외의 기운이 섞이지 않으니 이것을 태식이라 한다고 말한다. 그러나 처음에 태식을 행하는 이는 폐기하여 내기를 안정시킨 후에 또한 코 속으로 은미하게 기가 흐르지만 목에는 이르지 않게 한다. 그러나 기간 순환하면 곧 그득해져서 위로 치밀어 올라 누를 수 없다. 이러면 천천히 내보내서 통하게 하고 기를 안정시켜서 다시 닫는다. 결코 천천히 코 속으로 출입하게 해야 하며 목에 닫지 않게 해야 하고 힘써 눌러서 참아야 한다. 잠깐 동안 그렇게 하면 문득 저절로 조절되어 펴져서 안팎이 편안해진다.[38]

---

37. 『正統道藏』 洞眞部 本文類 『胎息精微論』: 今之修道者, 或服五牙八方四時日月星辰等炁, 并误.

38. 『正統道藏』 洞神部 方法類 『延陵先生集新舊服氣經』: 一經云: 但徐徐引氣出納, 則元氣亦不出也. 自然内外之氣不雜, 此名胎息. 然初用功之人, 閉固内氣訖, 亦鼻中微微通氣

다음 글의 의미도 유사하다. 복기가 수반된다.

매일 언제나 누워서 마음을 안정시켜 생각을 끊어내고 폐기하고 악고한
다. 코로 들이쉬고 입으로 내뱉되 소리가 들리지 않을 정도로 미세하게
숨을 쉰다. 다 들이쉬면 폐기한다. 폐기는 발바닥에 땀이 날 정도로 해야
한다. 숫자를 헤아려 백 이상 되어 더 이상 참을 수 없으면 미미하게 내뱉
는다. 적은 기운을 끌어들이고 다시 닫는다. (기후가) 뜨거울 때는 가 소리
를 내며 내쉬고, 추울 때는 취 하며 내쉰다. 천까지 헤아릴 수 있으면 곡
식이 필요치 않으며 약도 필요하지 않다. 때때로 한 잔의 술을 마셔 소변
을 보아 통하게 할 뿐이다. 오천 번에 이르면 수처출입에 있어 공이 있음
을 마땅히 스스로 알 수 있으니 물에 들어가서 누워 있을 수 있다.[39]

기를 흡입하면서 시작하지만 이후 폐기하여 최대한 참는 것이 내기를
호흡하는 태식이다. 다른 수행법들이 그렇듯 태식도 태식만 행해지지는
않았다. 『태식법胎息法』에서는 말한다.

노군이 말했다. 사람이 죽지 않는 것은 태식에 있다. 자정으로부터 정오

往來, 使令不到咽喉, 而返氣即逆滿上衝, 不可抑塞, 如此即徐徐放令通暢, 候氣調, 即復
閉之, 切在徐徐鼻中出入, 勿令至喉, 極力抑忍. 為之須臾, 忽然自調暢, 內外泰矣.

39. 『正統道藏』洞神部 方法類『嵩山太无先生氣經』: 修真服氣訣: 每日常臥, 攝心絶想, 閉
氣握固, 鼻引口吐, 無令耳聞, 唯是細微, 滿即閉, 閉使足心汗出, 一至二數至百已上, 閉
極微吐之, 引少氣還閉, 熱即呵之, 冷即吹之, 能至千數, 即不須糧食, 亦不須藥, 時飮一
盞酒作水通暢耳. 數至五千, 則隨處出入, 有功當自知也, 則有入水臥功矣.

전에 스스로 다리를 벌리고 손으로 다리를 잡고 기침을 하고 2~3회 길게 숨을 내쉰 후 곧 앉아서 악고하고 배꼽 아래에 마음을 모으고 2~3촌 되게 그림자를 만들고 코로 길게 들이쉰다. 숨이 입으로 들어오면 곧 폐기한다. 폐기가 안정되면 더 이상 삼키지 않고 내쉬지도 않는다. 곧 배꼽 아래에서 기운을 합쳐 작은 점을 만들되 쌀알 크기보다 작게 한다. 아래에서 말하는 수만큼 만들면 다시 앞에서와 같이 들이쉰다. 처음에는 수를 헤아려서 20~30개의 점을 만들 수 있고 점차 백까지 세고 이백 회에 이른 후에 오백 회까지 센다. 만약 수를 헤아려 천 개의 점을 만들 수 있으면, 이것이 작은 태식장생각노胎息長生卻老의 방술이다.[40]

앞에서 말한 태식설은 폐기하여 조용히 수를 헤아리는 것 외에 또 마음으로 상상하는 수행법인 존사수행법을 더하고 있다. 『포박자』나 『복기경』의 호흡과는 다르다. 그러나 요체는 같다. 흡기, 행기, 태식이 요체다.

태식수행은 호흡법의 일종이다. 그러나 호흡법에서 전제하고 있던 신체관 즉 정체된 생명이 부패하는 신체관은 사라졌다. 후기 태식수행에서는 오히려 새로운 기의 흡입을 부정적으로 평가했다. 태식수행자들은 단순히 몸을 방어한다는 논리를 내세울 수는 없었다. 앞에서 말했듯이 공명을 방해할 수도 있기 때문이다. 그렇다고 무작정 기운을 받아들여야 한다

---

40. 『正統道藏』太玄部『雲笈七籤』卷三十五『雜修攝』: 老君曰, 人之不死, 在於胎息矣. 夜半時, 日中前, 自舒展腳, 手拗腳, 咳嗽, 長出氣三兩度, 即坐握固, 攝心臍下, 作影人, 長三二寸, 以鼻長吸引, 來入口中, 即閉, 閉定勿咽之, 亦勿令出口. 即於臍下合氣作小點子, 下之米大. 如下數已盡, 卻還吸引如前. 初可數得三十, 二十點子, 漸可數百及二百, 後五百, 若能至數放千點子, 此小胎息長生卻老之術.

고 주장하지도 못했다. 그들은 폐기하여 외기를 받아들이지 않는다고 해도 몸 안에 공명할 수 있는 기운이 있다고 주장했다. 그 기운은 우주의 근원과 통해 있다는 의미에서 원기라고 불렸다. 의학에서는 선천의 정이라고 말했다. 후대의 태식수행자에게 몸은 우주의 원기를 분담하고 있는 그릇이었다. 몸 안의 생명을 통해 우주의 힘을 얻을 수 있다!

그런데 왜 당대에 이르러서야 외기의 흡입이 바르지 않다는 생각을 하게 되었을까? 이 갑작스러운 전환을 어떻게 설명해야 할까? 앞에서 소개한 사기邪氣의 인식 때문이라는 설명은 이어지는 질문을 촉발시킨다. 이때서야 갑자기 사기의 존재를 무겁게 받아들인 이유는 무엇일까? 이런 관념에 익숙한 『상한론』이 저술된 시기는 후한대이고 『황제내경』에도 사기를 알고 있지 않았던가? 사기 때문이라는 설명은 당시의 상황과 어울리지 않는다. 당대에 일어난 변화라는 점에 단서가 있지 않을까?

주지하듯이 내단은 수·당 교체기에 성립해서 송대 이후 본격적으로 유행했다. 외단에서 내단으로의 변화는 태식호흡에서 일어난 '외기호흡에서 내기호흡'으로의 변화와 부합한다. 수행자들은 돌연 단을 체내에서 만들 수 있다고 생각하기에 이르렀다. 이것이 내단수행의 등장 배경이다. 외단은 외부의 기운이다. 외단의 폐해가 태식수행에도 영향을 미쳤을 것이라는 것이 내 생각이다. 이 변화는 속된 몸, 결여된 몸의 변화를 상징한다. 외단이나 외기는 몸의 부족을 전제한다. 그렇지 않다면 밖에서 성스러운 기운을 들여올 필요가 없다. 생각의 전환이 일어났다. 몸은 본래부터 성스러운 기운을 품고 있는 것으로 간주되었다. 이 생각도 사실 뒤에 다룰 존사수행 때부터 있던 것이다. 그러나 외기의 흡입을 부정할 정도로 강한 이념은 아니었다.

앞서 암시했듯이 도인과 호흡은 사실 조상이 같다. 행기라는 제명으로 함께 묶어도 무방하다. 사실 현대 한국인의 생각과 달리 수행가에 따라서는 내단을 행하면서 종종 동공動功을 수반한다. 방중은 특이하다. 어떻게 성교의 기법이 수행의 방법일 수 있을까?

3. 방중의 몸

문헌과 분류

『한서漢書』「예문지藝文志」는 도서 목록집으로 유향劉向·유흠劉歆 부자에 의해 기록된 『칠략七略』이 원 자료다. 원 자료라고 하지만 『칠략』과 『한서』 「예문지」는 거의 차이가 없고, 당시까지의 방대한 도서 목록을 기록하고 있다. 우리에게는 고대 중국 지성의 양상을 알려 주는 지도나 다름없다. 그 도서 목록 중에 방중서 목록이 포함되어 있다. 『용성음도容成陰道』 26 권, 『무성자음도務成子陰道』 36권, 『요순음도堯舜陰道』 23권, 『탕반경음도湯盤庚陰道』 20권, 『천노잡자음도天老雜子陰道』 25권, 『천일음도天一陰道』 24권, 『황제삼왕양양방黃帝三王養陽方』 20권, 『삼가내방유자방三家內房有子方』 17권. 그러나 이 문헌들은 현존하지 않는다.

방중의 존재를 알려 주는 확실한 물증은 발굴 문헌이다. 넓게 잡으면 마왕두이 발굴 문헌 중 방중 관련 문헌은 7종이나 된다. 『양생방養生方』, 『태산서胎產書』, 『잡료방雜療方』, 『합음양合陰陽』, 『십문十問』, 『잡금방雜禁方』, 『천하지도담天下至道談』.[41]

마왕두이 발굴 문헌을 제하고는 선진 시기부터 한대에 이르는 시기에 저술된 현존 문헌 중 방중 문헌 또는 방중술에 관해 특기할 만한 내용은

---

41. 마왕두이 발굴 문헌의 원문과 번역 및 문헌별 해제는 다음의 자료를 참조. 馬繼興, 『馬王堆古醫書考釋』(湖南: 湖南科學出版社, 1992); 周一謀, 『馬王堆醫書考注』(天津: 天津科學技術出版社, 1988); Donald Harper, *Early Chinese Medical Literature*(London: Kegan Paul International, 1998).

없다. 위·진 시기의 인물인 갈홍에 이르러서야 방중이 우리의 눈에 다시 들어온다. 『포박자』의 저자인 갈홍은 당시의 양생술과 관련 문헌을 체계적으로 소개했다. "방중의 수행법은 십여 학파가 있다. … 현소, 자도, 용성공, 팽조 같은 것들은 그 대략을 싣고 있으나 그중 지극한 요체를 지면에 싣고 있지는 않다."[42] 현소 등을 말하고 있는데 갈홍의 도서 목록집이라고 할 수 있는 『포박자』「하람」편에서 구체적인 서명을 확인할 수 있다. 『현녀경玄女經』, 『소녀경素女經』, 『팽조경彭祖經』, 『진사경陳赦經』, 『자도경子都經』, 『장허경張虛經』, 『천문자경天門子經』, 『용성경容成經』 등.

갈홍은 방중을 손상을 보완하는 것, 질병을 치료하는 것, 음기를 취해서 양기를 증익하는 것 그리고 수명을 늘리는 것의 넷으로 구분했다.[43] 목적에 따른 구분에 불과할 뿐, 엄격한 분류라고 하기는 어렵다. 모두 수행 관련 문헌이라는 점에는 차이가 없다. 어쨌든 갈홍의 설명에 따르면 방중 문헌은 치료를 목적으로 하는 것도 있으므로 의학에도 걸쳐 있었음을 알 수 있다. 손사막의 처방집인 『비급천금요방』에는 방중술을 다루고 있는 「방중보익房中補益」이라는 글이 있다. 방중은 전문적인 의학 분과로 받아들여지는 경향이 있었던 듯하다. 의학 분과로 분류한 이상 더 세분할 수도 있을 것이다. 현대적 관점에서 보면 발기부전이나 여성 질환 등을 들수 있다.

산부인과 관련 문헌인 마왕두이 발굴 문헌 『태산서胎産書』는 방중의 전

---

42. 『抱朴子』「釋滯」: 房中之法十余家.…玄素·子都·容成公·彭祖之屬, 蓋載其粗事, 終不以至要者著於紙上者也.

43. 『抱朴子』「釋滯」: 房中之法十余家, 或以補救傷損, 或以攻治衆病, 或以采陰益陽, 或以增年延壽. 其大要在於還精補腦之一事耳.

문 분과라고 할 수 있겠지만, 방중서를 대표하는 『소녀경』에서도 의학적 특징을 확인할 수 있다. 방중술을 통해 질병을 치료할 수 있다는 글은 남녀를 불문하고 자주 보인다.

> 방중의 요체는 성교를 많이 하면서도 사정하지 않는 것에 있다. 사정하지 않으면 몸이 가벼워지고 온갖 병이 사라진다.[44]

> 교접의 도리에는 진정 특정한 형상이 있다. 그런 방식을 따르면 남자는 쇠하지 않고 여자는 온갖 병이 없어진다.[45]

보다 의학적 특성이 강하게 보이는 것은 처방이다. 현행본 『소녀경』 뒷부분에는 처방이 실려 있다. 주된 내용은 순록의 뿔과 생부자를 섞어서 복용하는 것과 룽시隴西 지방에서 나는 복령을 가루 내 먹는 것이다. 물론 목적은 기력 보충이다.[46]

넓게 보면 방중술은 갈홍이 분류한 것처럼 도인·벽곡 등과 함께 수행에 속하지만, 방중 문헌 전체를 좁은 의미의 수행에 포함시키기는 어렵다. 그런데 방중서 중에는 수행이나 의학 어디에도 포함시키기 어려운 것도 있다. '황서黃書'가 대표적이다. 국내에는 잘 알려져 있지 않지만 황서는

---

44. 『素女經』: 法之要者, 在於多御少女而莫數瀉精, 使人身輕, 百病消除也.
45. 『素女經』: 交接之道, 故有形狀, 男女不衰, 女除百病.
46. 『素女經』: 其法: 取麋角, 刮之爲末十兩, 輒用八角, 生附子一枚, 合之服方寸匕, 日三, 大良. 亦可熬麋角令微黃, 單服之, 亦令人不老. 然遲緩不及用附子者, 服之廿日, 大覺. 亦可用隴西頭伏苓分等捧篩, 服方寸匕, 日三, 令人長生, 房內不衰.

육조 시기에 유행했던 방중술을 대표한다. 논자가 파악하기로는 『정통도장正統道藏』에는 모두 네 종의 황서가 있다. 이 네 종의 황서는 천사도天師道 계통의 문헌과 상청파 계통의 문헌으로 양분할 수 있다. 『동진태미황서구천팔록진문洞眞太微黃書九天八籙眞文』과 『동진태미황서천제군석경금양소경洞眞太微黃書天帝君石景金陽素經』은 상청파 문헌이다.[47] 이들 문헌은 부적을 먹고 귀신을 부리는 등의 주술적 내용을 다루고 있다.[48] 방중과는 직접적 관련이 없다. 방중 관련 내용이 전무한 것으로 보이지는 않지만, 피상적이라서 방중서라고 규정하는 것이 어떤 의미가 있는지 모르겠다.

『동진황서洞眞黃書』와 『상청황서과도의上淸黃書過度儀』는 비교적 분명하게 방중을 다루고 있다.[49] 그런데 두 책에서 소개하는 것은 엄격한 의례적 방중이다. 일반적으로 생각하는 방중과는 거리가 있다. 예를 들어, 『정통도장』 정일부正一部에 실려 있는 『상청황서과도의』에서는 복잡한 절차를 따르는 존사 즉 신을 상상하는 수행법을 따르면서 성행위를 하는데 그 과정도 엄격하고 복잡하다. "남녀는 각각 좌우에 위치한다. 두 손을 껴서 잡

---

47. 왕카王卡의 조사에 따르면 육조부터 수·당 시대에 유행했던 황서는 크게 '黃書契令'과 '太微黃書'로 나눌 수 있는데, 전자는 천사도 계통에 속하고 후자는 상청파 계통에 속한다. 이름에서도 알 수 있듯이 『洞眞太微黃書九天八籙眞文』과 『洞眞太微黃書天帝君石景金陽素經』은 태미황서에 속한다. 王卡, 「黃書考源」, 《世界宗敎硏究》 2, 1997, 65쪽.

48. 예를 들어 다음의 글에서 확인할 수 있다. 『正統道藏』 洞眞部 方法類 『洞眞太微黃書九天八籙眞文』: 黃帝得此文, 霸天下, 攝萬兵, 役鬼神, 自然神明聖智(황제가 이 글을 얻으면 천하의 패권을 쥐고 모든 군사를 거느리며 귀신을 부릴 수 있다). 『正統道藏』 洞眞部 神符類 『洞眞太微黃書天帝君石景金陽素經』: 右太帝招魂符, 以雞鳴時北向燒香呑之, 以攝魂神者也. 服符畢, 微祝(오른쪽의 태제초혼부적은 닭이 울 때 북향하고 향을 살라서 먹으면 혼신을 제어할 수 있는 것이다. 부적을 다 먹으면 조용하게 주문을 왼다).

49. 왕카는 이 두 종의 황서가 본래 존재하던 천사도의 황서 여덟 권 중 일부라고 보고 있다. 王卡, 「黃書考源」, 65쪽.

는다. … 코로 천천히 생기를 받아들인다. 머리를 숙여서 생기를 삼킨다. 모두 누워서 눈을 감고 입으로 천천히 사기 즉 묵은 기를 뱉어 낸다. 세 번 눕고 세 번 앉으면 그친다."[50] 목적도 단순한 장생에 그치지 않고, 재액을 면하게 하는 데까지 이른다.[51] 『상청황서과도의』의 방중은 일부 수행방중에 걸쳐 있기는 하지만 그 핵심은 주술적이고 의례적 즉 종교적이다.

요컨대 방중은 크게 수행방중·의학방중·종교방중의 셋으로 나눌 수 있다. 네 종의 황서 중 천사도 계통의 문헌으로 알려져 있는 두 종은 종교방중 문헌이라 할 수 있고, 『태산서』 외 여러 수행서에 산재해 있는 내용 중 어떤 것들은 의학방중에 속한다. 국내에 익히 알려져 있는 『소녀경』은 일부 의학방중의 내용도 담고 있으나 주된 부분은 수행방중에 속한다.

앞서 확인했듯이 『소녀경』은 『포박자』에도 보이므로 육조 시기부터 존재했음을 알 수 있다. 청대 경학가인 손성연孫星衍의 해석에 따르면 『소녀경』은 앞서 보았던 『한서』 「예문지」에 실려 있는 『황제삼왕양양기』 20편 중 한 편이었다고 한다.[52] 마왕두이에서 발굴된 방중 문헌의 내용은 『소녀경』과 흡사하므로 이 해석은 가능성이 있다. 어쨌든 『소녀경』에서 다루고 있는 내용이 일찍부터 존재했음은 분명하고, 대표성을 인정할 만하다.

방중의 이념

동아시아 수행의 역사를 통관通觀해 보자. 단순히 불변의 신성한 생명

---

50. 『上淸黃書過度儀』: 男左女右, 兩手相叉, 俱向王伸兩腳坐頭, 以鼻微微納生氣低頭咽之, 俱臥瞑目, 以口微微吐死氣, 三臥三坐止.

51. 『正統道藏』正一部 『上淸黃書過度儀』: 願令臣等長生久視, 過度災厄.

52. 葉德輝 編, 『素女經』, 최형주 옮김(서울: 자유문고, 2010), 9쪽.

을 받아들임으로써 그런 생명처럼 될 수 있다는 초기의 단순한 생각은 천지의 결합을 모방해서 신성한 물질을 만들어 복용한다는 복잡한 이론으로 발전했다. 내단에서 말하는 용과 호랑이의 결합은 사실 천지의 결합을 모방한 것이고, 단은 천지의 결합을 통해 얻어진 신성한 생명이다. 내단의 용어와 이론은 외단에서 차용한 것으로, 유사한 생각을 외단에서도 확인할 수 있다. 단을 만드는 주재료인 수은과 납은 하늘과 땅을 상징하는 약물이며, 솥에서 제련하는 과정은 천지의 결합을 모방해 단을 만드는 것이라고 볼 수 있다. 외단에서는 두 개의 솥을 이어 붙여 사용하곤 했는데, 이 두 개의 솥은 각각 하늘과 땅을 상징하고 두 솥의 이음매를 메우는 데 사용되는 육일니六—泥도 천지를 상징한다.[53]

천지 결합의 모방이라는 관념은 돌연히 생겨나지 않았다. 우주 생성론에서 자연스럽게 조성되었다.

세계가 형성되기 이전에 원초적 물질인 기가 혼돈의 상태에 존재한다. 그것은 맑고 가벼운 기와 탁하고 무거운 기로 나뉜다. 앞의 기는 떠올라 하늘이 되고 나중의 기는 가라앉아 땅이 된다. 천지는 기를 품으며, 천지 이기의 작용에 의해 만물이 생성된다. 이 이론은 표현에 있어서나 과정의 세부에 관해서 분분한 이설을 낳았지만 그 골격은 조금도 흔들림이 없었다. 특히 '맑고 가벼운 것은 위로 올라가 하늘이 되고, 탁하고 무거운 것은 내려와서 땅이 된다(청경자상위천淸輕者上爲天, 탁중자하위지濁重者下爲地)'는 두 구절에 있어서 더욱 그러한데, 어떤 의미에서 중국 생성론의

53. 정우진, 「연금술사의 솥단지」, 《선도문화》 17, 2016, 459-463쪽.

역사는 이 구절의 해석의 역사 또는 그것에 살을 붙여 온 역사라고 해도 좋을 것이다.[54]

『정통도장』태평부太平部에 실려 있는 다음 글은 인용문의 우주론을 조금 더 구체적으로 그리고 유비적으로 표현한 것에 불과하다.

무릇 하늘과 땅이 교차하여 운행함에 음양이 결합하여 참眞이 된다. 음양이 기를 내림에 위로는 구천에 응하고 단이 아홉 번 전환하는 과정을 통해 기가 결합하여 정이 된다. 정은 신이 되고 신은 사람이 된다. 그러므로 사람은 천지를 본뜨고 기의 결합은 자연을 본뜬다. 자연의 기는 모두 구천의 정으로 이것이 변화하여 사람의 몸이 되고 태를 품어서 양육한다.[55]

인용문의 '유단구전流丹九轉'은 외단 용어다. 외단 용어가 우주 만물의 생성을 설명하는 데 차용되었다는 것은 역으로 앞에서 말한 외단이 천지 결합을 모방했다는 해석을 재확인시켜 준다.

일견 성교는 천지 결합이라는 생각을 정확하게 반영할 수 있는 수행법처럼 보인다. 실제로 넓은 의미의 방중에는 아이를 갖기 위한 성교가 포함된다. 같은 이유로 『소녀경』으로 대표되는 수행방중에서도 사정을 완

---

54. 山田慶兒,「중국 우주론의 형성과 전개」, 김영식 편역,『중국 전통문화와 과학』(서울: 창작과비평사, 1986), 138쪽.
55. 『正統道藏』太平部『無上祕要』卷五「人品」: 夫天地交運, 二象合眞, 陰陽降氣, 上應於九天, 流丹九轉, 結氣為精, 精化成神, 神變成人. 故人像天地, 氣結法自然, 自然之氣皆是九天之精, 化為人身舍胎育養.

전히 금하지는 않는다. "사람들은 강한 이와 약한 이가 있고 연로한 이와 젊은이가 있으니 각각 자신의 기력을 따르면 됩니다. 힘써 쾌락을 구하지 않아야 하는데, 쾌락을 좇으면 해를 입습니다."[56] 이어지는 글에서는 젊어서는 하루에 몇 번씩이나 사정해도 된다는 말을 하고 있다.[57]

아래 글에서는 남녀의 성교를 천지의 결합에 대응시키는 관념을 확인할 수 있다.

> 천지는 교회의 바른 도를 얻었으므로 마치는 제한이 없다. (그러나) 사람들은 교접의 도리를 잃었으므로 점차 해를 입어 요절하게 된다. 점차 상하는 일을 피하고 음양의 바른 도리를 얻는 것 (그것이) 불사의 도다.[58]

그러나 사정을 통해 생명을 탄생시키는 것은 수행방중의 목적이 될 수 없다. 정기精氣의 누설을 금하는 것은 수행론의 원형적 이념이기 때문이다. 이 이념의 영향력은 수행론에 한정되지 않는다. 앞서도 말했듯이 심지어 침법이 등장한 배후에서도 사혈을 꺼려하는 즉 기의 누설을 금하는 이념의 영향을 엿볼 수 있다. 생명의 잉태를 위한 사정은 정기를 누설하지 않아야 한다는 동양 수행론의 핵심 이념과 어긋난다. 수행자들은 이

---

56. 『素女經』: 素女曰, 人有强弱, 年有老壯, 各隨其氣力, 不欲强快, 强快卽有損.

57. 『素女經』: 故男年十五, 盛者可一日再施, 瘦者可一日一施 ; 年廿, 盛者日再施, 羸者可一日一施 ; 年卅, 盛者可一日一施, 劣者二日一施 ; 冊, 盛者三日一施, 虛者四日一施 ; 五十, 盛者可五日一施, 虛者可十日一施 ; 六十, 盛者十一日一施, 虛者二十日一施 ; 七十, 盛者可卅日一施, 虛者不寫.

58. 『素女經』: 天地得交會之道, 故無終竟之限. 人失交接之道, 故有夭折之漸, 能避漸傷之事而得陰陽之術, 則不死之道也.

점을 인식하고 있었다. "방중의 요체는 정기를 잃지 않는 것이고, 의당 정액을 아끼는 것입니다."[59] "방중술의 요체는 성교를 많이 하되 결코 사정해서는 안 된다는 것이다. 그렇게 함으로써 몸을 가볍게 만들 수 있고 온갖 병을 치료할 수 있다."[60] 당연히 사정을 피하기 위한 다양한 방법이 강구되었다.

> 소녀가 말했다. 적을 상대하듯이 해야 한다. 마땅히 기와처럼 보고 자신은 금옥처럼 아껴야 한다. 만약 정기가 움직일 듯하면 급히 빼내야 한다. 상대가 되는 여자를 마땅히 썩은 동아줄처럼, 퇴비나 주는 늙은 말처럼 보아야 한다. 마치 깊은 구덩이 아래에 칼날이 있어서 그 속으로 떨어질까 두려워하는 것처럼 해야 한다. 만약 정기를 아낄 수 있다면 생명도 다하지 않을 것이다.[61]

직전까지 사랑을 나누던 여인을 혐오의 대상으로 상상할 수 있을까? 방중가들은 억지스러운 상상을 하면서까지 사정을 피하려 했다. 사정하지 않는다면 진정한 결합은 불가능하다. 천지의 결합을 모방함으로써 신성한 생명을 만들 수 있다는 생각은 생명을 보존해야 한다는 강력한 이념 앞에서 좌절한 것처럼 보인다. 방중가들은 천지 결합의 모방이 아닌 다른 방법을 강구해야 했을 것이다. 여성으로부터 기운을 받아들임으로써 자

---

59. 『素女經』: 道要不欲失精, 宜愛液者也.
60. 『素女經』: 法之要者, 在於多御少女而莫數瀉精, 使人身輕, 百病消除也.
61. 『素女經』: 素女曰, 御敵, 當視敵如瓦石, 自視如金玉, 若其精動, 當疾去其鄉. 御女當如朽索御奔馬, 如臨深坑下有刃, 恐墜其中. 若能愛精, 命亦不窮也.

신의 '기를 증익'한다는 것과 '기를 승화'시킨다는 생각이 등장한 계기다. 다음에서 살펴볼 '기의 증익'과 '승화'는 방중의 핵심 이념이라고 할 수 있다.[62]

성애性愛의 몸

방중은 남녀의 성교에 기반한 수행법이다. 결합이 필요하다는 점은 남녀의 몸이 자족적이지 못함을 함축한다. 남자와 여자의 몸은 태생부터 결여적이고 성교는 그러한 몸의 결여를 극복하기 위한 것이다.

황제가 소녀에게 물었다. 이제 오랫동안 교접하지 않으려 하는데 어떠한가?
소녀가 말했다. 안 됩니다. 천지에는 열리고 닫힘이 있고, 음양에는 베풀어 변화시킴이 있습니다. 사람은 음양을 본받고 사계절의 변화를 따라야

---

62. 방중에는 성애의 방식에 관한 재미있는 부차적 원칙도 있다. 그 원칙은 남녀가 각각 하늘과 땅을 상징한다는 사실에서 도출된다. 남녀의 결합은 하늘과 땅의 결합을, 남녀의 몸은 하늘과 땅 즉 양과 음을 상징한다. 성교는 음양의 결합이다. 남자는 하늘이고 여자는 땅이다. "남녀가 서로 이루어 줌은 천지가 서로를 낳아 줌과 같다(『素女經』: 男女相成, 猶天地相生也)." 이어서 여자는 땅의 수기를 상징하고 남자는 하늘의 화기를 상징한다. "무릇 여자가 남자를 이김은 마치 물이 불을 이김과 같다(『素女經』: 夫女之勝男, 猶水之滅火)." 이로부터 성애의 방식에 관한 독특한 원칙이 도출된다. 불은 결국 물에 패하므로 조심스럽게 천천히 박자에 맞춰 끓여야 한다. 다음 글은 이런 원칙을 잘 보여 준다. 남성은 충분한 시간 동안 전희를 한 후 삽입하는데, "얕게 금현을 찔러 세치 반을 넣는다. … 이렇게 아홉 번을 얕게 찌르고 나서야 깊게 넣는다(『素女經』: 淺刺琴弦, 入三寸半, … 一二三四五六七八九, 因深之)." 천천히 가열해서 물을 끓게 하는 것, 이것은 방중수행의 핵심적인 실천 원칙이므로 여러 번 반복된다. "얕게 넣고 천천히 움직이며 출입을 천천히 하면 여성은 쾌감을 느끼고 남성은 원기가 왕성해져 쇠하지 않는다(『素女經』: 淺內徐動, 出入欲希, 女快意, 男盛不衰)." "옥경이 느슨하게 베풀어 문득 천천히 하다가 급히 한다(『素女經』: 玉莖施縱, 乍緩乍急)." 심지어 성애는 음식을 만드는 데 비유된다. "성애는 마치 솥에서 오미를 조화시켜 국을 끓여 내는 것과 같다(『素女經』: 行之, 如釜鼎能和五味, 以成羹臛)."

합니다. 이제 교접하지 않는다면 신기가 퍼지지 않고 음양의 기운이 막
힐 것이니 어떻게 저절로 보완되겠습니까? 연기법을 자주 행해 묵은 기
운을 보내고 새로운 기운을 받아들이면 저절로 도움이 됩니다. 성기를
사용하지 않으면 앉은뱅이가 되어 집 안에서 죽게 됩니다.[63]

성교는 천지가 결합하여 생명을 만드는 것과 같고, 결여적인 몸의 부족
을 보완할 수 있는 방법이다. 그 자체로 불완전한 몸의 생명은 결합하지
않으면 살지 못한다. 몸은 성교로써 온전해진다. 그러나 사실 몸은 기의
그릇에 불과하다. 따라서 남녀의 결합은 몸의 결합이라기보다는 기의 교
감이라고 해야 한다.[64] 음양 두 기의 결합을 통해 생명이 만들어진다.[65] 그
러나 이미 말했듯이 사정을 금하는 방중은 진정한 의미에서의 결합을 수
용할 수 없다. 따라서 방중가들은 성교를 통해 천지의 결합을 흉내 내면
서도 기의 변화를 추동할 다른 방식을 구상해 내야 했다.

결합을 통해 신성한 생명을 만들어 내겠다는 생각 이전으로 돌아가 보
자. 본래 수행자들은 땅의 생명을 먹지 않는다. 앞에서도 말했지만 위·진
시기 이전에 성립된 것으로 추정되는 『황정외경경』에서는 이 점을 명시하
고 있다.[66] 대신에 수행자들은 불후의 황금이나 영속적인 가역반응을 일

---

63. 『素女經』: 黃帝問素女曰, "今欲長不交接, 爲之奈何?" 素女曰, "不可, 天地有開闔, 陰陽
　　有施化. 人法陰陽隨四時, 今欲不交接, 神氣不宣布, 陰陽閉隔, 何以自補? 練氣數行, 去
　　故納新, 以自助也. 玉莖不動, 則闢死其舍.
64. 『素女經』: 陰陽者, 相感而應耳. 故陽不得陰則不喜, 陰不得陽則不起, 男欲接而女不樂,
　　女欲接而男不欲, 二心不和, 精氣不感.
65. 『素女經』: 天地之間, 動須陰陽, 陽得陰而化, 陰得陽而通. 一陰一陽, 相須而行. 故男感堅
　　强, 女動闢張, 二氣交精, 流液相通.

으키는 수은 그리고 호흡을 통해 받아들이는 천기를 흡입한다. 방중가들도 이런 이념을 따랐다고 가정해 보자. 방중가들은 그저 기운이 아니라 결여된 기운을 받아들여야 한다고 생각했을 것이다. "자신의 입을 부인의 입에 대고 기를 삼킨다."[67] "그 넘치는 정을 취하고 입으로는 액을 받아들인다."[68] 여성의 침을 삼킨다는 것은 분명한데, 정을 취한다는 것은 어떤 의미일까?

넘친다고 한 것으로 보아 정은 흥분한 여성의 분비물이다. 실제로 분비물을 섭취한다는 것은 지나친 해석일 것이다. 상징적 표현에 불과하다. 무형의 생명 그 자체를 받아들인다는 뜻으로 보인다. 본래적으로 결여의 상태인 남성의 몸은 성교를 통해 여성의 생명을 받아들인다. 오랜 전희를 거친 여성의 몸에서 터져 나오는 무형의 정기를 취하고 타액을 흡입하는 것은 부족한 생명 자체의 흡입이기도 하다. 이것은 남녀의 결합을 통해 이뤄지므로 특이해 보이지만, 가정되어 있는 생각은 익숙하다. 앞에서 말했듯이 생명을 받아들인다는 관념은 중국 수행법의 원형적 이념이다.

이런 관점에서 보면, 호흡을 통해 생기를 들이마시는 것이나 약재를 먹는 것과 여성의 몸에서 기운을 흡입하는 것 사이에는 차이점이 없다. 음

---

66. 王羲之本『黃庭外景經』: 仙人道士非有神, 積精所致爲專年. 人皆食穀與五味, 獨食太和陰陽氣, 故能不死天相旣.『정통도장』본『태상황정외경옥경』에는 仙人의 仙이 僊으로 되어 있다. 이런 생각은 뿌리가 깊다. 현존하는 가장 오래된 호흡 관련 문헌인 마왕두이 발굴 문헌『却穀食氣』에서도 지기를 먹지 않아야 한다는 관념을 확인할 수 있다. 현대의 학자들에 의해 명명된 것이지만 각곡은 곡식을 먹지 않아야 한다는 점을 명시적으로 표현한다. 유사한 시기의 문헌에서 말하는 '벽곡辟穀'과 '절곡絶穀'도 같은 양생법을 가리킨다. Donald J Harper, *Early Chinese Medical Literature*, p.305.

67.『素女經』: 口當婦人口而吸氣.

68.『素女經』: 采其溢精, 取液於口.

기를 받아들이는 것은 음양의 결합을 의미한다고 강변할 수도 있겠으나, 사실 기운의 증익이라는 관념의 구현에 불과해 보인다. 그런데 여성의 몸에서 나온 기운을 받아들여 생명을 증익한다는 생각에서 멈췄다면, 그것이 비록 부족한 음기의 흡입일지라도 방중은 수행론의 진보에 기여하지 못했을 것이다. 방중가는 '기의 승화'로 나아감으로써 동아시아 수행론의 발전에 중요한 기여를 했고, 수행론사에서 방중이 차지하는 위상을 높였다.

늘 성교를 행함으로써 마땅히 기운을 이끌어야 합니다. 성기를 움직이게 하되 정액을 배설하지 않는 것은 이른바 환정으로 정기를 돌려 보익하면 삶의 도가 분명해집니다.[69]

인용문에 있는 환정還精이라는 단어를 강조해야겠다. 갈홍은 당시에 존재하던 방중을 평하여 다양한 양상의 방중이 있지만 핵심은 환정보뇌還精補腦라고 했다.[70] 따라서 인용문의 환정이라는 단어에는 성기에서 척수를 따라 뇌로 올라가는 경로가 가정되어 있을 것이다. 시선을 약간만 넓혀 보자. 누누이 말했듯이 동아시아에서 몸은 기본적으로 기를 담고 있는 그릇이다. 『황제내경』의 설명에 따르면 몸의 기는 오장에 보관되고 마지막에는 신장에 잠장된다. "신장은 수기를 주관한다. 오장육부의 정기를 받아서 잠장한다."[71] 이 구도에 방중의 설명을 더해 보자. 신장에 있던 정

---

69. 『素女經』: 所以常行以當導引也. 能動而不施者, 所謂還精. 還精補益, 生道乃著.
70. 『素女經』: 房中之法十余家, 或以補救傷損, 或以攻治衆病, 或以采陰益陽, 或以增年延壽. 其大要在於還精補腦之一事耳.
71. 『素問』「上古天眞論」: 腎者主水, 受五藏六府之精而藏之.

기는 성기로 모여든다.

성기가 노하지 않으면 화기가 이르지 못한 것이고, 노했으나 커지지 않
은 것은 기육의 기운이 이르지 못한 것이며, 커졌으나 견고하지 못한 것
은 뼈의 기운이 이르지 못한 것이다. 견고해지기는 했으나 뜨겁지 않은
것은 신기가 이르지 못한 것이다. 그러므로 노함은 정기의 밝음이요, 큰
것은 정기의 관문이며, 견고한 것은 정기의 문호요, 뜨거운 것은 정기의
문이다.[72]

　순서는 중요하지 않다. 정기가 모여든다는 생각이 핵심이다. 성기로 모
여든 정기를 수행자는 누설하지 않는다. 생명을 유출해서는 안 되기 때문
이다. 수행자는 척추를 따라 뇌로 정기를 돌려보낸다. 정기가 그대로 전
달되는 것은 아니다. 있는 그대로 전달된다면 화化라는 글자를 덧붙이지
않았을 것이다.[73] 정액은 위로 올라감으로써 다른 기운으로 변한다. 그런
데 왜 위로 올러 보낸다고 했을까?
　『황제내경』에서 정립된 오장의 오행 배당에 따르면, 오장 중 신장은 북
쪽에 심장은 남쪽에 배속된다.[74] 그리고 주지하듯이 중국의 우주론에서
북쪽은 땅에 남쪽은 하늘에 해당한다. 즉 몸의 아래쪽은 땅에 위쪽은 하

---

72. 『素女經』: 玉莖不怒, 和氣不至; 怒而不大, 肌氣不至; 大而不堅, 骨氣不至; 堅而不熱, 神
　　氣不至. 故怒者, 精之明; 大者, 精之關; 堅者, 精之戶; 熱者, 精之門.
73. 『素女經』: 精氣還化.
74. 『素問』「玉機眞藏論」: 春脈者肝也, 東方木也, 夏脈者心也, 南方火也, 秋脈者肺也, 西方
　　金也, 冬脈者腎也, 北方水也.

늘에 속한다. 이런 생각은 『황정경』에서도 확인할 수 있다. 『황정경』은 대체로 체간 아래쪽의 육부를 땅에 위쪽 즉 오장에 해당하는 부위를 하늘에 배당한다.[75] 이런 관념에 따르면 정기를 위로 올려 보내는 것은 땅에서 하늘로 돌려보내는 것과 같다. 곡식을 먹지 않으면서까지 땅 기운의 복용을 피하고자 했던 수행자들은 환정이 속된 땅의 기운을 성스러운 하늘 기운으로 바꾸는 것과 같다고 생각했을 것이다.[76] 방중가들은 환정을 통해 단순한 변화가 아닌 '승화'를 구현한 셈이다.

내단호흡에서 수행자는 독맥을 따라 상승했다가 임맥을 따라 하강하는 흐름을 상상함으로써 기운을 흐르게 만든다. 내단호흡은 단순히 기운을 보는 호흡법이 아니라 기운을 운행시키는 수행법이다. 당연히 방중가들은 내단의 수준에 도달하지는 못했다. 그들은 사정하지 않은 정액을 승화시켜야 한다는 생각에 머물렀다. 그러나 그들이 창안해 낸 환정이라는 개념이 없었다고 생각해 보라. 임·독맥을 운행하는 내단의 순환이 제대로 구현될 수 있었을까? 내단이 궁극적인 귀결점이었다고 하면, 방중의 환정은 매우 중요한 진보였다고 평가할 수 있다. 방중의 몸은 내단 순환의 성립에 기여함으로써 동아시아 수행론사에 뚜렷한 지취를 남겼다.

여성의 몸과 무위無爲

지금까지 한쪽, 남성의 몸만 보았다. 방중에서 묘사하는 여성의 몸에

---

75. Jungwoojin & Xiaodengfu, "Practice and Body of the Scripture of Yellow Court," *Universitas Monthly Review of Philosophy and Culture*, 45/2, 2018, pp.159-160.

76. 『장자』「소요유」편에서 곤이 북쪽의 바다에서 남쪽으로 날아가는 이야기에도 이런 관념이 반영되어 있다고 해석할 수 있을 것이다.

관해서는 양립하기 어려운 두 가지 해석이 가능해 보인다. 먼저 유감스럽게도 수행론의 주인공이 남성임에 근거해서 여성의 몸을 착취의 대상으로 간주할 수 있다. 여성의 몸에서 정기를 흡입한다고 하는 대목은, 집요하게 생명을 취하는 이를 연상시키기도 한다. 그러나 여성의 몸을 어머니 샘으로 볼 수도 있다. 이 경우 남성은 생명의 샘에서 생명수를 마시는 존재가 된다. 나는 후자로 해석한다. 방중의 주된 목표는 욕정의 만족이 아니다. 그렇다면 수행의 방법이 될 수 없다. 수행법이므로 방중은 넓은 의미에서 윤리적 경계 내에 있어야 한다. 자체의 논리와 방법 등 구체적인 내용에서는 다를 수 있겠으나, 비윤리적인 수행이라는 것은 존재하지 않는다. 그러므로 여성을 착취의 대상으로 삼았다는 것은 지나친 해석이다. 그러나 여성의 몸이 수동적임에는 틀림없다.

남성이 적극적으로 생명을 찾는 존재임에 반해 여성의 몸은 남성에 의해 비로소 활발해진다. "오징五徵의 징후는 다음과 같다. 일, 얼굴이 붉어지면 서서히 결합한다. 이, 유두가 딱딱해지고 코에 땀이 나면 천천히 삽입한다. 삼, 목구멍이 마르고 침이 고이면 천천히 움직인다. 사, 성기가 미끄러워지면 천천히 깊이 넣는다. 오, 둔부가 젖으면 천천히 당긴다."[77] 이 글의 요지는 여성의 반응에 따라 남성이 준수해야 하는 지침이다. 그러나 여성의 몸을 보는 시선을 함축적으로 드러낸다. 여성의 몸은 남성의 자극에 반응할 뿐이다. 심지어 어느 대목에서는 여성의 몸을 악기에 비유한다.[78]

---

77. 『素女經』: 五徵之候: 一曰面赤, 則徐徐合之; 二曰乳堅鼻汗, 則徐徐內之; 三曰嗌干咽唾, 則徐徐搖之; 四曰陰滑, 則徐徐深之; 五曰尻傳液, 徐徐引之.

78. 『素女經』: 淺刺琴弦.

이것은 어느 정도 자연스러운 현상으로 보이므로 문제가 있다고 생각할 필요는 없을 것이다. 보다 중요한 것은 그런 수동성이 노자가 제안한 철학과 부합한다는 점이다. 수동적이지만 끝내는 능동적이고 적극적이어서 세상의 모든 능동적이고 적극적이며 앞서서 주도하는 것들을 굴복시킬 수 있다는 것이 노자 철학이다. 노자 즉 태상노군은 여러 수행법을 수용한 도교의 최고 신격이고 『도덕경』이 도교의 토대 문헌이었음은 주지의 사실이므로 방중에 노자의 철학이 있다는 것은 이상한 일이 아니다. 이런 생각에 따르면 여성의 수동성은 궁극적 능동성이어서, 부정적으로 볼 것만은 아니다.

방중술에서 말하는 여성 몸의 두 번째 특성은 병든 몸이다. 『소녀경』에서는 여러 차례 성교를 통해 여성의 병이 치료될 수 있다고 말한다. 이런 내용은 아홉 가지의 성교 체위를 묘사하는 곳에서 특히 두드러진다. 매미가 나무에 붙어 있는 모양을 묘사하는 선부蟬附라는 제목의 절을 보자.

> 여자가 엎드려 누워서 그 몸을 곧게 펴도록 한다. 남자는 그 뒤로 엎드려서 성기를 깊이 밀어 넣는다. 여자의 엉덩이를 조금 들고 그 소음순을 두드린다. 이렇게 하기를 54회 하면 여자가 몸을 떨면서 정액이 흐르고 질 내부가 급히 움직이며 밖이 열린다. 여자가 만족해하면 멈춘다. 여성의 칠상七傷이 저절로 없어진다.[79]

---

[79] 『素女經』: 第四曰蟬附. 令女伏臥, 直伸其軀, 男伏其后, 深內玉莖, 小舉其尻, 以扣其赤珠, 行六九之數, 女煩精流, 陰里動急, 外爲開舒, 女快乃止, 七傷自除.

칠상은 칠정내상이라고 통칭되는 심인성 질환이다. 남성 중심적인 사회에서 여성이 겪는 고통은 참으로 깊었으므로 사실 성교는 그런 여성의 마음을 풀어 주는 과정이기도 했을 것이다.

심신의 영역에 모두 걸쳐 있는 기의 상태는 곧 심인성 질환의 병인이다. "사람이 슬퍼하면 눈물과 콧물이 흐르는 것은 어떤 기가 그렇게 만드는 것인가? 기백이 답했다. 심은 오장육부의 주인이다. … 그러므로 슬프고 근심하면 심장이 요동치고, 심장이 요동치면 오장육부가 모두 요동친다."[80] 성교는 그처럼 정체되어 있는 기가 활발히 유주하게 만드는 방식이기도 하다.

남성은 방중을 통해 자신의 몸을 굳건하게 만들고 자신의 생명을 정화하고 부족한 생명을 채취한다. 게다가 여성의 질환을 치료해 주는 존재이기도 하다. 수동적인 여성의 몸은 병든 몸으로 간주되기도 한다. 지나치게 남성 중심적이지 않은가? 생각을 바꿔 보자. 여성은 자신의 반응에 귀 기울이는 남성을 통해 생명을 활발하게 하고, 활발해진 생명은 몸의 질병을 없애 준다. 방중술에서 여성의 몸은 수동적이지만 궁극적으로는 능동적이다. 방중에서 말하는 여성의 역할에는 노자의 이념 '무위이무불위無爲而無不爲'가 정확하게 구현되어 있다.

---

80. 『靈樞』「口問」: 黃帝曰, 人之哀而泣涕出者, 何氣使然. 岐伯曰, 心者, 五藏六府之主也.…
故悲哀愁憂則心動, 心動則五藏六府皆搖.

VI

종교의 몸

도교는 중국 최초의 교단종교다. 도교 성립 이전에도 다양한 종교적 문화가 있었다. 예컨대 무속이나 방사의 주술 문화는 종교 문화에 포함된다. 그러나 그런 것들은 사승 관계로 인해 일군의 무리를 이뤘을지언정 견고하고 지속되는 단체를 구성하지는 못했다. 도교는 처음부터 교단으로 시작했다. 『삼국지』에 나오는 황건적으로 잘 알려져 있는 태평도太平道는 지도자와 조직 그리고 성경과 같은 소의경전을 갖춘 종교 집단이었다. 유사한 시기에 쓰촨 지방에서 도교가 발생했다. 태평도와 오두미도五斗米道의 관계에 대해서는 알려진 바가 없지만, 오두미도는 태평도를 모방해서 성립되었을 것이다.

학자들은 도교의 탄생 배경으로 다양한 요인을 언급한다. 아마도 가장 강력한 것은 불교의 영향일 것이다. 불교가 전수됨으로써 자신의 변화와 타인의 구제를 목적으로 하는 조직이 성립될 수 있음을 깨우쳤을 것이다. 이전에는 사승 관계를 통해 전수되거나 특정 지역의 문화로 전래되던 것들이 도교 안으로 흡수되었다. 수행 문화도 마찬가지였다. 도교의 성립 이후에도 수행 문화는 독자적인 영역을 확보할 수 있었으나, 다양한 수행법이 도교 내에서 본격적으로 개화했다는 것도 사실이다. 뒤엉키면서 전개된 역사는 종교로서의 도교와 수행의 분리를 어렵게 만든다.

태식·외단·내단의 수행을 도사만 행한 것은 아니다. 갈홍은 도교와 무

257

관하게 수행법을 정리하고 있는데, 도교수행은 그가 개진한 수행법을 넘어서지 못한다. 그러나 차이는 분명히 존재한다. 도교의 성립으로 인해 뚜렷이 부각된 수행법이 있다. 존사수행은 종교수행과 신선수행을 나누는 기준이라고 할 수 있다. 신선수행에서도 존사수행을 언급하기는 했으나 그다지 중시되지는 않았다. 그러나 도교에서는 존사수행을 핵심적인 수행법으로 삼았다. 상청파上淸派가 대표적이다. 상청파와 함께 초기 도교를 대표하는 영보파靈寶派는 의례 중심이었으므로 수행과 가깝지 않다.

1. 도교

누구나 종교를 필요로 하지는 않는다. 그러나 인류는 늘 종교를 갈구해 왔다. 인간은 어떤 의미에서도 불안한 존재이므로 의지처가 필요하다. 그것이 무엇이든. 후한 말 형편없는 철학과 더 형편없는 정치로 인해 삶이 피폐해진 이들은 고향을 떠나 유랑했고, 이로써 지역 공동체의 정신적 의지처 역할을 하던 사社의 기능이 약화되었다. 사는 신이 머무는 공간으로서 지역민이 제례 등을 행하기 위해 회합하는 장소이기도 했다.

사가 담당했던 향촌 사회의 정신적인 그리고 문화·정치적인 역할을 대체할 수 있는 새로운 종교의 등장이 요청되었다. 불교가 도입되었지만 중국화하기까지는 시간이 필요했다. 게다가 반감도 생각해야 한다. 불교는 중국의 것이 아니다. 후한 말 두 곳에서 유사한 형태의 종교 단체가 생겨났다. 하나는 태평도이고, 다른 하나는 오두미도다. 오두미도는 후에 천사도天師道, 정일도正一道 등으로 불렸다. 태평도의 소의경전은 『태평청령서太平清領書』이고 오두미도의 소의경전은 『노자상이주老子想爾注』다.

태평도가 먼저 성립되었지만 두 종교의 성립 시기는 유사하다. 태평도를 개창한 이는 장각張角이다. 오두미도의 설립자는 장릉張陵으로 알려져 있다. 실질적으로 오두미도를 체계화하고 안정시킨 이는 그 손자인 장로張魯다. 손자라고 했지만 오두미도의 설립 과정에 대해서는 정확히 알 수 없다. 정말로 장로가 장릉의 손자인지조차 불분명하다. 그런데 태평도와 오두미도 교조의 성이 같은 것은 우연일까? 성립 시기와 개창자의 성만이 아니다. 다른 점에서도 두 종교는 꽤 유사하다. 질병의 치료를 핵심으로 하는 의례가 특히 그렇다. 자세한 내용은 알 수 없지만, 대략은 다음과 같다.

태평도의 치료는 환자의 반성에서 시작된다. 이어서 죄를 참회·고백하도록 하고 다시는 죄를 짓지 않을 것을 맹세하도록 한다. 이어서 주문을 외워 신의 용서를 구한다. 오두미도의 예식은 정실靜室이라는 공간에서 행해진다. 환자는 천千·지地·수水 삼관에게 바치는 서약서를 작성한다. 이것을 삼관수서三官手書라고 한다. 삼관에게 죄를 아뢰고 다시는 죄를 짓지 않겠다는 것을 맹세한다. 이후 죄과를 갚기 위해 도로 수리 같은 공공사업에 종사한다. 맹세가 핵심이므로 오두미도는 정일맹위지도正一盟威之道라고 불렸다.

두 교단에서 행하는 속죄 의례의 유사성은 무엇을 의미하는가? 상호간의 관련성을 의미할 수도 있지만, 다음의 사실을 보면 다른 가능성도 생각할 수 있다.

이 교법이 기본적으로 태평도와 유사하다는 것은 일찍이 역사 기록자의 주목을 끌었다. 한편 사과謝過와 기복祈福이라는 사고방식 자체는 후한 시대의 기록 여기저기에 나오고 있어 태평도 및 오두미도에 고유한 것은 아니라고 할 수 있다. 그러나 거기에 일종의 종교적 형식을 부여한 점이 한 가지 발전이며 특히 오두미도에서는 그것이 보다 진전되어 있다고 할 수 있다.[1]

---

1. 窪德忠·西順藏 외,『중국종교사』, 조성을 옮김(서울: 한울아카데미, 1996), 45쪽.

이 인용문이 실려 있는 책의 저자 중 한 명인 오부치 닌지大淵忍爾는 오두미도가 태평도의 영향을 받아 더욱 발전시킨 것이라는 말을 덧붙였다. 그러나 이 말과 이런 의식이 널리 퍼져 있었으므로 양쪽이 모두 영향을 받았을 것이라는 생각은 양립 가능하다. 오두미도와 태평도는 나름의 조직을 지니고 있던 교단 도교다. 주지하듯이 황건적의 난은 태평도의 교단 조직이 주도했다. 오두미도도 마치 종교 지배 체제와 유사한 조직을 지니고 있었고, 실제로도 당시 쓰촨 지방에서 그런 역할을 했던 것으로 추정된다. 교단 조직이 곧 행정 조직이었다. 주지하듯이 태평도는 완전히 사라졌고 오두미도는 살아남았다.

오두미도의 장로는 조조 정권에 항복함으로써 수명을 연장했다. 조조 정권은 이들을 위나라 본국으로 이주시키거나 관직에 임용했다. 이 사이에 장씨의 통제력은 약해졌다. 통제력이 약해지면 기강이 무너지기 마련이다. 수행을 빙자한 방중뿐만 아니라 종교적 착취가 횡행했다. 예를 들어 신도인 도민은 아이가 출생하면 신도의 호적인 명적에 올려야 했다. 명적은 하늘에 알리는 것이다. 따라서 명적에 오르지 못하면 하늘에 구원을 요청할 수 없고 구원을 받을 수 없었다. 그런데 명적에 올리기 위해서는 도관을 불러 회식을 베풀고 종이·붓 등을 내주어야 했다. 이 와중에 도관들이 이익을 취하는 일이 있었다. 그 밖에도 도관들은 다양한 방법으로 도민을 착취했다.

종교 개혁의 필요성이 대두했다. 이 일을 담당한 이가 북위의 구겸지寇謙之다. 구겸지는 『운중음송신과지계雲中音誦新科之誡』 등을 이용해서(즉 신의 말이라고 함으로써) 방중을 금하고 종교를 빙자해서 금전적 수입을 얻는 것을 금지시켰다. 구겸지의 아버지는 동래 태수인 구수지였고, 형도 지방관으로 이름을 떨친 명망가였다. 구겸지는 비교적 무난하게 권력과 관계를 맺을 수 있었다. 북위의 태무제는 숭산의 도사 40인을 맞이하여 신경의 제에 따라 천사도장을 세웠다. 당시에는 천사도로 불리고 있던 오두미도가 국가 종교가 되었다. 그러나 정치와의 결합은 양날의 칼이다. 의지하던 정치권력이 쇠퇴하면서 도교는 불교에 밀리게 되었다. 이후의 역사는 도·불의 전쟁사라고 이를 수 있다. 그러나 다투면서 닮는다.

북송 시기 중국 사회는 큰 변화를 겪는다. 한족의 송나라가 쇠퇴하고 금나라가 중국의 중·북부를 점령하는 사태가 벌어진다. 종교는 혼란 속에서 자란다. 언제나 그렇다. 혼란의 이유는 다양하다. 최제우, 최시형, 강증산, 소태산 등으로 대표되는 한국의 신종교는 외세에 대한 민족주의적 종교운동이라고 부를 수 있다. 그러나 북송 시기에 일어난 종교 개혁 운동은 삶의 터전이 무너진 것이 원인이었다. 송·금 두 나라의 전쟁은 20년간에 걸쳐 진행되었다. 사람들이 서로 잡아먹었다는 기록이 자주 눈에 띈다. 기근과 횡행하는 도적이 사람임을 포기하게 만들었을 것이다.

몇 개의 종파, 도교적 종파가 등장했다. 전진교全眞敎가 살아남았고 오늘날까지 전해지고 있다. 현재의 도교는 오두미도의 후신인 정일교와 전진교로 대별할 수 있다. 전진교의 창립자는 왕중양王重陽이다. 왕중양의 삶은 구겸지와 달랐다. 오랫동안 꿈을 이루지 못했고 자포자기했다. 능력은 있지만 세상에 나설 기회를 잡지 못했다. 그는 극심한 갈등 속에서 불경으로 위안을 삼았던 듯하다. 그러다가 결국 도교수행과 인연을 맺었다. 1159년에 있었던 일이다. 마흔여덟 살의 그는 당시로서는 늙은이나 마찬가지였다. 왕중양이 어떻게 도교수행을 접하게 되었는지는 알 수 없다. 전해지는 것은 꾸민 말이리라. 1163년 깨달음을 이뤘고 포교에 나섰다. 지난한 세월이었을 것이다. 고향에서 포교에 실패하고 산둥山東으로 옮겨 갔다. 이곳에서 겨우겨우 마단양馬丹陽을 제자로 둘 수 있었다. 마단양은 큰 부자였다. 마단양의 조직력과 금전적 배경하에 전진교는 확실히 뿌리를 내릴 수 있었다.

짧게 정리해 보자. 전진교의 특성은 삼교합일이다. 이유가 무엇일까? 왕중양이 불경을 읽은 이유도 있고 그가 과거 시험을 준비한 사연도 있을 것이다. 가장 중요한 것은 시대적 배경이다. 다투면서 닮는다는 것이 이 경우에 속한다. 도교는 불교와 다투면서 불교화되었다. 사회의 운영을 위해서는 유교적 윤리가 필요하기도 했다. 전진교는 사회의 재건이라는 시대적 요청에 부응했다. 장생불사는 말하지도 않았다. 실은 이미 불교의 윤회설을 받아들인 상황이었으므로 불사는 무의미해졌다. 신선이 되어 하늘로 간다는 것은 성인의 경지에 도달했다는 의미로 해석되었다. 수행은 자신의 구제와 타인의 구제를 궁극적 목적으로 했다.

물론 무속적 특성이 완전히 사라지지는 않았다. 당시에도 남부 지방에서는 주술적 도교가 횡행했다. 그러나 전진교가 새로운 지평을 열었다는 것은 과장이 아니다. 전진교는 『반야심경』, 『도덕경』, 『청정경』, 『효경』을 중시했다. 불교·도교·유교의 문헌이 포함되어 있다. 전진교의 중요 인물들은 삼교합일의 정신을 강조했다. 주술적 문화는 유교나 불교에서 포섭하기 힘들었다. 전진교는 개신교에 빗대서 개신도교라고 부를 만하다. 송대 이후 이어진 합리주의적 정신이 전진교의 탄생에 영향을 주었을 수도 있다. 도교는 그 자체로서는 의례의 종교라고 할 수 있다. 수행은 직접적인 관련이 없다. 그러나 도교와 수행은 떼어 낼 수 없다. 처음부터 그랬다. 정좌靜坐를 강조한 전진교도 다르지 않았다.

도교의 몸을 살펴보기 위해서는 교단 도교의 밖으로 시선을 돌려야 한다. 도교가 시작되기 직전으로 돌아가 보자.

2. 『황정외경경』

문헌

종종 『황정경』은 도교 수행론을 대표하는 문헌이라고 말해진다. 그러나 『황정경』이라는 문헌은 존재하지 않는다. 『황정경』은 『황정내경경黃庭內景經』과 『황정외경경黃庭外景經』의 통칭일 뿐이다.[2] 과거에는 『황정외경경』과 『황정내경경』의 성립 순서에 대해 이견이 있었지만, 현재 이 문제는 더 이상 논쟁거리가 아니다.[3] 『황정내경경』은 후에 『황정외경경』으로 불리게 된 원본의 확장판이다.[4] 『황정외경경』의 성립 시기에 관한 자료 중에는 비교적 정확한 것이 있다. 현재 유통되고 있는 왕희지본 『황정외경경』에 적혀 있는 영화永和 십삼년十三年이 그것이다.[5]

영화 12년은 356년이다. 왕희지가 그 유명한 「난정서蘭亭序」를 지은 때가 영화 9년이므로 그로부터 3년 뒤다. 현행 왕희지본이 왕희지의 친필인지에 관해서는 이론이 있다. 다양한 판본이 존재하고 판본 간의 차이도

---

2. 『황정내경경』의 성립 이전에 『황정외경경』만 있었을 때 『황정외경경』이 『황정경』으로 불렸을 것이다. '황정~'이라고 불리는 문헌으로는 비교적 시기가 늦은 『黃庭中景玉經』 외에도 『黃庭遁甲緣身經』, 『黃庭玉軸經』 등이 있다. 『황정경』과는 성립 시기와 내용이 다르다.

3. 이 주제에 관한 선행 연구는 金勝惠, 「黃庭內景經的神之像與氣: 上清派傳統中內在超越的體內神」, 《道家文化研究》16(1999), 주석 2와 戴思博(Catherine Despeux), 『修眞圖: 道敎與人體』, 李强國 譯(濟南: 齊魯書社, 2012) 43쪽 주석 2 참조.

4. Kristofer Schipper and Franciscus Verellen, *The Taoist Canon*(The University of Chicago Press, 2004), p.185.

5. 『中國法書選 11: 魏晉唐小楷集』(東京: 二玄社, 2006), 31쪽. 본문의 그림은 趙孟頫 소장본이다.

왕희지본 『황정외경경』(일부)

적지 않기 때문이다. 그러나 왕희지가
이때 『황정외경경』을 썼다는 점만은
사실로 보인다. 그렇다면 『황정외경경』
의 성립 연대는 당연히 이보다 소급된
다. 쉬퍼Kristofer Schipper의 해석에 따르면
위魏(220~265)까지 올릴 수 있다고 한다.[6]
글쎄? 조조의 위까지는 올릴 수 있을
것이다. 그러나 후한까지 소급시키기는
어렵지 않을까?

　『황정외경경』을 연구할 때 현대의 학
자들이 주로 참고하는 것은 『정통도장
正統道藏』 동현부洞玄部 본문류本文類에
있는 『태상황정외경옥경太上黃庭外景玉經』이다. 정통도장본과 왕희지본 사이
에는 작지만 의미 있는 차이가 있다. 『황정외경경』의 맨 앞 구절에서 보이
는 차이가 특히 주목할 만하다. 이 부분은 몸에서 가장 중요한 부분인 단
전의 위치를 설명하고 있다. 왕희지본에서는 군더더기 없이 곧장 위치를
설명하고 있다. "위에는 황정이 있고 아래에는 (배꼽 아래 세 치 되는 곳에)
관원이 있으며, 뒤에는 신장이 있고 앞에는 배꼽이 있다. 코로 호흡하여
단전으로 들어간다. 이를 살펴 닦으면 장생할 수 있다."[7]

---

6. Kristofer Schipper and Franciscus Verellen, *The Taoist Canon*, pp.96-97.

7. 王羲之本 『黃庭外景經』: 上有黃庭下關元, 後有幽闕前命門. 呼吸廬間入丹田, 審能行之
　　可長存.

관원關元은 현대 한국인이 생각하는 단전 즉 배꼽 약간 아래에 있는 단이 쌓이는 지점이다. 참고로 중국 수행 문화에서 단전은 일반적으로 배꼽 뒤를 가리킨다. 아래가 아니다. 『황정경』의 영향 때문이다. 『황제내경』「한열병」편에 배꼽 아래 세 치 되는 곳을 관원이라고 한다는 말이 있다.[8] 이곳의 관원이 우리나라에서 말하는 하단전에 부합한다. 『난경』「육십일난」에도 배꼽 아래 두 신장 사이에서 움직이는 기는 사람의 생명으로 십이경맥의 근본이므로 이름 하여 원原이라고 한다는 말이 있다.[9] 위치는 다르지만, 당연히 원原과 원元은 통한다. 항문과 배꼽, 황정 즉 췌장과 관원은 좌우와 위아래의 지점이다. 항문은 뒤에, 배꼽은 앞에, 췌장은 위에, 관원은 아래에 있다. 이 지점들을 통해 설명하는 곳은 배꼽 뒤 즉 성태聖胎가 생겨나는 곳인 단전이다. 태식호흡수행을 위주로 하는 문헌이므로 성태가 생겨나는 지점을 선언하면서 시작한 셈이다. 참고로 『황정외경경』에는 성태라는 말이 없다. 대신에 도道라고 표현하고 있다. 도교에서는 사람과 도가 뒤섞인다. 노자가 도다!

왕희지본 모두에 나오는 단전의 위치를 묘사하는 설명은 수행 자체에 충실한 기술 방식을 따르고 있다. 그런데 도장본인 『태상황정외경옥경』의 기술 방식은 이와 다르다. 『태상황정외경옥경』에는 이 앞에 태상노군이 한가로이 앉아 칠언으로 된 글을 지어 몸과 여러 신에 관해 해설한다는 글이 덧붙여져 있다.[10] 대개 도교 경전은 상투적으로 문헌의 유래를 밝히면

---

8. 『靈樞』「寒熱病」: 臍下三寸關元也.
9. 『難經』「六十一難」: 臍下腎間動氣, 人之生命也, 十二經之根本也, 故名曰原.
10. 『正統道藏』洞玄部 本文類 『太上黃庭外景玉經』: 太上閑居作七言, 解說身形及諸神.

서 시작한다.[11] 문헌의 맨 뒤에는 이 문헌을 다른 이에게 누설하면 어떤 벌을 받는다고 적는다. 대개 그러하다. 사실 신비주의 계통에 속하는 문헌이라면 서구의 것에서도 유사한 예를 찾아 볼 수 있다. 예컨대 관상기도觀想祈禱를 대표하는 『무지의 구름』 모두에서도 유사한 표현을 찾아볼 수 있다.[12] 본래부터 존재하던 신선 양생술이 특히 동진 시기에 도교 안으로 흡수되었다고 가정해 보자. 그 와중에 도교식의 문투가 가필되었을 가능성을 생각해 볼 수 있다. 그렇다면 왕희지본이 원형에 가까울 것이라는 소결에 이른다. 누가 『황정외경경』에 도교식 문투를 더했을까?

『황정내경경』을 저술한 이들이 왕희지본에 가필했을 것이다. 물론 원본이라고 해서 더 나은 판본이라고 할 수는 없다. 전체적으로 비교해 볼 때 왕희지본이 더 선본이라고 할 수도 없다. 왕희지가 적은 글에도 오자나 결자가 있었을 수 있다. 무엇보다 그의 이해가 온전하고 철저했다는 보장도 없다. 그러나 보다 원형에 가까운 것이 무엇인가라고 묻는다면 확실히 왕희지본이 더 앞선다고 할 수 있다. 이외에 참고할 만한 문헌으로 양구자梁丘子 주석본인 『정통도장』 동진부 방법류의 『황정외경옥경주』와 무성자

---

11. 예를 들어, 『正統道藏』 正一部 『洞真太上道君元丹上經』의 첫 부분은 다음과 같다. "태제군·태상천제군·태미천제군은 세 존군이다. 삼군이 옛날에 태상도군에게서 현단상경을 받아 시행함으로써 도를 닦아 이뤘다. … 태제군은 진경을 서왕모에게 전수하고, 태상천제군은 남극상원군에게 전수했으며, 태미천제군은 진경을 금궐성군에게, 금궐성군은 진경을 상상청동군에게, 상상청동군은 부연자에게 전수했다. 이 경은 소령의 상편으로 그 도가 높아 오묘하니 중선이 얻어 들을 수 있는 것이 아니다(太帝君, 太上天帝君, 太微天帝君, 三尊君. 三君昔之奉受玄丹上經於太上道君, 施行奉修道成., 太帝君以真經傳授西王母, 太上天帝君以經傳授南極上元君, 太微天帝君以真經傳授金闕聖君, 金闕聖君以真經傳授上相青童君, 上相青童君以真經傳涓子. 此經是素靈上篇, 此道高妙, 非中仙所可得聞)."

12. C. 월터즈, 『무지의 구름』, 성찬성 옮김(서울: 바오로딸, 1997), 55쪽.

務成子 주석본인 『정통도장』 태현부의 『태상황정외경경주』가 있다.

『황정외경경』의 수행

일반적으로 학자들은 『황정경』 즉 『황정외경경』과 『황정내경경』의 대표 수행법이 모두 존사수행이라고 한다. 실제로 『황정외경경』에서 신 또는 신의 의복이나 거주하는 건물 등을 상상하는 존사수행을 찾기는 어렵지 않다.

기가 모이는 옥방 즉 단전을 늘 존상하면 신명스럽게 된다. 때때로 태창 즉 위胃를 생각하면 배가 고프거나 갈증을 겪는 일이 없다.[13]

천지를 엿보면서 동자를 존사하면, 정기가 안정되어 머릿결이 기름지고 이가 단단해진다.[14]

심장 속의 선비는 늘 붉은 옷을 입고 있으니, 수행자가 그를 존상하면 병에 걸리지 않을 수 있다. (심장은) 비스듬히 서 있고 그 높이는 한 자로서, (횡격막) 위에 있다. 수행자가 심장을 지켜 낼 수 있으면 병환이 없으리라.[15]

적막한 가운데 텅 비워 입으로 말하지 않고, (마음을) 담박하게 하여 욕망을 없앰으로써 덕의 정원에 노닌다. 청정한 가운데 향기롭고 깨끗하니

---

13. 王羲之本 『黃庭外景經』: 常存玉房神明達, 時念太倉不飢渴.
14. 王羲之本 『黃庭外景經』: 窺視天地存童子, 調和精華理髮齒.
15. 王羲之本 『黃庭外景經』: 宅中有士常衣絳, 子能見之可不病. 橫立長尺約其上, 子能守之可無恙.

옥녀가 시봉하는 것을 존사할 수 있다.[16]

모두 존사수행에 관해 말하고 있다. 어떤 것은 존사수행을 독자적인 수
행법으로 소개하지만, 때에 따라서는 다른 수행법과 겸수되는 부수적 수
행법처럼 묘사하고 있다. 이처럼 『황정외경경』에는 다양한 유형의 존사
수행이 있지만, 존사수행은 『황정외경경』을 대표하지 못한다.

이 판단에는 두 가지 근거가 있다. 먼저, 존사수행을 상징하는 것처럼
말해지는 뇌에 있는 신의 궁전 즉 뇌부구궁腦部九宮의 존재가 분명하지 않
다.[17] 『황정외경경』에서 뇌부구궁의 위상이 분명치 않다는 점은 존사수행
의 비중이 높지 않음을 암시한다. 물론 뇌부구궁의 존재를 암시하는 것은
있다. 다음 글의 '구원九原'은 뇌부구궁을 암시한다고 해석할 수 있다. "아
홉 가지 기운의 근원이 되는 저 산은 얼마나 높은가? 그 속에 있는 진인
에게 심부름을 시킬 만하다."[18] 그러나 뒤에 자세히 살펴볼 기회가 있겠
지만, 구원은 머리 또는 횡격막 위쪽에 있는 몸통의 윗부분을 가리킨다.
그런데 『황정외경경』에서 뇌에 관해 암시하고 있는 것은 이것뿐이다. 구
원이 뇌부구궁을 가리킨다고 볼 수 있는 다른 근거는 없다.

뇌부구궁뿐 아니라 체내신에 대한 설명도 상세하지 않다. 존사수행은
『태평경』에 나오듯이 오장신의 존사로부터 시작된 것으로 보인다. 물론

---

16. 王羲之本 『黃庭外景經』: 寂寞曠然口不言, 恬淡無欲游德園. 清淨香潔玉女存.
17. 김승혜는 『황정내경경』이 존사수행을 위주로 하는 문헌임을 밝힌 후, 육장신과 함께 뇌부
구궁을 소개한 바 있다. 金勝惠, 「黃庭內景經的神之像與氣: 上淸派傳統中內在超越的體
內神」 참조. 『황정내경경』에서는 오장 외에도 담을 藏에 포함시키고 있다.
18. 王羲之本 『黃庭外景經』: 九原之山何亭亭, 中有眞人可使令.

더 거슬러 올라가면 오장으로 분기되기 전에 심장에 거주하던 신이 원형일 것이다. 그러나 구체적으로 사람의 모습을 갖춘 것으로 의인화하기 시작한 것은 『태평경』의 성립 시점 즉 오장으로의 분기가 끝난 때다. 뒤에 체내신의 숫자는 대폭 늘어났지만 오장신이 그 중심에 있었다.

그런데 『황정외경경』에서 체내신을 명확하게 표현한 경우는 12~13회를 넘지 않는다.[19] 『황정내경경』에서는 오장에 담 즉 쓸개를 더한 육장의 신을 자세히 묘사하고 있지만, 『황정외경경』에서는 오장신조차 모두 언급하지 않을 뿐만 아니라 오장에 머무는 신에 대한 묘사도 몹시 간결하다. 『황정외경경』의 비장신에 대한 서술을 『황정내경경』과 비교하면, 이 점을 분명히 알 수 있다.

비장 즉 지라spleen의 신이 돌아와 위에 의지한다.[20]

비장 즉 이자pancreas 속의 신은 중궁 즉 췌장에 거처한다.[21]

비부의 궁은 십 천간 중 무·기에 속한다. 속에는 누런 속치마를 입은 신명한 동자가 있다. (이 신은) 곡식을 소화시키고 (소화를 통해 몸으로 들어온) 기를 소화시키고 치아를 관장한다. 이 비궁의 신을 태창과 짝하는 명동이라고 한다. 비궁의 신은 길이가 한 치 되는 아홉 겹으로 둘러싸인 성의

---

19. 王羲之本『黃庭外景經』: 黃庭中人; 中池有士服赤衣; 宅中有士常衣絳; 眞人子丹當吾前; 赤神之子中池立; 中有眞人可使令; 中有眞人巾金巾; 負甲持符開七門; 諸神皆會相求索; 脾神還歸依大家; 脾中之神舍中宮.

20. 王羲之本『黃庭外景經』: 脾神還歸依大家.

21. 王羲之本『黃庭外景經』: 脾中之神舍中宮.『태상황정외경옥경』에는 舍가 遊로 되어 있다.

금대에 있다.[22]

비장은 길이가 한 척으로 태창에 가려져 있다. 중부노군이 황정을 다스
리고 있다. 비장 신의 자는 영원이고 이름은 혼강이다. 온갖 질병을 치료
하고 곡식을 소화시킨다. 노란 옷에 자줏빛 띠와 용호의 부록符을 차고
있다.[23]

앞의 두 인용문은 『황정외경경』, 뒤의 두 인용문은 『황정내경경』에서
발췌한 것이다. 한의학의 비장은 지라와 이자를 포함하여 여러 기관이 연
관된 통합적 기능체다. 『황정외경경』과 『황정내경경』에서 비장을 두 번씩
언급하는 이유이기도 한데, 이로써 『황제내경』에서 정립된 오장 개념이 수
행론의 신체관에도 영향을 주었음을 알 수 있다. 그런데 『황정외경경』과
『황정내경경』을 비교하면 비장신에 대한 묘사가 크게 차이가 난다는 점
을 알 수 있다. 『황정외경경』의 묘사는 극히 간략하다. 학자들은 일반적으
로 존사수행이 『황정외경경』의 수행을 대표한다고 생각하는 듯하다. 그러
나 사실이 아니다. 『황정외경경』의 존사수행은 주변적이고 부수적이다.
방중수행의 흔적을 찾을 수 있을까?

『황정외경경』에는 방중을 암시하는 글이 있다. "그대의 정기가 유출되
는 길을 막으면 오랫동안 살 수 있다."[24] 그러나 『황정외경경』의 저자들은

---

22. 『正統道藏』 洞玄部 本文類 『太上黃庭內景玉經』: 脾部之宮屬戊己, 中有明童黃裳裏, 消
　　穀散氣攝牙齒. 是為太倉兩明童, 坐在金臺城九重.
23. 『正統道藏』 洞玄部 本文類 『太上黃庭內景玉經』: 脾長一尺掩太倉. 中部老君治明堂, 厥
　　字靈元名混康, 治人百病消穀粮. 黃衣紫帶龍虎章.

방중수행에 대해 부정적이었다. "기운은 두 신장 사이를 경유하면서 끝까지 흘러간다. (그러나) 음경을 사용하는 수행법은 믿을 만하지 않다. 지극한 도는 번거롭지 않으니 (방중수행과 같은) 잘못을 저지르지 마라."[25] "장생의 도는 오묘한데, 방중술은 위험하니, 음란한 욕정을 버리고 전일하게 정을 지켜야 한다."[26] 『황정외경경』의 저자들은 방중의 수행적 가치를 부정하지 않았으나, 수행에 반하는 방식으로 행해질 수 있는 방중을 권장하는 입장도 아니었다고 보아야 할 것이다.

정기의 유출을 금해야 한다는 말이 반드시 방중수행을 지칭하는 것은 아니다. 정기의 누설을 막는 것이 방중수행만의 이념은 아니기 때문이다. "코로 호흡하여 기운을 보충하고 (정기를) 잘 지켜서 온전하고 견고하게 만들면 몸이 복을 받는다. 사방 한 치 되는 마음을 정성스럽게 덮어 감추면 정신이 다시 돌아올지니 (정신이 돌아오면) 노인이 다시 젊어지리라."[27] 정기의 누설을 금해야 한다는 것은 동아시아 수행법의 원형적 이념이었다. 『황정외경경』에서도 이런 일반적 관념을 반복하고 있을 뿐이다. 요컨대 방중은 『황정외경경』의 수행법이 아니다.

『황정외경경』의 주된 수행법은 호흡법이다. 호흡법의 핵심은 땅기운

---

24. 王羲之本 『黃庭外景經』: 閉子精路可長活.

25. 王羲之本 『黃庭外景經』: 俠以幽闕流下竟. 養子玉樹不可杜, 至道不煩不旁迂. 『태상황정외경옥경』에는 두 번째 구절이 養子玉樹令可壯으로 되어 있다. 그러나 『황정외경경』 전체의 논지와 어울리지 않는다. 왕희지본과 비교해 볼 때 『태상황정외경옥경』에는 후인의 첨입이나 수정으로 판단되는 구절이 적잖게 존재한다.

26. 王羲之本 『黃庭外景經』: 長生要妙房中急, 棄捐淫欲專守精.

27. 王羲之本 『黃庭外景經』: 呼吸廬間以自償, 保守完堅身受慶. 方寸之中謹蓋藏, 精神還歸老復壯.

이 아닌 하늘기운을 먹는 것이다. 『황정외경경』에서는 이 점을 명시하고 있다. "선인·도사라고 해서 신이 될 수 있는 특별한 능력이 있는 것은 아니다. 정을 쌓은 결과 온전히 수명을 누릴 수 있을 뿐이다. 사람들이 모두 곡식과 오미를 먹으나, (선인·도사만이) 홀로 극히 조화로운 음양의 기를 먹기 때문에 죽지 않고 (수명이) 하늘과 같아질 수 있다."[28] 곡식을 먹지 않으므로 수행자의 소화기관에는 아무것도 없다. "육부를 닦으면 깨끗하게 희어진다."[29] 조화로운 음양의 기를 먹는다는 것은 흡기를 말한다. "코 즉 호흡을 힘써 닦아 다스려 현응과 기관에서 정기의 부절을 받아들이면, 급히 그대의 정기를 확고하게 하고 (욕망을) 자제하라."[30] 이 글의 호흡은 내가 의역한 것이다. 원문에는 호흡이라는 단어가 나오지 않는다. 그러나 다음 글에는 호흡이라는 표현이 등장한다.

위에는 황정이 있고 아래에는 (배꼽 아래 세치 되는 곳에) 관원이 있으며, 뒤에는 신장이 있고 앞에는 배꼽이 있다. 코로 호흡하여 단전으로 들어간다. 이를 살펴 닦으면 장생할 수 있다.[31]

---

28. 王羲之本『黃庭外景經』: 仙人道士非有神, 積精所致爲專年. 人皆食穀與五味, 獨食太和陰陽氣, 故能不死天相旣. 『태상황정외경옥경』에는 仙人의 仙이 僊으로 되어 있다.

29. 王羲之本『黃庭外景經』: 六腑修治潔如素.

30. 王羲之本『黃庭外景經』: 神廬之中務修治, 玄膺氣管受精符, 急固子精以自持. 왕희지본에는 神廬가 神廬로 되어 있다. 옳지 않다. 廬로 고친다. 『태상황정외경옥경』에는 務修治가 當修理로 되어 있다. 표현을 좀 더 세련되게 바꿨을 뿐, 같은 뜻이다.

31. 王羲之本『黃庭外景經』: 上有黃庭下關元, 後有幽闕前命門. 呼吸廬間入丹田, 審能行之可長存. 본래 왕희지본에는 呼吸廬間入丹田이 呼吸廬外出入丹田으로 되어 있다. 『태상황정외경옥경』의 呼吸廬間入丹田을 따라 고쳤다. 『태상황정외경옥경』에는 이 뒤에 玉池淸水灌靈根(옥지의 맑은 물은 [췌]장 즉 황정에 있는 신령스러운 뿌리를 적신다)라는 구절

인용문에서 말하듯이 호흡한 기운은 단전으로 들어간다는 인식이 있었다. 정기를 몸에 보관한다고 생각했던 셈이다. 그런데 『황정외경경』에는 좀 이상한 글이 있다. "그대는 본래부터 이것을 지니고 있으니 잘 지니고 있으면서 잃지 마라."[32] "그대는 본래부터 이것을 지니고 있으니, 어찌 지키지 않는가?"[33]

흡기는 외부의 기운을 흡입하는 것이어야 하지 않을까? 그런데 인용문에서는 그 기운이 본래부터 수행자에게 있다고 한다. 앞에서 보았던 호흡법의 역사를 상기해 보라. 태식호흡을 전반기와 후반기로 나눌 때 후반기인 당 이후의 태식에서는 외기가 아닌 내기의 호흡을 주장한다. 태식호흡법을 설명할 때 소개한 바 있는 당 현종 때 문헌 『유진선생복내원기결』에서는 복기법을 내기복식법과 외기복식법의 둘로 나눠, 일월의 정기 즉 '울의鬱儀'··'결린結璘'과 '오천五天'의 정기인 '오아五芽' 등을 복식하는 것은 외기外氣를 복식하는 것이며 태식은 내기內氣를 복식하는 것이라고 말한다.[34]

내기의 흡입임을 반복해서 적기한 배후에는, 자신들의 수행법이 외기를 복식하는 초기의 호흡법과 다름을 강조하기 위한 의도가 있다고 보여진다. 그렇다면 『황정외경경』의 호흡법은 내기를 흡입하는 태식호흡법인가? 태식법에 관해서는 갈홍의 명확한 설명이 있다. "태식을 할 수 있으면 입과 코로 숨 쉬지 않는다. 마치 어머니의 뱃속에 있는 것처럼 할 수 있으

이 있다.

32. 王羲之本 『黃庭外景經』: 子自有之持勿失.
33. 王羲之本 『黃庭外景經』: 子自有之何不守.
34. 『正統道藏』 洞神部 方法類 『幼真先生服內元炁訣』: 其二景(日月), 五牙, 六戊及諸服炁法, 皆爲外炁. 外炁剛勁, 非俗中之士所宜服也. 至如內炁, 是曰胎息, 身中自有, 非假外求.

면 도가 이뤄진다.''[35] 갈홍은 폐기 즉 호흡을 하지 않는 것에 관해서는 말했지만 내기를 흡입한다는 생각이 명시적으로 드러나지 않는다. 다만, 배후에서 읽어 낼 수 있을 뿐이다. 이와 달리 『황정외경경』에서는 호흡하는 것이 본래부터 자신에게 있던 것이라고 말하고 있다. 단순히 폐기를 주장하는 호흡법과 다르다는 것은 분명하다.

태식법의 궁극적 목표는 자신의 변화 즉 수행자의 몸에서 성스러운 태아를 만드는 것이다. 그런데 『황정외경경』에서도 이와 유사한 생각을 엿볼 수 있다.

> 오장을 줄지어 놓고 세 개의 빛을 낳는다. 위로는 삼초와 결합하여 (삼초를 통해 기운이 내려오면 몸 안의) 도가 (그 기운이 섞인) 장漿을 마신다.[36]

인용문의 도는 어머니의 배 속에서 양육되는 태아를 연상시킨다. 당연히 태식수행의 성태와 유사하다. 그러나 앞서 보았듯이 『황정외경경』에서는 외기의 흡입도 언급하고 있다. 외기의 흡입은 내기 호흡의 예비적 단계로 행해지기도 하므로 외기 흡입이 있다는 것만으로 『황정외경경』의 수행법을 외기흡입의 태식법이라고 단정할 수는 없다. 그러나 『황정외경경』에서 말하는 외기호흡은 단순한 예비적 호흡으로 보이지는 않는다. 양자의 연관성을 설명하는 구절이 없기 때문이다. 예비 호흡이라면 양자의 연관성 또는 절차에 관한 설명이 있어야 할 것이다. 복기호흡에서 태

---

35. 『抱朴子』「釋滯」: 得胎息者, 能不以鼻口噓吸, 如在胞胎之中, 則道成矣.
36. 王羲之本 『黃庭外景經』: 羅列五臟生三光. 上合三焦道飲漿,

식호흡으로의 전개라는 흐름 속에서 평가하면, 『황정외경경』의 호흡법은 외기를 호흡하는 복기호흡수행에서 내기를 호흡하는 태식수행으로 넘어가는 단계의, 그러나 방점은 내기태식호흡법으로 넘어와 있던 상태였다고 하는 것이 적절할 것이다. 그런데 『황정외경경』의 태식수행에는 기의 순환이 포함되어 있다.

> 환단을 돌려보내 현천과 결합시킴은 마치 거북이 기운을 끌어 신령스러운 뿌리 즉 혀에 (기운을) 보내는 것과 같다.[37]

이런 순환은 수·당대에 성립한 내단을 상기시킨다. 『황정외경경』에 이런 내용이 들어 있다는 것은 무엇을 함의할까? 먼저, 『황정외경경』의 성립 시기에 태식법뿐만 아니라 내단수행의 원형도 병존했다고 볼 수 있다. 둘째, 복기·태식·내단이 단절적으로 발전하지 않았다는 사실을 확인시켜 준다. 즉 단순히 시기나 수행자 집단에 따라 유행하는 호흡법이 다르거나 강조점이 달랐을 뿐, 여러 수행법이 뒤엉켜 전개되었다. 굳이 말하자면 『황정외경경』은 태식수행 문헌이지만, 동시에 몇몇 수행법이 서로 경쟁하면서도 결합해 나가던 과도기적 모습을 보여 준다. 다른 수행 문헌을 볼 때도 이 점을 명심해야 한다. 깔끔하게 정리된 그런 수행법은 존재하지 않았다.

---

37. 王羲之本 『黃庭外景經』: 送以還丹與玄泉, 象龜引氣致靈根.

『황정외경경』의 몸

앞에서 '구원九原'이 뇌부구궁의 존재를 암시한다고 말한 바 있다. 구원은 무엇일까? 무성자는 구원을 심장으로 보았지만,[38] 양구자는 니환泥丸이라고 했다.[39] 니환은 뇌부구궁 중 하나지만 뇌부구궁 전체를 칭하기도 한다. 즉 머리 자체를 가리키기도 한다. 그러나 구원의 존재가 곧 뇌부구궁의 존재를 함축한다고 말하는 것은 비약이다. 구원의 진정한 의의는 뇌부구궁보다는 『황정외경경』 신체관의 구성 과정을 암시한다는 점에 있다.

> (달이 뜨면 태양이 들어가듯이) 호흡을 번갈아 하는 것이 나의 수행법이다. 하늘의 일곱 기운과 땅의 세 기운이 돌면서 서로를 지킨다. (기운이) 오장을 오르내리면서 일이 구와 합쳐진다. 옥석이 떨어지듯이 기운이 내려오는 것이 나의 보배다. 그대는 본래부터 이것을 지니고 있으니, 어찌 지키지 못하겠는가?[40]

하늘의 일곱과 땅의 삼은 「낙서洛書」의 도식에 부합한다.[41] 중국의 대표적 전통 도상 중 하나인 「낙서」에서 삼과 칠은 각각 하늘과 땅이 아닌 왼

---

38. 『正統道藏』太玄部『太上黃庭外景經注』: 心爲九原, 眞人太一處其中也.

39. 『正統道藏』洞眞部 方法類『黃庭外景玉經注』: 泥丸中氣王色明, 眞人太一住其中.

40. 王羲之本『黃庭外景經』: 出月入日是吾道, 天七地三回相守. 昇降五行一合九, 玉石落落是吾寶. 子自有之何不守.

41. 「낙서」의 우주론적 위상에 관해서는 존 헨더슨, 『중국의 우주론과 청대의 과학혁명』, 문중양 옮김(서울: 소명출판, 2004), 103-105쪽 참조.

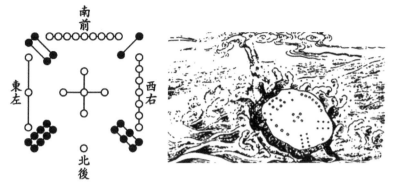

「낙서」의 도식

쪽과 오른쪽을 가리키지만, 한의학에서 왼쪽은 간에 우측은 폐에 배당된다. 예를 들면 『소문』「자금론」편에서 간은 왼쪽에서 낳고 폐는 오른쪽에서 잠장된다고 말한다.[42] 후대의 내단에서도 좌우는 각각 간과 폐에 대응하고, 간은 땅기운을 올려 주고 폐는 하늘기운을 내려 보내는 기능을 한다.[43] 수행론과 의학의 어느 영역에서도 삼과 칠은 간과 폐를 상징한다. 게다가 앞의 '구원'은 이 글 직후에 나온다. 따라서 '구원'의 '구'는 몸의 위쪽을 가리킨다. 그러나 이미 밝혔듯이 그것이 머리를 가리킨다고 단언할 수는 없다. 다만, 후에 뇌부구궁이 구성된 토대였다고 말할 수는 있을 것이다.

「낙서」의 도식에서 확인할 수 있듯이 삼은 왼쪽을 칠은 오른쪽을 구는 몸의 위쪽을 일은 아래쪽을 가리킨다. 삼과 칠을 각각 간과 폐에 대응시

---

42. 『素問』「刺禁論」: 肝生於左, 肺藏於右.
43. 내단의 용호 교합에 관해서는 이시다 히데미, 『기 흐르는 신체』, 이동철 옮김(열린책들, 2000), 218-229쪽 참조. 한의학의 내단호흡의 수승화강에 대한 비교는 이기훈, 『내경도와 수진도에 대한 연구─한의학의 수승화강 원리를 중심으로』, 경희대학교 박사학위논문, 2013, 5, 146-151쪽 참조.

키고 앞의 논의를 더하면 간에서 올려 보낸 기운을 폐를 통해 내려 보낸 다는 생각을 읽어 낼 수 있다. 내려 보내는 기능은 폐만 담당한 것이 아니 다. 위로 올라간 기운은 삼초를 따라 내려온다고 말하고 있기 때문이다. 삼초는 수액 대사를 담당하는 기관이다. 그렇다면 간의 작용에 의해 위로 올라간 기운은 폐의 내려 보내는 힘에 의해 삼초를 따라 아래로 내려온다 고 보았을 가능성이 높다. 올라가고 내려오는 기운은 간과 폐의 기운이 아니다. 앞의 인용문에서는 그로 인해 구와 일이 결합된다고 말했다. 내 단에서 구와 일에 해당하는 것은 각각 하늘과 땅을 상징하는 심장과 신장 이다. 『황정외경경』의 신체관에서는 간과 폐의 상승하고 하강하는 기운 에 따라 하늘과 땅을 상징하는 심장과 신장이 결합한다.

비장이 언급되지 않은 까닭은 기운이 결합하는 곳이기 때문이다. 즉 비 장인 황정은 중앙에 있으며 하늘과 땅의 기운이 그곳에서 결합한다.[44] 그 러나 『황정외경경』의 저자들은 비장에 기운이 쌓인다고 생각하지는 않은 듯하고, 황정에서 기운이 결합되어 생명의 씨앗이 만들어지지만 이 생명 의 씨앗은 단에 쌓인다고 여겼던 듯하다. 그렇지 않다면 『황정외경경』의 모두에서 황정의 좌표를 이용해서 궁극적으로 단전의 위치를 확성한 배 경을 설명하기 어렵다.

지금까지의 설명에 따르면 『황정외경경』의 몸에는 간·심·폐·신을 유주 하는 순환 체계가 있다. 확인할 수 있는 또 다른 순환 체계는 몸을 수직으 로 운행한다. "환단을 돌려보내 현천과 결합시킴은 마치 거북이 기운을

<hr>

44. 王羲之本『黃庭外景經』: 出入二竅舍黃庭.

끌어 신령스러운 뿌리 즉 혀에 (기운을) 보내는 것과 같다."[45]

환단還丹은 확실히 환정보뇌를 연상시킨다. 인용문은 척추를 따라 올라간 기운이 혀를 타고 내려오는 모습을 묘사하고 있음에 틀림없어 보인다. 「낙서」는 거북의 등껍질에 새겨져 있는 도상이다. 인용문에서 거북을 말한 것은 낙서가 『황정외경경』 신체관의 기본 구도가 되었다는 점을 상기시키는데, 오장을 중심으로 하는 순환 체계와는 다른 순환 체계를 보여 주고 있다는 점도 특기할 만하다.

『황정외경경』의 어디에도 두 순환 체계의 관계에 대한 정보는 존재하지 않는다. 다만, 뒤에 볼 수 있듯이 내단 순환 체계도 유사하게 두 순환 체계의 결합으로 되어 있으므로 관계를 추정해 볼 수는 있다. 억측하자면 수직적 순환 체계를 통해 오장을 중심으로 하는 순환 체계가 작동하고 그 결과 단이 만들어진다고 생각했을 가능성이 있다. 잠복되어 있는 외단의 비유를 끄집어내자면 수직적 순환은 화후 즉 불의 강도를 조절하는 풀무에 해당하고 오장의 순환은 약재의 결합에 해당한다.

『황정외경경』의 몸은 신이 거주하는 존사수행의 몸이라고 하기는 어렵고, 호흡수행이나 도인수행의 부패하는 몸이라고 하기도 어렵다. 그것은 오히려 단을 만들기에 적합하게 구성된, 단이 결합하는 곳으로서의 솥과 같은 모습을 보여 준다.

---

45. 王羲之本 『黃庭外景經』: 送以還丹與玄泉, 象龜引氣致靈根.

3. 존사수행

전사前史와 배경

후한대부터 위·진 시기의 사이를 들여다보면 이전의 문헌에서는 확인할 수 없었던 존사수행법의 흔적을 확인할 수 있다. 존사수행은 요컨대 신을 상상하는 것이다. 앞서 말했듯이 도인이나 행기는 모두 수행자가 기운을 움직이는 것이지, 단순히 기운을 보고 있는 것은 아니다. 따라서 도인 수행가들도 기운의 움직임을 상상했을 가능성은 있다. 그러나 그들은 신을 상상하지는 않았다. 존사수행법을 증명하는 현존 최고의 자료는 최초의 교단 도교 태평도의 소의경전인 『태평경』이라고 알려져 있다. 『태평경』에서는 오장신을 존사하는 방법을 다음과 같이 묘사하고 있다.

> 무릇 인신人神이 안에서 생겼다고 해도 도리어 밖으로 나가 노니는데 노니는 것이 때에 맞지 않으면 도리어 해로움이 된다. 따라서 좇아가서 돌아오게 하면 자신을 다스려 상하지 않게 할 수 있다. 좇는 것은 어떻게 하는가? 텅 빈 방에 사람이 없게 하고 상을 그리되 그 장의 색을 따라 하여 사시의 기와 서로 응하게 한 후, 그것을 창의 빛나는 곳에 매달아 두고 존사한다. 위에는 장의 상이 있고 아래에는 십향이 있다. 누워서는 곧 의념으로 매달아 둔 상에 가깝게 만든다. 이렇게 생각하기를 지속하면 오장신이 이십사시의 기운으로 보답하고 오행신이 또한 와서 구원해 줄 것이니 온갖 병이 모두 나을 것이다.[46]

마왕두이 발굴 문헌에서는 이런 수행법이 보이지 않고, 『태평경』은 그다지 신뢰도가 높은 문헌은 아니지만 후한대의 문헌이라고 가정해 보자. 이 수행법은 전한과 후한 사이의 특정 시점에 돌연히 등장했을 가능성이 있다. 지성사의 맥락에서 보면 그 사이의 변화를 추동한 주된 동력은 불교의 도입과 그로 인해 촉발된 도교의 성립이다. 존사수행이라고 불리는 수행법의 성립 배경도 다르지 않을 것이다.

위·진·남북조 시기에는 사실 오직 하나의 교단 도교가 있었다. 유일한 교단 도교였던 천사도를 제하고 생각해 보자. 위·진·남북조 시기에 도교가 번창했다고 하지만 사실 도교는 아직 완성된 상태가 아니었다. 수행과 의례 및 경전이 체계를 잡아 나가는 시기로, 도교의 청년기였다. 이 시기에 다양한 도교의 분파가 존재했다. 그들이 스스로를 도교라고 인식했을까? 이 점은 확인되지 않는다. 그러나 이후의 학술사가들은 그들을 도교로 묶는다. 다양한 도파 중 상청파와 영보파의 영향력이 가장 컸다. 영보파의 영향력은 육조 시기부터 강력했으나, 상청파의 영향력은 뒤로 갈수록 깊어졌다. 영보파는 일종의 제례인 재초의식齋醮儀式을 상청파는 존사수행을 중시했다.

상청파는 '상청경'이라는 일군의 문헌을 위주로 하므로 상청파라고 불리고, 장쑤성 모산茅山을 중심으로 활동했으므로 모산파라고도 불린다. 위화존魏華存이라는 여신이 상청파의 조종으로 알려져 있다. 그러나 상청

---

46. 『太平經』太平經鈔乙部: 夫人神乃生內, 返遊於外, 遊不以時, 還為身害, 即能追之以還, 自治不敗也. 追之如何, 使空室內傍無人, 畫象隨其藏色, 與四時氣相應, 懸之窗光之中而思之. 上有藏象, 下有十鄉, 臥即念以近懸象, 思之不止, 五藏神能報二十四時氣, 五行神且來救助之, 萬疾皆愈.

파의 실질적 조종은 허밀許謐이다. 그는 병약했다. 줄곧 병을 앓았고 이로 인해 종교적 태도를 지녔던 듯하다. "허장사는 악몽을 꾸는 일이 많았고 … 음벽증을 앓았으며 손을 잘 쓰지 못했다. 그러므로 매번 여러 법을 전수할 때마다 침구를 뒤에 두고 있었다."[47] 그는 강신 체험도 했던 것으로 보인다. 어느 순간 스스로 강신을 하지 못할 만큼 쇠약해지자 자신을 대신해서 강신할 사람을 찾았다.

그가 양희楊羲다. 허밀은 양희로 하여금 접신에 들게 했다. 접신 상태에서 양희가 전술한 말이 상청경 문헌이 되었고, 이로부터 상청파가 성립되었다. 이런 전수 양식은 독특하지만 신의 말을 옮겨 적는 방식으로 성립한 종교는 상청파만이 아니다. 그리고 신의 말을 전술한다는 사유 방식도 낯설지 않다. 점복이 유사하지 않은가? 종교의 점복은 신의 뜻을 알아내는 것이다. 현재도 많이 행해지고 있는 도교의 부란扶鸞은 그런 점복술의 하나다. 그런데 허밀은 본래 화교華僑를 통해 신의 뜻을 전해 받고 있었다. 즉 화교가 본래의 영매였다. 그러나 화교는 말이 많아서 그 모임에 대해 함부로 말하고 다녔던 듯하다.

> 화교는 진릉의 관족으로 대대로 민가의 기도하는 일을 일삼았다. 교는 처음부터 자못 귀신에 통할 수 있었다. 늘 꿈에서 (귀신과) 함께 음식을 먹었다. (그러나) 매번 고요히 잠자는 듯하여 (다른 이들이) 깨닫지 못했다. 잠에서 깨면 낭자하게 (잠자리의 꿈에서 먹은 것들을) 토해 냈다. 속신들은 늘

---

47. 『正統道藏』太玄部 『眞誥』: 長史極多惡夢, … 又患飮癖及兩手不理, 故每授諸法, 并針灸 在後.

그를 부렸으니 그것이 열 몇 번이나 된다. 혹 어기는 일이 있으면 곧 그를 걸어서 견책했다. 화교는 화가 나고 근심하여 마침내 도에 들어가서 귀신의 일에 늘어남이 있었다. 점차 진선들이 와서 노닐었다. 처음에는 다만 꿈에 불과했다. 해가 지나자 야반에 배청령과 주자양(의 신인이)이 와서 허장사에게 뜻을 전하게 했다. 화교의 성품은 경박했으므로 신의 뜻을 자주 누술했다. (그) 책임을 추궁당해 마침내 양희로 대신케 했다.[48]

화교도 강신 능력이 있었다. 허밀은 화교를 영매로 삼아 신의 말을 들을 수 있다는 것을 알게 되었을 것이다. 그러나 화교는 경박했고 이로 인해 함께 일할 수 없었던 듯하다. 다른 영매를 찾던 허밀이 양희를 선택한 배경은 알 수 없다. 어쨌든 영매로 선택된 뒤의 일은 도홍경의 『진고眞誥』에 자세히 기록되어 있다.

삼가 상청진경이 세상에 나온 연원을 살펴보니, 진 애제 홍령 2년(364) 태세갑자일 자허원군상진사명 남악 위부인이 하강하여, 제자인 랑야의 왕사도 공부사인 양모에게 주어 예서로 옮겨 적어 호군장사인 구용의 허모 및 세 번째 아들인 허연(허홰)에게 주었다. … 허씨는 다시 옮겨 적어 수행해서 도를 얻었다. … 장자와 허홰는 소모 뒤에 있는 뇌평산 서북쪽에 작은 집을 지었다. 연은 그 집에서 글을 옮겨 적는 일을 하다가 태화 오년에

48. 『正統道藏』太玄部 『眞誥』: 華僑者, 晋陵冠族, 世事俗禱. 僑初頗通神鬼, 常夢共同饗醼, 每爾輒靜寐不覺, 醒則醉吐狼藉, 俗神恒使其擧才用人, 前後十數, 若有稽違, 便坐之為譴. 僑忿患, 遂入道, 於鬼事得息, 漸漸眞仙來游, 始亦止是夢, 積年乃夜半形見裴清靈, 周紫陽至, 皆使通傳旨意於長史, 而僑性輕躁, 多漏說冥旨, 被責, 仍以楊君代之.

죽었다. 장사는 태원 원년에 죽었다. 연의 아들인 황민은 당시에 열일곱 이었는데 이전에 (아버지가) 적은 경·부·비록을 몇 년간이나 수집했다. 이에 몇 권이 흩어져 나왔다.[49]

강신 활동은 흥령 2년(364)에 시작되어 대략 태화 2년(367)에 끝났다. 이때 정리된 상청파의 문헌은 모두 31권이다. 그중 『상청대동진경上淸大洞眞經』·『오노자일보경五老雌一寶經』·『소령대유묘경素靈大有妙經』을 삼기三奇라고 한다. 상청파 문헌을 대표한다는 뜻이다. (이 중 『소영대유묘경』은 후대의 이작이라고 말해지곤 하는데, 문헌 전체가 그렇지는 않다. 일부는 진본이다.) 각각 제일신, 뇌부구궁의 자일雌一과 웅일雄一신, 뇌부구궁과 삼단전의 존사를 위주로 한다. 그중에서도 가장 핵심 되는 문헌은 『상청대동진경』이다.

존사수행과 몸

『상청대동진경』은 총 39장으로 되어 있다. 먼저, 몸의 각 부위에서 신을 만든다. 예를 들면 폐의 신, 심장의 신, 신장의 신, 이런 식이다. 최종적으로 모든 신을 하나의 흰 기운으로 바꾼다. 그 기운에서 작은 아이 신, 대동제일존군大洞帝一尊君이 생겨난다. 대동제일존군을 중심으로 여러 신이 모여들어 하나가 된다. 마침내.

---

49. 『正統道藏』太玄部『眞誥』: 伏尋上淸眞經出世之源, 始於晋哀帝興寧二年太歲甲子, 紫虛元君上眞司命南嶽魏夫人下降, 授弟子瑯琊王司徒公府舍人楊某, 使作隷字寫出. 以傳護軍長史句容許某, 并第三息上計掾某某, 二許又更起寫, 修行得道.…長史, 掾立宅在小茅後雷平山西北. 掾於宅治寫修用, 以泰和五年隱化, 長史以泰元元年又去. 掾子黃民, 時年十七, 乃收集所寫經符秘籙歷歲. 于時亦有數卷散出.

『상청대동진경』의 존사수행도

존군이 입으로 회오리바람을 일으키는 기운을 뱉어 내고, 이 일월의 빛을 불어 낸다. 이 모든 것은 그득하여져서는 흰색 또는 자색으로 바뀐다. (존군은) 빛과 기운을 수행자의 오장육부 그리고 (몸의) 온갖 마디로 불어 넣는다. 온몸이 완전히 뚫려서 빛난다. 안팎이 흰 태양과 같은 형상을 띤다. 오랜 시간이 지난 후에 홀연히 자신을 잃는다. 모든 과정이 끝나고 신기가 안정된 후에는 몸이 가볍고 깨끗해졌음을 느낀다. 정신도 맑다. 이에 이를 39번 두드리고 두 손으로 얼굴을 닦은 후 다시 기도문을 암송한다.[50]

---

50. 『正統道藏』洞眞部 本文類 『上淸大洞眞經』: 尊君口吐徊風之炁, 吹此日月之光, 皆鬱鬱變成白色, 或成紫色. 令光炁下入兆五藏六腑百節, 一身之內, 洞徹朗然, 內外如白日之狀. 良久, 忽然忘身. 事訖, 神炁已定, 覺身體輕淸, 精神開爽. 乃叩齒三十九通, 兩手拭面, 再說頌曰.

존사수행과 관련된 문헌의 신체관을 이해하기 위해서는 몇 가지 주의해야 할 점이 있다. 먼저, 무엇보다도 몸은 신의 거주지다. 신은 몸의 어느 부위에 살거나 밖에서 들어오기도 하고 몸의 어느 부위를 관장하기도 한다. 둘째, 몸은 소우주다. 몸에는 하늘과 땅이 펼쳐진다. 셋째, 몸에는 '속에서 성으로'라는 구도가 반영된다. 그러므로 몸 안에는 성으로 오르기 위한 산과 나무의 이미지가 있다. 때로는 몸 자체가 산처럼 그려지기도 한다.

다음 그림의 작자는 송대의 양해梁楷다. 그림 속의 인물은 노자로서, 그는 사람이자 신이며 산이다. 존사수행과 관련된 모든 문헌에서 이런 특성을 발견할 수 있는 것은 아니다. 그러나 이런 시선이 종종 잠복해 있다.

양혜의 〈발묵선인潑墨仙人〉

존사수행의 주요 문헌 중 하나인 『노자중경老子中經』에서 말하는 노자의 몸에는 우주가 들어 있다. 하늘의 구조에 대응한다. "선기璇璣는 북두군이요, 하늘의 왕이다. 일만 이천 신의 주제를 관장하며 인명을 담고 있는 장부를 지니고 있다. 사람들에게도 선기가 있으니 배꼽에 있는 태일군이 사람의 후왕이다."[51] 선기는 선기옥형璇璣玉衡의 선기다. 선기옥형은 북두칠성을 이른다. 북두칠성의 1성부터 4성까지를 선기라 하고, 5성부터 7성까지를 옥형이라고 한다. 북두칠성은 하늘의 중심이다. 사람에게는 배꼽이 북두칠성에 해당한다. 이어지는 글의 설명은 보다 구체적이다.

배꼽은 사람의 명命이다. 중극·태연·곤륜·특추·오성이라고 한다. 오성五城에는 다섯 진인이 있다. 오성은 오제五帝다. 오성의 밖에는 팔 리吏가 있으니 팔괘의 신이다. 태일신은 구 경卿이다. 팔괘의 밖에는 십이 루樓가 있다. 십이 루는 열두 태자와 열두 대부를 의미한다. 삼초의 신과 합쳐서 이십칠 대부가 된다. 사지신은 팔십일 원사元士다. 그러므로 오성의 진인은 사시를 주관하여 위에 알리고, 팔 신은 여덟 절기를 주관하여 위에 알린다. 십이 대부는 열두 달을 주관하여 그믐날 위에 알린다. 매달 알리는 것에 게으르지 않아야 하니, 만약 게으르다면 하늘에 알리는 직임에서 파면한다. 늘 마음으로 이러한 것들을 생각하고 있어야 장수할 수 있다.[52]

---

51. 『正統道藏』 太玄部 『太上黃庭外景經注』: 璇璣者, 北斗君也, 天之侯王也. 主制萬二千神, 持人命籍. 人亦有之, 在臍中, 太一君, 人之侯王也. 이 글은 무성자가 외경의 주석에서 인용한 것이다. 『노군중경』은 약명으로 본명은 『태상노군중경』이다. 『태상노군중경』은 『정통도장』 태청부에 있다.

52. 『正統道藏』 太玄部 『太上黃庭外景經注』: 臍者, 人之命也, 一名中極, 一名太淵, 一名崑

신을 존사함으로써 수행자는 신이 된다. 그 신은 우주의 신이다. 수행자는 우주의 신이 됨으로써 우주가 된다. 존사의 대상이 되는 신 모두가 체내신은 아니다. 예를 들어 『노자중경』의 상상태일신上上太一神은 내 머리의 구 척 위에 있다. 상상태일신은 "수행자 머리로부터 구 척 위에 있다. 늘 자줏빛 구름 속에 있다."[53] 그러므로 존사 대상인 신은 크게 몸 밖의 신과 몸 안에 있는 신으로 나눌 수 있다. 그러나 몸 밖의 신이 몸 안으로 들어오면 체내신이 되므로 이 구분은 큰 의미가 없다. 그런데 존사수행 자체의 논리에 따르면 몸의 각 부분은 유기적으로 존재할 필요가 없다. 몸의 특정 부위에 있는 신을 존사하는 것으로 충분하기 때문이다. 그러나 상청경의 대표 문헌 중 하나인 『상청태상제군구진중경』에는 다음과 같은 글이 있다.

제군과 태일 그리고 오신이 섞여서 하나의 대신이 되었다가, 홀연히 다시 두 신으로 나뉘어 두 신장에 머문다. 이 이의 호를 현양군이라 하고 자를 명광선생이라고 한다. 이때 수행자는 방으로 들어가 두 무릎 위에 손을 모으고 … 현양군이 두 신장으로 들어오는 것을 존사한다. 입으로 푸른 기운을 내뿜어 신장을 아홉 번 감싼다. 이 기운은 위의 니환으로 올라간다. 몸의 안과 밖이 기운으로 가득해진다. 끝나면 아홉 번 이를 두드리

嵓, 一名特樞, 一名五城. 五城中有五真人. 五城者, 五帝也. 五城之外有八吏者, 八卦神也. 并太一為九卿. 八卦之外有十二樓者, 十二太子, 十二大夫也. 并三焦神合為二十七大夫. 四支神為八十一元士. 故五城真人主四時上計, 八神主八節日上計, 十二大夫主十二月, 以晦日上計. 月月不得懈息, 即免計上事. 常當存念留之, 即長生矣.

53. 『正統道藏』太玄部『太上黃庭外景經注』: 正在兆頭上, 去兆身九尺, 常在紫雲之中.

고 아홉 번 침을 삼킨다.[54]

신장으로 모여든 기운이 니환으로 올라가는 것은 방중의 환정보뇌를 연상시킨다. 환정보뇌와 무관하지 않을 것이다.

존사수행을 말하는 중에 기운의 순환을 암시하는 것을 어떻게 이해해야 할까? 존사수행은 독자적으로 수행되기보다는 다른 수행법과 함께 사용되거나 부수적으로 수행되는 특성을 보였다고 해석할 수 있을 것이다. 존사수행이 비교적 늦게 등장한 수행법이라는 점을 고려할 때 이런 경향은 피치 못할 상황일 수도 있다. 기존의 수행법이 있었을 때 새로운 수행법을 수행하는 이들이 취할 수 있는 방법 중 하나일 것이다. 기존의 다른 수행법 문헌에 토대해서 자신들의 수행 문헌을 저술하는 것도 좋은 방법일 것이다. 실제로 일군의 존사수행자들이 『황정외경경』을 개편해서 존사수행 문헌을 만들었다. 『황정내경경』이 그것이다.

그런데 앞서 보았듯이 『황정외경경』의 수행법은 존사수행이 아니다. 어떤 변화가 일어났을까?

---

54. 『正統道藏』正一部 『上清太上帝君九眞中經』: 帝君太一五神, 混合化為一大神, 忽爾又因分形為二神, 分坐散形在兩腎中, 號曰玄陽君, 字冥光先生. 至此日時, 兆當入室, 接手於兩膝上, 冥目閉氣內視, 存玄陽君化形, 並入兩腎中, 使口吐蒼氣, 以繞腎九重, 上衝泥丸, 內外鬱然. 畢, 叩齒九通, 咽液九過.

4. 『황정내경경』

문헌

상청파 문헌은 위화존이 전한 말이라고 하지만 당연히 사실이 아니다. 새롭게 등장한 종교수행 문헌으로서 기존의 수행 문헌과는 질적으로 다른 것이어야 했으므로 강신降神한 신들의 말을 담고 있다고 주장되었을 뿐이다. 어쨌든 이 강신 모임은 주로 364~367년에 있었고, 강신 모임을 주도한 허밀의 생몰년은 305~376년이다.[55] 다음에서 확인할 수 있듯이 도홍경의 『진고』에는 허밀이 『황정경』을 암송했다는 기록이 있고, 허밀이 읽은 『황정경』은 『황정외경경』이 아닌 『황정내경경』이었던 것으로 추정된다. 그렇다면 『황정내경경』은 376년 이전부터 존재하고 있었다고 해야 할 것이다.

『황정내경경』은 몇 차례의 편집 과정을 거친 것으로 보인다. 근거는 『황정내경경』에서 확인할 수 있다. 예를 들어, 간부장肝部章에는 다음과 같은 글이 있다. "마찬가지로同用 (잠을 자지 않고) 칠 일간 존상하면 (정기가) 저절로 (몸 안에) 그득해진다."[56] 인용문의 '同用'은 다른 곳에 유사한 표현이 있음을 암시한다. 『황정내경경』의 자청장紫清章에서 단서를 찾을 수 있다. "주야로 칠 일간 잠을 자지 않고 존사한다."[57] 그렇다면 자청장이 간부장

---

55. 상청파의 강신 모임 및 경전의 성립에 관한 논의는 蕭登福, 『六朝上清派研究』(臺北: 文津出版社, 2005), 14-21쪽 참조.
56. 『正統道藏』 洞玄部 本文類 『太上黃庭內景玉經』: 同用七日自充盈.
57. 『正統道藏』 洞玄部 本文類 『太上黃庭內景玉經』: 晝夜七日思勿眠.

보다 앞이어야 하겠지만, 현존하는 어떤 판본에서도 그렇지 않다. 본래는 자청장이 간부장보다 앞에 있었는데, 후인의 조작으로 순서가 바뀌었다고 해석할 수 있다.

『황정내경경』의 편집자들은 『황정외경경』을 인식한 채 몇 차례에 걸쳐 『황정내경경』을 수정·보완했을 것이다. 『황정내경경』의 편집자들이 『황정외경경』을 인식하고 있었다는 추정을 뒷받침하는 사례는 적지 않다. 그중 하나가 "上有黃庭下關元"와 "是爲黃庭作內篇"[58]이라는 구절이다. 앞 구절은 『황정외경경』 모두에 있고, 뒤의 것은 『황정내경경』의 머리글이다. 『황정외경경』 인용문의 황정은 몸의 특정 부위를 가리킨다. 그런데 뒤의 『황정내경경』에 나오는 글에서 말하는 황정은 모호하다. 『황정내경경』의 편집자들이 『황정외경경』을 참조했다고 가정하면 이런 모호함을 설명할 수 있다. 정확한 원의를 이해하지 못했다고 해석할 수 있기 때문이다.

불명확한 이해는 전습傳襲을 강력히 지지한다. 『황정외경경』의 왕희지본과 도장본을 비교하면 이 추정을 거듭 확인할 수 있다.

> 왕희지본: 上有黃庭下關元, 後有幽闕前命門. 呼吸廬間入丹田, 審能行之可長存.
>
> 도장본: (太上閑居作七言, 解說身形及諸神.) 上有黃庭下關元, 後有幽闕前命門. 呼吸廬間入丹田, (玉池清水灌靈根,) 審能修之可長存.

왕희지본이 작성된 시기는 상청파의 성립 시기보다 앞선다. 그런데 도

---

58. 무성자주와 양구자 주에는 모두 '曰'로 되어 있다.

장본에는 왕희지본에는 없던 구절이 더해져 있다. 이 구절은 『황정내경경』에 나오는 다음 구절과 호응한다. "상청의 자줏빛 기운 속 허황虛皇이 머무는 곳 앞, 예주에서 태상대도옥신군이 한가로이 칠언의 글을 짓는다."[59] 너무나 유사하지 않은가? 괄호 안의 글이 없는 왕희지본이 『황정외경경』의 원형에 가깝다고 가정해 보자. 이런 유사성은 『황정내경경』을 잘 알고 있는 이가 가필한 결과라고 해석하는 것이 합당하지 않은가?

게다가 몸과 여러 신을 설명했다는 말도 이상하다. 앞서 보았듯이 『황정외경경』에는 몸에 관한 설명이 적고, 뇌부구궁에 대한 명시적 설명도 없다. 체내신에 대한 설명이 없지는 않으나 존사수행이 주된 수행법도 아니었고, 몸과 신을 설명했다는 말이 가장 앞에 나와야 할 만한 비중을 차지하지도 못한다. 도장본 『황정외경경』의 모두에 나오는 글은 『황정내경경』을 『황정경』의 표준으로 생각하는 이가 『황정외경경』에 가필했음을 보여 주는 비교적 분명한 증거다.

수행

『황정내경경』 수행 중 가장 인상적인 것은 경전을 암송하는 송경誦經이다. "만 번 암송하면 천계에 오르고 온갖 재앙이 없어지며 모든 병이 낫고 맹수의 흉포함을 당하지 않을 수 있다. 또한 늙음을 막아 수명을 길이 늘릴 수 있다."[60] 『황정내경경』의 가장 끝 장인 목욕장沐浴章에서는 이 점

---

59. 『正統道藏』洞玄部 本文類 『太上黃庭內景玉經』: 上淸紫霞虛皇前, 太上大道玉晨君, 閑居蘂珠作七言.

60. 『正統道藏』洞玄部 本文類 『太上黃庭內景玉經』: 是曰玉書可精硏, 詠之萬遍昇三天, 千災以消百病瘥, 不憚虎狼之凶殘, 亦以卻老年永延.

을 명시한다. "(내경경을 암송할 때는) 목욕하여 몸을 깨끗이 하고 비리고 매운 음식을 먹지 않는다. 정실에 들어가 동향하고 황정경을 암송한다. 대략 만 번을 암송하면 뜻이 저절로 선명해진다."[61] 도홍경의 『진고』 권18에는 허밀이 『황정경』을 암송하면서, 횟수를 기록한 흔적이 보인다.

허밀은 『황정경』을 암송하면서 '10'을 단위로 암송한 횟수를 기록해 두었다.[62] 10이라는 횟수는 아래에서 확인할 수 있듯이 의례 때문이다. 그런데 기록을 살펴보면 일시에 만 번을 행하지는 않았고, 기간을 두고 지속적으로 행했던 것으로 보인다. 예를 들어 아래 그림에서 9월 17일이라는 날짜를 확인할 수 있는데, 9월 26일 밤에 시작했다는 글도 보이고, 또 중간에 다시 시작했을 경우에는 날짜를 고쳐 적었다. 10회를 채우지 못하는 경우도 보이는데, 그때는 사유를 기록해 두었다.

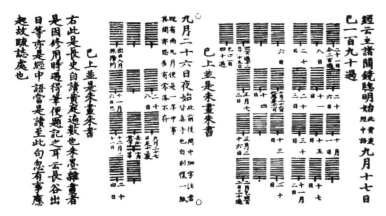

『진고』 권18의 송경 기록

---

61. 『正統道藏』 洞玄部 本文類 『太上黃庭內景玉經』: 沐浴盛潔棄肥薰, 入室東向誦玉篇, 約得萬遍義自鮮.

62. 『진고』 권18의 그림은 저자가 다른 곳에서 몇 번 소개했는데, 퍽 인상적이어서 다시 소개한다.

도홍경의 또 다른 책 『등진은결登眞隱訣』 하권에는 '송황정경법誦黃庭經
法'이라는 글이 있다. 이곳에 다음과 같은 글이 있다. "동화옥편황정내경
경을 암송할 때는 열 번 읽은 후 사배해야 한다고 말했다."[63] 따라서 허밀
이 암송한 문헌은 『황정내경경』으로 보인다.[64] 『황정내경경』은 기본적으
로 경전을 암송하는 송경수행 문헌이다. 『황정외경경』에 암송에 관한 언
급이 부재하다는 점을 상기해 보라. 암송은 『황정내경경』의 두드러진 특
징이다. 당연히 송경을 중시하는 불교의 영향을 확인할 수 있다.

　종종 암송수행은 무의미한 주문의 되새김질을 연상시킨다. 그러나 『황
정내경경』의 송경은 다르다. 『황정내경경』에는 화려한 상징으로 가득하
지만, 분명히 전달하고자 하는 내용이 있다. 이 점은 『황정내경경』의 암
송수행이 다른 수행과는 층위가 다른 즉 다른 수행을 견인하는 수행법이
었을 가능성을 암시한다. 암송의 내용이 무엇인가? 그 내용이 가리키는

---

63. 『正統道藏』洞玄部 玉訣類 『登眞隱訣』: 誦東華玉篇黃庭內景經, 云十讀四拜.
64. 도홍경은 『등진은결』에서 송황정경법의 '칠대의 선조가 모두 하늘로 오르고 나는 상청에
오른다(七祖飛昇, 我登上淸)'를 비판한다. "살피건대 황정경의 취지는 오장을 조화시키고
혼백을 제어하여 단련하는 것이고 지하의 일곱 선조를 하늘로 오르게 하는 방법이 아니다
(按黃庭是調和五藏, 制練魂魄, 本非昇化七祖之法)." 楊立華는 이 주석을 근거로 도홍경
이 밀하는 황정은 『황정외경경』이라고 했다. 楊立華, 「黃庭內景經重考」, 《道家文化研究》
16輯(1999), 281쪽. 그러나 楊立華의 추정에는 심각한 문제가 있다. 그는 조화오장調和五
藏이 『황정외경경』과 부합하는 내용이라고 했다. 그러나 『황정외경경』에는 오장 전체가
언급되지 않고 조화오장과 유사한 표현도 없다. 이에 반해 『황정내경경』에서는 오장을 상
세히 묘사하고 있다. 혼백의 제어에 관해 자세히 말하고 있는 것도 『황정내경경』이다. 예
를 들어, 肝部章에서는 "혼백을 조화롭게 제어하고 진액을 안정시킨다(和制魂魄津液平)"
고 말하고 있다. 이에 반해 『황정외경경』에서는 "혼은 하늘로 오르려 하고 백은 연못으로
들어가려 한다. 혼백을 돌려놓으면 도는 본래의 모습을 회복하리라(魂欲上天魄入淵, 還
魂返魄道自然)"라고 말하고 있을 뿐이다. 도홍경이 말한 '황정'은 『황정외경경』보다 『황
정내경경』에 더 부합한다.

수행법은 무엇인가? 『황정내경경』에서도 『황정외경경』과 마찬가지로 기운의 운행과 축적을 목표로 하는 수행법을 말하고 있다.[65]

정을 쌓고 기를 누적시키는 수행법은 기운의 순환을 전제한다. "삼신이 환정하면 노인이 다시 젊은이가 된다. 혼魂과 백魄이 안에서 지키고 (서로) 다투지 않으면 신이 배 속에서 생겨나 옥구슬을 머금고 신령스러운 액이 신장으로 흘러든다. (이렇게 되면) 어찌 잃을 수 있겠는가?"[66] 예문의 환정은 정을 되돌린다는 뜻으로, 기의 순환을 함축한다. 갈홍은 3~4세기에 유행하던 방중을 소개하면서 그 핵심이 환정보뇌라고 했다.[67] 환정은 방중술에서 차용한 개념으로, 사정射精하지 말라는 생각을 함축한다. 사정하는 것이 좋지 않다는 생각을 발전시켜 보자. 정액의 방출 과정을 되돌리면 생명을 회복한다는 생각에 도달할 수 있다.

> 장생하는 데 매우 조심해야 할 것이 성교다. 어찌하여 죽음을 초래하는 일을 하고 (생명 그 자체인) 신을 고달프게 하는가? 성교를 하는 순간은 죽음과 삶이 결정되는 때다. 이때 방중을 소홀히 하면 (체내에 거주하는 신인) 삼령이 소멸한다. 기를 흡입하고 정을 보존해야 한다.[68]

---

65. 『正統道藏』洞玄部 本文類 『太上黃庭內景玉經』: 僞人道士非有神, 積精累氣以爲眞. 黃童妙音難可聞, 玉書絳簡赤丹文... 此非枝葉實是根.

66. 『正統道藏』洞玄部 本文類 『太上黃庭內景玉經』: 三神還精老方壯, 魂魄內守不爭競, 神生服中衒玉瑁, 靈注幽闕那得喪.

67. 『抱朴子』「釋滯」: 房中之法十余家, 或以補救傷損, 或以攻治衆病, 或以采陰益陽, 或以增年延壽. 其大要在於還精補腦之一事耳.

68. 『正統道藏』洞玄部 本文類 『太上黃庭內景玉經』: 長生至慎房中急, 何爲死作令神泣, 忽之禍鄕三靈歿.   但當吸氣錄子精.

정실을 잘 막고 함부로 배설하지 마라. 정실을 막아 정을 소중히 다루면 장수할 수 있다.[69]

그런데 어떻게 뇌에 도달하는가? 먼저 육부의 기운은 담에 모인다. 이어서 간의 기운에 의해 위쪽으로 올라간다. "담부의 궁은 육부의 정을 관장한다."[70] "간의 기는 힘이 강하고 맑은데다가 멀리까지 미친다. 육부가 줄지어 있는 가운데 삼광이 나온다. 마음에 사사로움이 없고 한쪽으로 기울어지지 않으면, 위로 삼초三焦에 합치하고 아래로 옥장玉漿에 이어진다."[71] 간에 이른 기운은 다시 내려온다. "폐의 기운은 삼초에서 시작된다."[72] 누차 말했듯이 삼초는 아래로 내려오는 수액의 처리를 담당하는 무형의 기관이다. 『황정경』의 저자들은 기운의 순환을 설명하기 위해 한의학의 삼초 개념을 차용했을 것이다. 삼초에서 시작된다는 말은 간기를 타고 올라간 기운이 폐의 기능에 따라 아래로 내려온다는 뜻이다. 아래로 내려온 기운은 양쪽의 신장에 들어갔다가 결합해서 단을 맺는다.

비장은 길이가 한 척으로 태창에 가려져 있다. 중부노군이 황정을 다스리고 있다. … 정기를 기르고 명을 늘리는 일은 중부노군에 의존한다. 세

---

69. 『正統道藏』洞玄部 本文類 『太上黃庭內景玉經』: 急守精室勿妄泄, 閉而保之可長活, 起自形中初不闊, 三宮近在易隱括.
70. 『正統道藏』洞玄部 本文類 『太上黃庭內景玉經』: 膽部之宮六腑精.
71. 『正統道藏』洞玄部 玉訣類 『上淸紫精君皇初紫靈道君洞房上經』: 肝氣鬱勃淸且長, 羅列六腑生三光. 心精意專內不傾, 上合三焦下玉漿.
72. 『正統道藏』洞玄部 本文類 『太上黃庭內景玉經』: 肺之為氣三焦起.

번 이름을 부르면 신이 저절로 감응한다. 삼노군이 함께 앉아 있는데 각각 짝이 있다. (삼노군은) 또는 정을 또는 태를 관장하여, 각기 따로 담당하는 것이 있다. 명문도군 해도강의 자는 합정연으로 빛이 난다. 명문도군인 도강은 남녀의 교접을 책임진다. 도부와 도모는 서로 마주하여 있고 사부와 사모는 단현향에 있다. (방중에서 행하는 것처럼) 이들 도부도모 등을 존사하면 천계에 오를 수 있다.[73]

도부道父, 도모道母와 사부師父, 사모師母는 방중술에서 사용되는 말이다.[74] 예문은 방중의 개념을 빌려서 결단結丹에 관해 말하고 있다. 도부나 도모 등의 이름도 실은 육십갑자신六十甲子神에서 온 것이다. 이들 신은 육십갑자에 대응할 뿐만 아니라 몸의 특정 부위와도 대응한다.[75] 결단의 관념에 쓰인 방중술의 용어와 환정이라는 방중 개념의 차용은 『황정외경경』에는 보이지 않던 것이다. 존사수행의 비중이 커졌다는 점도 중요한 특징이다.

양생의 도는 명료해서 번거롭지 않다. 다만 동현의 상청경과 옥편을 닦

---

73. 『正統道藏』 洞玄部 本文類 『太上黃庭內景玉經』: 脾長一尺掩太倉. 中部老君治明堂… 長精益命賴君王. 三呼我名神自通, 三老同坐各有朋, 或精或胎別執方. 桃孩合延生華芒. 男女徊九有桃康, 道父道母對相望, 師父師母丹玄鄕, 可用存思登虛空.

74. 예를 들어, 대표적 방중서 중 하나인 『上淸黃書過度儀』를 참조할 수 있다. 『正統道藏』 正一部 『上淸黃書過度儀』: 左足躡寅右, 在中. 言甲寅道父十, 某為臣妾消四方之災陰, 右足躡申左, 在中. 言甲申道母, 留為臣妾散四方之禍, 陽次卯陰次未咒, 如初交巳亥周寅申, 每一周咒曰, 生我者師父康, 懷我者師母妞, 生我活我, 事在大道與父母. 三周止.

75. 예를 들어 사부와 사모는 신장을 다스린다. 『正統道藏』 正一部 『正一法文十籙召儀』: 甲子王文卿師父康…治在腎絳宮鄕中元里. 甲午衛上卿師母妞乃丑切…治在腎絳宮太初鄕苞元里.

고 겸해서 몸 안의 팔경신을 존사하면 이십사진이 자연으로부터 나와 높은 곳에서 공수한 채 무위하여 혼백이 편안해지리라. … 정성스럽게 내시하면 신을 모두 볼 수 있다. 진인은 내게 있으니 결코 이웃에게 묻지 마라. 하필 먼 곳에서 인연을 구하겠는가?[76]

지극한 도는 번거롭지 않으니, 그 요체는 진인을 존상하는 데 있다. 니환과 몸의 마디 어느 곳에나 신이 있다. 머리카락의 신은 창화로 자는 태원이고, 뇌신은 정근으로 자는 니환이며, 눈의 신은 명상으로 자는 영현이고, 비신은 옥롱으로 자는 영견이며, 귀의 신 공한은 자가 유전이고, 혀신 통명의 자는 정륜이며, 이빨신 악봉의 자는 나천이다. 얼굴신은 모두 니환을 종조로 삼는데 니환을 비롯한 구진에게는 (각자의) 방이 있다. (방은) 사방 한 치로서 (뇌부 구진은) 모두 이곳에 거처한다. (그들은) 모두 자줏빛 상의와 바람에 날릴 듯 가벼운 치마를 입고 있다. 뇌부의 아홉 신 중 한 신만을 존상해도 수명이 무궁하다. 아홉 신은 각각 따로 무질서하게 거주하지 않는다. (아홉 신은) 모두 머릿속에 순서대로 줄지어 앉아 밖을 향하고 있다. 마음으로 존상하면 저절로 신이 되리라.[77]

---

76. 『正統道藏』洞玄部 本文類 『太上黃庭內景玉經』: 治生之道了不煩. 但修洞玄與玉篇, 兼行形中八景神, 二十四眞出自然, 高拱無爲魂魄安.…內視密盼盡見眞, 眞人在己莫問鄰, 何處遠索求因緣.

77. 『正統道藏』洞玄部 本文類 『太上黃庭內景玉經』: 至道不煩訣存眞, 泥丸百節皆有神. 髮神蒼華字太元, 腦神精根字泥丸, 眼神明上字英玄, 鼻神玉壟字靈堅, 耳神空閑字幽田, 舌神通命字正倫, 齒神愕鋒字羅千. 一面之神宗泥丸, 泥丸九眞皆有房, 方圓一寸處此中, 同服紫衣飛羅裳. 但思一部壽無窮. 非各別住居腦中, 列位次坐向外方. 所存在心自相當.

『황정외경경』의 존사수행이 단순한 부수적 수행법이었음에 반해, 『황정내경경』에서는 대표적인 수행법이라고 선언되고 있다. 육장신과 뇌부구궁 및 머리에 거주하는 다양한 신에 대한 묘사가 정밀해진 것에서도 존사수행의 비중을 확인할 수 있다. 뇌부구궁에 대한 묘사가 세밀하지는 않지만, 인용문의 니환은 뇌부구궁의 존재를 확신시킨다.

『황정내경경』의 몸

니환은 뇌부구궁 중 하나인 니환일 뿐 아니라 뇌부구궁 전체를 가리키는 말이기도 하다. 도홍경은 뇌부구궁에 대한 설명이 부족한 점을 보완해서 『등진은결』에 자세한 내용을 기록해 두었다. 도홍경이 근거한 자료는 『등진은결』 모두에 나오는 '현주상경소군전玄洲上卿蘇君傳'이다. 그 내용을 도식화하면 다음과 같다.

	천정궁 天庭宮	극진궁 極眞宮	현단궁 玄丹宮	태황궁 太皇宮	
수촌 守寸	명당궁 明堂宮	동방궁 洞房宮	니환궁 泥丸宮(丹田)	유주궁 流珠宮	옥제궁 玉帝宮

뇌부구궁 중 명당궁은 심장, 동방궁은 황정, 니환궁은 단전에 각각 대응한다. 명당은 심장을 의미하고, 니환궁의 이칭인 단전은 체간에 있는 단전의 명칭이기도 하기 때문이다. 동방궁에 거주하는 신명에 착안하면, 동방궁이 황정에 대응한다는 점도 알 수 있다. 『등진은결』에서 동방궁의 신에 대한 설명을 찾을 수 있다. "두 치 들어간 곳이 동방궁입니다. 머릿속이 뚫려 있으니 동방이기는 하지만 이것이 바로 동방입니다. 왼쪽에는 무영군이 오른쪽에는 백원군이 가운데는 황로군의 모두 세 신이 있습니다."[78]

명당궁과 단전궁 사이에 있는 동방궁에는 좌·우·중앙에 세 신이 있다. 무영공자無英公子가 좌측을, 백원군白元君이 우측을, 황노군黃老君이 중앙을 통치한다. 그런데 이들 무영공자와 백원군은 각각 간과 폐를 상징한다. 예를 들어, 간부장에서는 "간부의 궁은 비취색으로, 두 겹으로 되어 있다. 아래에는 청색의 동자, 신공자가 있다"[79]고 했고, 폐부장에서는 "폐부의 궁은 화려한 양산과 같다. 그 아래 동자가 옥궐에 앉아 있다. … 백원을 존사한다"[80]고 했다. 결국 『황정내경경』의 저자들은 체간의 구도를 뇌부구궁의 설계도에 반영한 셈이다. 도교의 특성 중 하나는 인간계와 천계가 부합한다는 점이다. 즉 도교의 설립자들은 인간계를 본뜨는 방식으로 천계를 설계했다. 이런 점이 체간의 구성에도 반영되어 있는 셈이다.

『황정외경경』의 구원이 체간의 심장을 가리킨다고 가정해 보자. 무엇이 체간에 머물렀던 몸의 상층부를 머리로 올려 보냈을까? 담이 육부의 정을 관장한다고 보았던 『황정내경경』의 저자들은 이것을 육룡의 비상으로 묘사했다.[81] 담부장膽部章에 따르면 담부의 신은 용약龍曜이고, 육부의 정을 관장한다.[82]

『황정경』에는 육부의 신이 따로 묘사되어 있지 않다. 담관이 십이지장

---

78. 『登眞隱訣』: 却入二寸爲洞房宮, (頭中雖通爲洞房, 而此是洞房之正也, 左有無英君, 右有白元君, 中有黃老君, 凡三神居之).

79. 『正統道藏』洞玄部 本文類 『太上黃庭內景玉經』: 肝部之宮翠重裏, 下有靑童神公子. 神公子는 無英公子의 이명이다. 『正統道藏』洞玄部 譜錄類 『上淸衆經諸眞聖祕』: 左無英公子者,…又一名元素君, 神公子.

80. 『正統道藏』洞玄部 本文類 『太上黃庭內景玉經』: 肺部之宮似華蓋, 下有童子坐玉闕…急存白元和六氣.

81. 『正統道藏』洞玄部 本文類 『太上黃庭內景玉經』: 六龍散飛難分別

82. 『正統道藏』洞玄部 本文類 『太上黃庭內景玉經』: 膽部之宮六腑精.

그리고 간과 연결되어 있기 때문에 육부의 정을 관장한다고 여겼을 것이다. 담을 통해서 육부의 정이 올라가는 모습을 육룡으로 표현한 배경에는 육부를 다른 공간으로 보는 관점이 전제되어 있다. 『황정내경경』의 저자들은 몸을 상·중·하의 셋으로 구분한 것으로 생각된다. 이런 추정의 단서는 다음 글에서 찾을 수 있다.

> 양생의 도는 번거롭지 않다. 다만 동현과 옥편을 닦으면 된다. 아울러 몸
> 속의 팔경신을 겸수하면 이십사진이 자연에서 나온다.[83]

땅-공중-하늘의 구도는 현대인에게는 그리고 현대 철학자들에게도 좀 이상하게 생각될 수도 있다. 그러나 항성이 하늘에 고정되어 있고, 그 아래로 행성이 돌아다닌다고 생각했었을 고대인에게는 자연스러운 그림일 것이다. 오행 즉 오장은 가장 높은 하늘의 아래쪽이다. 『정통도장』 동현부 옥결류에 나오는 『상청자정군황초자령도군동방상경上清紫精君皇初紫靈道君洞房上經』에서 이 문제에 관한 상청파들의 확실한 견해를 볼 수 있다. 이 문헌에서는 몸을 상·중·하의 셋으로 나누고, 상에는 머리 부위를, 중에는 목과 칠장신(오장+담장+[신장을 왼쪽과 오른쪽으로 분할])의 팔신을, 아래에는 일반적으로 말하는 육부의 신을 배속하고 있다. 하경 팔신에 관한 설명은 다음과 같다.

83.『正統道藏』洞玄部 本文類『太上黃庭內景玉經』: 治生之道了不煩. 但修洞玄與玉篇, 兼
　　行形中八景神, 二十四眞出自然.

위신의 이름은 동래육이고 자는 도전이다. 키는 일곱 치이고 황색이다. 궁장중신의 이름은 조등강이고 자는 도환이며 키는 한 치 사 푼이고 황적색이다. 대소장중신의 이름은 봉송류이고 자는 도주이며 키는 두 치 한 푼이며 적황색이다. 큰창자 속의 신의 이름은 수후발이고 자는 도허이며 키는 아홉 치 일 푼으로 구색의 옷을 입고 있다. 흉격신의 이름은 광영택이고 자는 도충이며 키는 다섯 치이고 흰색이다. 양쪽 옆구리신의 이름은 벽가마이고 자는 도성이며 키는 네 치 한 푼이고 색은 적백색이다. 좌음좌양신의 이름은 부류기이고 자는 도규이며 키는 두 치 두 푼으로 청황백색이다. (남자는 좌양을 여자는 좌음을 존상한다.) 우음우양의 신은 포표명이고 자는 도생이며 키는 두 치 세 푼이고 청황백색이다. (남자는 우양을 여자는 우음을 존상한다.)[84]

사실 신장의 위치가 육부보다 아래라고 말할 수는 없다. 그러나 상청파들은 사실을 약간 벗어난 상태를 믿었다. 체험을 중시하는 수행가의 입장에서는 별 문제가 없다. 신체를 상·중·하로 구분했을 때 오장은 육부보다 위에 있고 육부가 가장 아래에 있다는 것이 상청파의 일반적 믿음이었다. 『황정경』에서는 이런 관념을 용의 비행으로 묘사하고 있다. "뇌부에 여

---

84. 『正統道藏』洞玄部 玉訣類 『上淸紫精君皇初紫靈道君洞房上經』: 胃神名同來育, 字道展, (形長七寸, 色黃). 窮腸中神名兆滕康, 字道還, (形長一寸四分, 黃赤色). 大小腸中神名蓬送留, 字道廚, (形長二寸一分, 色赤黃). 胴中神名受厚勃, 字道虛, (形長九寸一分, 九色衣). 胸膈神名廣瑛宅, 字道沖, (形長五寸, 色白). 兩脇神名辟假馬, 字道成, (形長四寸一分, 色赤白). 左陰左陽神名扶流起, 字道圭, (形長二寸二分, 色靑黃白. 在男存爲左陽, 在女存爲左陰). 右陰右陽神名苞表明, 字道生, (形長二寸三分, 色靑黃白. 在男存爲右陽, 在女存爲右陰).

덟 개의 상서로운 기운이 모였으니 니환부인이 중앙에 서 있다. 긴 골짜기 어둑한 고향에서 대장이 교읍처럼 둘러 있다. 육룡이 흩어져 날아오르니 구분하기가 어렵다."[85] 용은 그냥 나온 말이 아니다. 좌청룡·우백호·남주작·북현무는 동아시아 우주론의 오랜 관념이다. 예문에는 왼쪽에서 올라가서 오른쪽으로 내려온다는 관념과 좌청룡의 관념 그리고 소우주의 관념이 결합되어 있다.

『황정내경경』의 몸은 하나의 우주다. 『황정외경경』이 비교적 기운의 순환과 결합이라는 관념에 충실했음에 반해 『황정내경경』에서는 몸을 우주로 보는 관념을 받아들였다. 『노자중경』에서도 확인할 수 있듯이 존사수행 때문이다. 신을 상상하는 존사수행은 단순히 체내신을 존상하는 수행이 아니다. 그것은 신을 존사함으로써 몸을 우주로 만드는 수행법이다. 몸이 우주인 이상 체내와 체외의 구분은 불필요하다.

---

85. 『正統道藏』洞玄部 本文類 『太上黃庭內景玉經』: 瓊室之中八素集, 泥丸夫人當中立, 長谷玄鄕繞郊邑, 六龍散飛難分別.

VII

내단수행과 몸

동아시아 의학의 기본 골격은 한대漢代에 이미 정립되었다. 그 뒤에도 변화가 있기는 했지만, 한대에 정립된 의학의 틀 내에서 초점이 옮겨 다닌 정도에 불과하다. 그러나 수행론은 큰 변화를 겪었다. 처음에는 무속 문화에서 도인과 행기 즉 호흡법이 성립했다. 이어서 다양한 이유로 방중 수행이 등장했고, 곧 외단이 성립했다. 위·진 시기에 갈홍은 당시의 수행을 대여섯 개로 정리·소개하면서 외단이 가장 뛰어난 수행법이라고 평가했다. 그러나 수은과 납 등의 중금속을 주요한 재료로 사용하는 외단은 위험한 수행법이었다. 이 점을 깨닫게 되기까지는 적지 않은 시간이 필요했다. 수·당 교체기 또는 당 초기에 외단에서 내단으로의 변화가 급작스럽게 일어났다.

내단은 이전에 존재하지 않았던 수행법이 아니다. 『황정외경경』은 내단수행이 이미 그 당시에 존재하고 있었을 가능성을 강하게 암시한다. 그러나 내단은 외단에 비해 중시되지 않던 수행법이다. 그 이유를 정확히 알 수는 없으나, 도교의 성립이 원인 중 하나였을 것이다. 도교는 종교로서 의례에 기반해야 하고 신의 형상을 구체화할 필요가 있었다. 도교의 발생에 영향을 미친 불교가 상징을 중시하는 종교였던 것도 중요한 이유일 것이다. 그 결과 존사수행이나 의례 또는 의례에서 수반되는 송경수행이 중시되었다. 이것이 호흡수행의 자체적인 발전을 막았을 수 있다. 어쨌든 늦게라도 외단의 치명적인 문제점 때문에 내단이 등장하지 않을 수 없었을 것이다.

그러나 외단의 명성은 이미 어마어마했고 영향력도 마찬가지였다. 내단수행가들은 외단의 힘을 빌려 와야 했다. 내단수행자들은 이 문제를 어떻게 해결했을까?

1. 내단의 등장

『황정외경경』에도 내단의 원형이 보이기는 하지만, 내단의 존재가 분명히 부각된 것은 수·당 교체기 또는 당 초기의 어느 때다. 내단은 다양한 수행법의 잔재가 들어 있기는 하지만 결국 호흡법이다. 그러나 단순한 호흡법은 아니다. 내단은 호흡법의 전개에서 가장 끝, 태식보다도 더 발전한 호흡법이다. 그 결과 내단은 훨씬 번잡해졌다. 태식에는 단을 만든다는 관념이 없었고 음양의 결합은 체계화되지 않은 상태였다. 기의 순환도 명확하지 않았다. 단순히 직선으로 오르내린다는 관념이 강했다.

내단의 등장 배경으로 외단의 부작용이 종종 언급된다. 이 사실은 『구당서』와 『신당서』에도 기록되어 있지만, 당대 황제들의 중독사를 기록한 조익趙翼의 『이십이사차기二十二史箚記』가 이 문제에 관해서 유명하다. 이 문헌의 권19에 "당제제다이단약唐諸帝多餌丹藥"이라는 글이 있다. 이 글에 따르면 당대의 황제들 중 적지 않은 수가 단을 복용하고 중독사했다고 한다. 그러한 당의 황제들 중에서도 특히 연단에 몰두했던 이는 양귀비의 남자 현종(재위 712~756)이다. 그러나 다른 황제들과 달리 그는 중독사하지 않고 일흔일곱 살까지 살았다. 이상하다.

현종은 본래 외단을 포함하는 양생에 별다른 관심이 없었다고 한다. 그가 양생에 관심을 갖게 된 것에 양귀비가 어떤 관계가 있을까? "현종은 개원 말경부터 신선·장생을 맹신하고 연단에 광분했다. 복이服餌가 생활에 없어서는 안 될 일부분이 되어 감에 따라 도사들이 헌상한 단약을 복용하는 데 그치지 않고 끝내는 스스로 신조를 만들어 단약을 제련했다."[1] 스스로 솥을 만들어 단을 조제했을 정도로 몰두했으나 제 명대로 살았던 것은 그가 조제한 약이 부작용을 제어한 것이었음을 알려 준다. 당대에 황제들이 단약을 복용했다는 사실이 내단이 존재하지 않았음을 함축하지는 않는다.

외단의 문제점이 내단의 등장 배경이긴 했으나 내단과 외단은 꽤 오랫동안 공존했던 것으로 보인다. 제대로 형식을 갖춘 내단을 처음 창안한 인물이 누구인지는 단언할 수 없다. 자주 언급되는 인물은 소현랑蘇玄郎이다. 천궈푸陳國符는 이 점을 꽤 강하게 주장한다. "수대에 청하자靑霞子 소현랑이 있었다. … 이로부터 내단이라는 이름이 있게 되었고, 갈홍의 금단은 외단이라고 불리게 되었다. 내단 서적의 내용은 은밀한데 이도 청하자에게서 비롯되었을 것이다."[2] 이런 추정을 지지하는 것으로 다음 글이 자주 언급된다.

그를 따르던 제자들이 주진인朱眞人이 버섯을 먹고 신선이 되었다는 말을 듣고 영지는 봄에 푸르고 여름에 붉고 가을에 희고 겨울에 검은데 오직 황지만은 (그렇지 않아 늘 같은 색으로) 높은 산에 나지만 멀어서 얻을 수 없음을 논했다. 원랑이 (그 말을 듣고) 웃으며 말했다. 영지는 너희들의 팔경八景 중에 있으니, 어찌 너희들의 거처에서 구하지 않겠는가? 속담에 이르는, 뿌리 없는 영초를 한결같은 마음으로 길러서 지극히 보배롭게

---

1. 가와하라 히데키, 『독약은 입에 쓰다』, 김광래 옮김(서울: 성균관대학교 출판부, 2009), 225쪽.
2. 陳國符, 『道藏原流考』(北京: 中華書局, 1963), 434쪽.

만든다고 하는 것이 이것을 말한다. 이에 『지도편旨道篇』을 지어서 제자들에게 보여 줬다. 이로부터 도교도들이 비로소 내단을 알게 되었다.[3]

팔경에 관해서는 앞에서 말했다. 몸을 상·중·하로 나누고 각각에 여덟의 신을 배당하는 관점에 따른 것이다. 각각의 경은 신을 상징한다. 따라서 몸에는 모두 24신이 있게 된다. 이 관점에 따르면 몸의 일부를 의미할 것이지만, 맥락상 이곳에서는 몸 전체를 가리킨다. 소현랑이 내단을 창시했을까? 그는 내단을 설명할 뿐이다. 그가 내단을 창시한 인물이라는 근거는 없다. 그러나 최초의 내단 이론이 무엇을 추구하는 수행법인지에 대해서는 추정할 수 있다. 그는 중요한 말을 하고 있다. "영지를 밖에서 구하지 마라! 신비로운 약재를 상징하는 영지는 몸 밖이 아니라 안에 있다."

이 인용문에서 내단이 외단의 관념을 전용한 수행법임을 눈치 챌 수 있다. 이런 생각을 가장 적극적으로 증명하는 문헌이 『주역참동계周易參同契』다. 『주역참동계』는 외단으로도 내단으로도 해석될 수 있다. 억측에 가깝지만 내 생각을 말하자면, 『주역참동계』가 외단의 개념과 이론을 내단에 적용한 최초의 문헌일 것이다. 내단의 원형은 『황정외경경』에서 확인되는 태식호흡법이다. 태식호흡법이라는 원형을 외단의 개념과 이론으로 재구성한 것이 내단이다. 내단의 개념과 이론에 가장 큰 영향을 끼친 것은 외단수행법이다. 그러나 내단신체관의 형성에 가장 큰 영향을 미친 것은 방중이다.

---

3. 『廣東通志』「蘇玄朗傳」: 弟子從遊者聞朱真人服芝得仙, 就論靈芝春青夏赤秋白冬黑, 惟黃芝獨產於崧高, 遠不可得. 元朗笑曰: 靈芝在汝八景中, 盍向黃房求諸? 諺云, 天地之先, 無根靈草, 一意制度, 產成至寶, 此之謂也. 乃著旨道篇示之, 自此道徒始知內丹矣.

2. 환정보뇌

행기와 도인은 부패하는 몸 즉 정체된 기운은 부패한다는 관념에 토대한 수행법이다.[4] 행기와 도인이 질병을 예방하는 쪽에 초점을 두고 있다면, 방중은 생명을 유출하지 않고 승화시키는 것을 목적으로 한다. 한의학을 포괄하는 동양의 신체관에서는 오장에 머물렀던 정이 신장으로 모였다가 유형의 정 즉 정액으로 바뀌어 밖으로 배출된다는 관념이 널리 받아들여지고 있었다. 그런데 성교는 이런 생명의 씨앗을 밖으로 유출시키기 때문에 사정은 절제되어야 한다. 사정의 절제가 방중수행의 핵심이다. "그러나 또한 방중술을 알아야 한다. 음양의 기술을 알지 못하면 수차 손상을 입기 때문이다."[5] 손상을 입는 것은 생명임에 틀림없고, 동양의 신체관에서 그것은 정精에 다름 아니다.

그런데 흥미롭게도 방중은 호흡을 통해 기운을 운행시키는 행기와 일정한 관련이 있다고 말해진다. 즉 바로 뒤에는 수차 손상을 입으면 행기가 힘을 받을 수 없다고 말하고 있다.[6] 행기가 힘을 받지 못한다는 말은 어떻게 봐야 할까? 갈홍이 생각하는 방중술이 어떤 생리적 기제에 토대하고 있는지 확인해 봐야 한다. 갈홍은 방중을 환정보뇌還精補腦라고 단언하고 있다. "방중의 큰 요체는 결국 환정보뇌 한 가지에 있을 뿐이다."[7]

---

4. 물론 다른 이념도 전제되어 있다. 예를 들어, 외부에서 기운을 받아들여야 한다는 생각에는 결여된 몸이라는 생각이 전제되어 있다.

5. 『抱朴子』, 「至理」: 然又宜知房中之術, 所以爾者, 不知陰陽之術, 屢爲勞損.

6. 『抱朴子』, 「至理」: 則行氣難得力也.

『포박자』「미지」편에서는 "달리는 말을 퇴각시켜서 뇌를 보한다고 말하고 있다."[8] 두 구절을 비교해 보면 주마走馬는 결국 정 즉 정액임을 알 수 있다. 방중은 결국 후대의 내단에서 척수를 따라 뇌로 정을 돌리는 과정과 부합한다. 태식호흡법에도 이런 경로가 있었을까? 앞서 보았듯이 『황정경』에는 환정還精이라는 표현이 보인다.[9]

환정의 의미는 이미 말했다. '정의 되돌림'이다. 사정하는 것이 좋지 않다는 생각을 발전시켜 보자. 정액의 방출 과정을 되돌리면 생명을 회복한다는 생각에 도달할 수 있다. 손사막은 환정보뇌를 보다 구체적으로 설명하고 있다. "성교를 할 때는 항상 코로 기를 많이 들이마시고 입으로 천천히 기를 내보내야 한다. 그렇게 하면 자연히 (몸 안에 쌓이는) 기가 많아진다. 성교가 끝나면 땀과 열이 난다. 기를 얻었기 때문이다. … 사정하려 할 때는 마땅히 입을 닫고 눈을 부릅뜬 채 기가 새나가는 것을 막아야 한다. 두 손을 꽉 쥐고 … 정이 뇌로 올라간다."[10] 별다른 설명이 없이 참으면 된다고 말하고 있다.

당대에 성립된 것으로 추정되는 『태청도인양생경太淸導引養生經』에서는 환정을 다음과 같이 정의한다.[11] "등에서 머리로 올라갔다가 몸의 앞을

---

7. 『抱朴子』,「釋滯」: 其大要在於還精補腦之一事.

8. 『抱朴子』,「微旨」: 卻走馬以補腦.

9. 『正統道藏』洞玄部 本文類 『太上黃庭內景玉經』: 三神還精老方壯, 魂魄內守不爭競, 神生服中衛玉瑤, 靈注幽闕那得喪, 琳條萬尋可蔭仗, 三魂自寧帝書命.

10. 『備急千金要方』: 凡人習交合之時, 常以鼻多納氣, 口微吐氣, 自然益矣. 交會畢蒸熱, 是得氣也.…凡欲施瀉者, 當閉口張目閉氣, 握固兩手,…則精上補腦, 使人長生. 若精妄出, 則損神也.

11. 蕭登福, 『正統道藏提要』(臺北: 文津出版社, 2011), 791쪽.

따라 내려오는 것을 일러 환정이라고 한다."[12] 이곳에서는 뇌에 도달한 정이 다시 하복부로 내려온다. 단은 머리가 아닌 아랫배에 보관되어야 한다는 관념의 영향일 것이다. 이로써 내단의 환정이 대략 완성되었다. 현대 학자인 쉬퍼의 설명도 다르지 않다. "에너지의 순환 과정을 돌리는 것은 정액을 배출하는 대신에 위 즉 뇌로 끌어올렸다가 다시 아랫배에 안정시키는 데 있다."[13]

환정은 방중의 정체성을 상징하는 개념이지만 방중에만 적용되던 개념이 아니다. 『황정경』에서도 확인할 수 있지만 다양한 수행법에서 이 개념이 사용되고 있었다. 상청파의 대표 문헌인 『상청대동진경』에도 척추를 따라 흐르는 경로가 있다. "입으로 태양과 달의 기운을 삼킨다. 세 번씩 아홉 번 나눠 삼키고, (삼킨 침이) 모두 27신으로 되는 것을 존사한다. 이들 신은 모두 자줏빛 의관을 갖추었는데, 아홉 신을 안으로 들여보낸다. 이어서 강궁으로 들어가게 한다. 이어서 미려혈을 뚫고 올라가서 니환으로 가게 한다."[14] 환정이라는 개념이 방중수행에서 나온 것인가?

이상의 논의가 알려 주는 것은 다음과 같다. 방중에서는 환정보뇌가 강하게 주장되었다. 환정보뇌는 방중뿐만 아니라 대식호흡법에서도 중시되었다. 존사수행에서도 도인에서도 확인할 수 있다. 정의 유출을 삼가고 다시 위로 올려 보내야 한다는 논리는 다양한 수행법에서 전반적으로

---

12. 『正統道藏』洞神部 方法類 『太淸導引養生經』: 從背上頭下迎身, 名曰還精.

13. Kristofer Schipper, *The Taoist Body*, Karen C. Duval trans.(University of California Press, 1993), p.157.

14. 『正統道藏』洞眞部 本文類 『上淸大洞眞經』: 口吸日月一息焉, 分三九咽, 結作二十七帝君, 並紫衣冠. 內九帝下入絳官, 穿尾閭穴, 上入泥丸.

받아들여지고 있었다. 어디에서 처음 나왔는지는 사실 불확실하다. 잠정적으로 방중에서 나왔다고 말할 수 있을 것이다.

그런데 다음의 사실은 분명하다. 이처럼 폭넓게 받아들여지던 관념을 내단에서만 받아들이지 않을 이유는 없다. 그러므로 내단에서 왜 척추를 따라 올라가는 경로가 구성되었는가라는 질문은 무의미하다. 그것이 전통이었기 때문이다. 내단 신체관은 크게 두 개의 요소로 구성되어 있다. 하나는 직전에 보았던 척추를 따라 위로 올라갔다가 다시 하강하는 환정보뇌의 신체관이다. 두 번째 요소는 용호교구龍虎交媾라고 불린다.

3. 외단과 용호교구

내단은 단순히 좋은 기운을 흡입하는 호흡법이 아니다. 몸에서 성스러운 자신을 만들어 내는 수행법이고, 체간을 솥으로 삼아 단을 만드는 수련법이다. 그러므로 단을 만들기 위한 과정이 필요하다. 용호교구龍虎交媾는 실은 외단에서 온 관념으로 수은과 납의 결합을 상징한다. 연단술은 후한대의 어느 시기에 성립해서 당대에 꽃을 피웠다가 이후 시나브로 사라져 버렸다. 한대 이전은 연단술의 프롤로그요, 송대 이후는 에필로그다. 다양한 연단술이 있었다. 그중에는 수십 가지 약을 섞어 넣는 연단법도 있었다. 그러나 핵심은 수은과 납이었다. 수은과 납의 결합을 통해 단사를 만드는 것이 핵심이었다. 수은과 납은 음양을 상징한다.

『사기』「효무본기」에는 이소군李少君이 무제에게 부뚜막신에게 제사지내면 귀신을 만날 수 있고, 그러면 단사를 황금으로 만들 수 있으며 황금으로 그릇을 만들어 식사하면 수명을 늘릴 수 있고 어쩌고 하는 말이 보인다.[15] 이때는 대략 『회남자』가 저술된 직후라고 보여진다. 『한서』「회남형산제북왕전」에는 회남왕 유안劉安이 신선황백술에 관한 중편 8권을 지었다는 말이 보인다.[16] 이 서적은 회남왕의 반란 내역을 정리했던 유향의

---

15. 『史記』「孝武本紀」: 少君言於上曰, 祠竈則致物, 致物而丹沙可化爲黃金, 黃金成以爲飮食器則益壽, 益壽而海中蓬萊仙者可見, 見之以封禪則不死.

16. 『漢書』「淮南衡山濟北王傳」: 淮南王安爲人好書, 鼓琴, 不喜弋獵狗馬馳騁, 亦欲以行陰德拊循百姓, 流名譽. 招致賓客方術之士數千人, 作爲內書二十一篇, 外書甚衆, 又有中篇八卷, 言神仙黃白之術.

아버지를 통해 유향에게 전해진 것으로 보인다. 『한서』 「초원왕전」에 따르면 유향은 이 책에 토대해서 금을 만들려다가 실패했다고 한다.[17] 그런데 금을 제조하려는 시도는 유향에게서 끝나지 않았다. 유향과 마찬가지로 선제宣帝 때 활동했던 사자심史子心이라는 인물도 금을 만들려고 했다는 것이다.

> 금을 만들려고 했으나 성공하지 못했다. 승상(사자심)은 스스로 힘이 부족하다고 여겨 또 부태후에게 고했다. 태후는 금으로 이익을 볼 생각은 결코 없었지만, 금이 이루어지면 수명을 늘리는 약을 지을 수 있다는 말을 듣고는 흡족하여, 사자심을 랑에 제수하고 북궁에 거하게 했다.[18]

요약하면, 금 조제법은 회남왕 유안의 저술에서 시작되어 이소군, 유향, 사자심 등에게 전해졌던 것으로 보인다. 『포박자』 「황백」편에도 이 이야기가 거듭 보이기 때문에 그로부터 「황백」편의 연원을 추정할 수 있다.[19]

---

17. 『漢書』 「楚元王傳」: 向字子政, 本名更生. 年十二, 以父德任爲輦郎. 旣冠, 以行修飭擢爲諫大夫. 是時, 宣帝循武帝故事, 招選名儒俊材置左右. 更生以通達能屬文辭. 與王褒, 張子僑等並進對, 獻賦頌凡數十篇. 上復興神僊方術之事, 而淮南有枕中鴻寶苑秘書. 書言神僊使鬼物爲金之術, 及鄒衍重道延命方, 世人莫見, 而更生父德武帝時治淮南獄得其書. 更生幼而讀誦, 以爲奇, 獻之, 言黃金可成. 上令典尙方鑄作事, 費甚多, 方不驗. 上乃下更生吏, 吏劾更生鑄僞黃金, 繫當死. 更生兄陽城侯安民上書, 入國戶牛, 贖更生罪.
18. 『新論』 「辨惑」: 桓譚新論曰, 史子心…作之不成. 丞相自以力不足, 又白傳太後, 太後不復利於金也. 聞金成可以作延年藥, 又甘心焉. 乃除之爲郎, 舍之北宮中.
19. 연단술의 존재를 명확하게 증명하는 문헌은 갈홍의 포박자다. 『포박자』에서는 태청단경, 구정단경, 금액단경 세 종의 연단문헌을 소개하고 있다. 파브리지오 프레가지오는 『태청단경』은 일부에 대한 주석의 형태로 전해질 뿐이지만, 다른 두 문헌은 후대의 편집본 형태로 전해진다고 말한다. Fabrizio Pregadio, "The Book of the Nine Elixirs and its Tra-

즉 유향이 금을 만들려고 했다는 내용이 여러 번 보일 뿐만 아니라 회남왕 유안의 연단 저술이라고 말해지는 '침중홍보'라는 문헌도 보인다. "정위는 침중홍보에 의거해 금을 만들려고 했지만 완성하지 못했다."[20] 정위의 이야기는 사자심의 이야기와 함께 환담桓譚의 『신론新論』 「변혹辨惑」편에 보인다. 그러므로 갈홍은 두 이야기를 모두 『신론』에서 끌어왔을 것이다. 어쨌거나 이런 인용 속에서 갈홍이 생각하고 있는 「황백」편의 연원을 추론할 수 있다. 「황백」편과 달리 「금단」편은 단의 조제법에 관한 문헌이다.

「황백」과 「금단」은 그 연원이 다르다. 시선을 사로잡는 차이는 「황백」편에서 말하는 연원과 관련된 내용이 다른 문헌을 통해서도 지지됨에 반해, 「금단」편의 계승은 그렇지 않다는 점이다. 역으로 「금단」편의 계승은 황제에게서 원군으로 다시 노자로 이어지는 계보가 구체적으로 말해지고 있음에 반해, 「황백」편에서는 그렇지 않다는 점도 특징적이다. 『포박자』에는 황백술이 좌좌左慈(좌원방)에게서 연유했다는 것 외에 다른 정보가 없다. 이 점을 어떻게 보아야 할까? 나는 역사적 사실을 근거로 제기하고 있는 「황백」편의 전승에 관한 내용은 신뢰할 수 있음에 반해, 상세하기는 하지만 역사적 사실을 제시하지 않는 「금단」편에서 말하는 좌원방

---

dition," 山田慶兒 田中淡 編, 『中國古代科學史論 續篇』(京都: 京都大學人文科學硏究所, 1991), 545쪽. 그리고 도장에 실려 있는 『抱朴子神仙金汋經』에 『금액단경』의 후기 버전이 들어 있을 것이라고 추정한다. Fabrizio Pregadio, 같은 글, p.574. 『포박자신선금작경』의 처음에 나오는 금액을 태을이 먹고 신선이 되었다는 내용은 갈홍이 「금단」편에서 말한 것과 부합한다.

20. 『抱朴子』「黃白」: 偉按枕中鴻寶, 作金不成.

이전의 전승은 신뢰할 수 없다고 해석한다. 그러므로 연원이 더 오래된 것으로 묘사되고 있는 「금단」편의 성립이 더 늦었을 것이라고 본다.

「금단」편의 주류는 수은이고, 「황백」편의 주류는 회취법灰吹法을 통해 얻은 금과 납이다. 따라서 앞의 추정에 의거하면 수은을 위주로 하는 연단술의 성립이 더 늦은 셈이다. 물론 『금액단경』 같은 경우는 연원상 「황백」편에 있어도 될 듯하다. 그렇지만 『금액단경』에서도 수은이 중요한 물질로 쓰이고 있기 때문에 「금단」편에 넣어도 문제가 없다. 어쨌든 강조해 두거니와 갈홍이 전수받은 연단술의 전통은 크게 둘로 나눌 수 있고 모두 좌원방을 경유하지만, 「금단」편이 더 늦게 성립되었을 가능성이 높다. 그리고 「금단」편을 더 앞에 둔 것으로 봐서 「금단」편을 고평가했음을 알 수 있다. 혹시 금은의 조제술인 황백술과 달리 금단술은 좌원방으로부터 이어지는 계보의 창조물이지 않았을까?

확신할 수는 없지만 그럴 가능성은 충분하다. 『포박자』가 수은을 중심으로 하는 최초의 신뢰할 만한 문헌이기 때문이다. 한대 또는 위·진 시기의 연단술 문헌은 이미 말한, 『포박자』에 언급되어 있고 후대에 편집본 형태로 전해지는 두 종이 있다. 이외에 위·진 시기 연단술 문헌이라고 할 수 있는 것으로 세 종이 있다. 『태상팔경사예자장오주강생신단방경太上八景四蕊紫漿五珠絳生神丹方經』, 『태미영서자문낭간화단신진상경太微靈書紫文琅玕華丹神眞上經』, 『동진태상자도염광신현변경洞眞太上紫度炎光神玄變經』은 위·진 시기의 상청파 연단 문헌이다. 이들 문헌은 300년대 초부터 360년 사이에 『태미영서자문낭간화단신진상경』, 『태상팔경사예자장오주강생신단방경』, 『동진태상자도염광신현변경』의 순으로 성립되었다. 이외에는 위·

진 시기의 연단 문헌은 보고되지 않았고, 나도 확인하지 못했다. 다만 『포박자』의 저술 시기보다 뒤라는 것은 분명하므로 『포박자』 이후의 문헌이라고 단언할 수 있다.

수·당대에 접어들면서 연단 문헌이 갑자기 늘어난다. 아마도 가장 빠른 문헌은 손사막의 『단경요결』일 것이다. 자오쾅화趙匡華는 『황제구정신단경결』(1권 제외), 진소미의 『대동연진보경수복령사묘결』, 장과의 『옥동대신단사진요결』, 여암의 『순양여진인약석제』·『음진군금석오상류』, 금릉자의 『용호환단결』, 장구해의 『금석영사론』, 조내암·청허자 등의 『연홍갑경지보집성』·『태고도태경』 등을 당대의 연단술서로 예거하고 있다. 이 중 장과의 『옥동대신단사진요결』은 진소미의 문헌과 부합하는 부분이 많다. 『용호경』은 『주역참동계』와 친연관계에 있는데, 그 외에도 『주역참동계』와 친연관계에 있는 문헌이 많이 보인다.

『주역참동계』는 모호한 글로 가득하다. 이 문헌에 근거해서 연단술을 이해하는 것은 불가능하다. 그러나 연단술을 대표하는 문헌임에는 틀림없다. 『주역참동계』에서는 납과 수은을 결합시켜 단을 만들 수 있다고 주장했고, 납과 수은의 결합을 암수의 교감처럼 표현했다. "수컷인 양은 하늘기운을 뿌려서 펴고, 암컷인 음은 땅기운을 통제해서 화육한다."[21] 천지·음양의 조화가 정을 만들어 내듯이 천지의 상징인 화로 안에서 납과 수은의 조화가 일어난다. 천지는 건곤이자 정이 만들어지는 솥이었다. 『주역참동계』에서는 여섯 개의 효로 이루어진 괘상을 육허라고 말했다.

---

21. 『周易參同契』: 雄陽播玄施, 雌陰統黃化.

감은 남자로서 달이고, 리는 여자로 태양이다. 태양은 덕을 베풀고 달은 그 덕을 받아 빛을 반사한다. 달은 태양의 변화를 받아들이나, (태양은) 모양에 변화가 없다. 양이 음과 배합하는 도리를 잃으면 음이 태양의 밝음을 침범한다. … 양이 그 모양을 잃는 것은 음이 침범해서 재앙을 만들기 때문이다. 감리남녀의 일월은 서로 의지하면서 머금고 내뿜어서 자양한다. 자웅이 서로 섞이고 유에 따라 서로를 찾는다. 금은 변하여 수가 되고, 수의 성질은 두루 밝아진다. 화가 변해서 토가되면 수는 운행하지 못한다. 그러므로 남자가 움직여 밖으로 베풀면 여자는 고요히 안으로 잠장된다.[22]

납은 남자로서 달이며 감괘에 해당한다. 수은은 여자로서 태양이며 리괘에 해당한다. 본래 수은은 남자라고 해야 한다. 납을 빙 두르고 그 안에 수은을 넣음으로써 암수의 교정交精을 본떴기 때문이다. 그러나 괘상을 사용할 때는 감을 남자라고 할 수 밖에 없었을 것이다. 주지하듯이 가운데 양효가 있는 소성괘 감은 중남이기 때문이다. 남과 여의 교합을 통해 생명을 만들 듯이 납과 수은이 조화를 일으켜 황아 즉 정을 만들어 내는 것이다. 납과 수은은 남녀를 상징하고, 결합은 교정을 상징한다. 내단에서는 외단의 용호 결합을 통해 단을 조제한다는 관념을 차용했다. 배경을 몸으로 바꿨으므로 조정할 것이 많았을 것이다.

---

22. 『周易參同契』: 坎男爲月, 離女爲日. 日以施德, 月以舒光. 月受日化, 體不虧傷. 陽失其契, 陰侵其明…陽消其形, 陰凌生災. 男女相須, 含吐以滋. 雌雄錯雜, 以類相求. 金化爲水, 水性周章. 火化爲土, 水不得行. 故男動外施, 女靜內藏.

4. 내단 신체관

내단 수련은 씨앗을 만들고 이 씨앗을 계속 키워서 단으로 만드는 과정이라고 할 수 있다. 내단 수련의 단계는 다음과 같다.[23]

① 준비: 몸을 부드럽게 한다. 입을 다물고 혀를 구부려 입천장에 닿게 한다. (위로부터 기운이 떨어져 내려올 때, 혀를 타고 내려오므로 이렇게 준비해야 한다.) 먼저 눈을 반개하거나 완전히 감는다. 황정에 정신을 집중한다. (일반적으로 하단전이라고 말하는 배꼽 아래 세치 되는 부분에 집중해도 된다. 황정의 위치에 관해서는 몇 가지 설이 있다. 통설은 배꼽안쪽 신장의 앞 즉 배꼽으로부터 한 치 삼 푼쯤 들어간 곳이다. 대략 하복부에 있다고 보면 구체적인 위치는 그다지 중요하지 않다. 어쨌든 생각을 묶어 둘 위치를 잡고 있는 것이 중요하다. 나머지는 통설에 따른다. 이런 내용으로 다툴 필요가 없다.) 호흡을 고른다. 자연스럽게 호흡하면서 마음에서 번잡한 것을 지워 낸다. (호흡에 집중하면 된다. 저절로 호흡이 잔잔해진다.) 입에 침이 고이더라도 삼키거나 뱉어 내지 않는다. (참을 수 없을 정도라면 삼켜도 좋다. 호흡을 참는 것과 침 등을 삼키는 등의 지침을 지나치게 엄격히 따를 필요는 없다.) 심신이 편안해지고 이완되는 느낌이 들 것이다. 어느 경우에도 황정에 집중해서 배를 따뜻하게 덥혀야 한다. (앞에서와 마찬가지로 하단전에 집중해도 된다.) 시간

---

23. 내단에 관한 설명은 번잡한 요소가 많고, 다른 점도 많아서 문헌만으로는 수행하기 어렵다. 아래 글은 필자가 직접 수행한 절차로 샤오덩푸蕭登福 선생님으로부터 배운 것이다. 다만, 샤오덩푸 선생님은 내단에 앞서 동공을 행하셨는데, 이곳에는 소개하지 않는다.

이 지나 아랫배가 따뜻해지면 수련을 시작한다.

② 코로 숨을 삼킨다. 한 번에 삼켜도 되고 여러 번 나눠 삼켜도 된다. (흡기할 때는 가볍게 함으로써 소리가 들리지 않게 한다. 이후 기운을 회전시켜 코로 배출할 때까지 호흡을 멈춘다.) 배가 그득한 느낌이 들면 무화武火(강력한 기운이다. 그렇다고 생각하면 된다)로 황정에 보낸 후 (기운을) 따뜻하게 덥힌다. (힘 있게 밀고 들어가야 한다. 자신이 생각하는 황정의 위치를 정해두는 것이 좋다.) 시간은 사람에 따라 다를 수 있다. 항문을 조였다 놨다 하면서 의념을 강하게 해서 기를 위로 끌고 가야 한다. 먼저 하단전으로 끌고 내려갔다가 미려를 거쳐 명문으로, 이어 협척, 옥침, 니환에까지 이른다.

③ 니환에서 따뜻하게 덥히고 목욕시킨다. (잠시 기운의 운행을 정지하고 의념을 집중하면 된다.)

④ 니환에 있던 기운이 흘러내려 가다가 코에 이르면 숨을 내쉰다. (이때는 힘들이지 않고 가벼운 마음으로 기운을 보내면 자연스럽게 내려간다. 가늘고 부드러우며 느릿하게 숨을 내쉰다. 두세 번 또는 몇 번으로 나눠서 내쉬어도 된다. 탁기를 모두 내보낸다. 내쉬는 소리가 들리지 않게 한다. 앞의 흡기에서부터 이곳까지 모두 폐기閉氣의 상태로 진행한다.) 침을 몇 번 삼킨다. (기운이 침을 따라 하행하기 때문이다.) 문화文火(가벼운 기운이다. 그런 생각이다)로 침을 삼키는 것을 따라 기운이 명당을 지나 작교 아래로 내려가게 한다. (혀끝을 입천장에 대고 있으면 마치 다리橋가 임맥·독맥의 기운에 접해 있는 듯하다. 이것을 음양이 만난다고 해서 작교의 이름을 빌려서 표현한 것이다.) 십이중루를 지나 강궁으로 내려간다. (십이중루는 목구멍이다. 목을 설명할 때 9 또는 12 등의

숫자를 사용한다. 문헌에 따라 숫자가 다르기는 하지만, 루라고 표현한다. 『동의보감』의 〈신형장부도〉에서는 9층으로 묘사하고 있는 듯이 보인다.) 기운을 이끌어 황정(또는 하단전)으로 들어가게 해서 온양한다. (이렇게 들어간 기운은) 황정에서 만들어지는 원양의 진기와 결합한다.

⑤ 이때 호흡을 가늘고 고르게 하며 호흡을 자연스럽게 한다. 마음으로 황정을 살펴본다. 강궁중단전의 진기(이화)를 내려 보내고 신장의 진정(감수)을 올라가게 해서 두 기운이 황정에서 짝을 맺도록 한다. 아울러 황정에서 채약(생각으로 새나가지 않게 잘 봉해 둔다)을 행한다. (이때 생긴 약을 현주라고 하는데, 이것을 지속해서 약이 커지면 단이 된다.) 이후 단련을 진행하고, 정이 새나가지 않게 잘 봉한다. 약이 만들어진 후에는 약에 의념을 집중해야 한다. (의념은 심의 작용이므로 불과 같고 약에 불을 쬐는 셈이므로 단약 또는 연약이라고 한다.)

⑥ 마무리: 이상이 소주천小周天 내단 수련법이다. 앞에서 말한 것처럼 호흡도인을 행한 후에는 정좌한다. 또한 반복해서 호흡 수련을 진행해도 된다. 매번의 수련이 30분보다 짧아서는 안 된다. 이후에 마치는 동작을 행한다. 내단 수련을 마치는 방식은 다음과 같다. 두 손을 태극 모양으로 만들어서 배꼽 부위에 둔다. 앞니를 24회 두드리고 뒷니를 24회 두드린다. 침을 세 차례 삼킨다. 두 손을 뒤쪽이 마주하게 해서 미간에 댄다. 이어서 두 손으로 귀를 덮고 손가락이 목 뒤에서 만나게 해서 목을 가볍게 (손가락으로) 36회 두드린다. 두 손으로 손과 팔, 뺨, 귀, 머리, 머리칼, 목 등을 세수할 때 손으로 씻어 내듯이 한다. 다리와 발도 그렇게 한다.

핵심은 환정보뇌다. 다음으로는 용호교구다. ⑤에서 말하고 있다. 환정보뇌와 용호교구가 내단 신체관의 핵심을 이룬다. 그것을 그림으로 나타내면 다음과 같다.

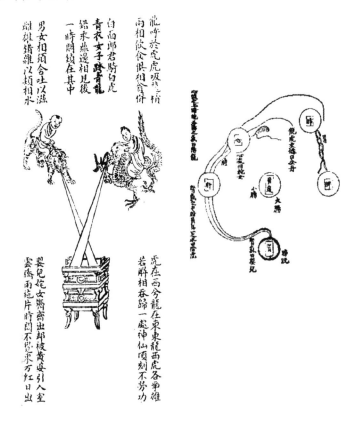

용호교구를 통해 만들어진 것을 황아黃兒라고 한다. 이 황아의 제조는 수승화강水升火降 즉 천지 안에서의 음양의 승강이요, 천지의 결합이다. 그런데 황아는 그 자체로는 단이 되지 못한다. 너무 작다. 이것을 앞의 척추 노선을 따라 순환시켜야 한다. 반복된 순환을 통해 커진 황아가 최종적인 결과물이 된다. 최종 결과물은 결국 태식의 성태이고 연단술의 단으

로서 내 안에 있는 성스럽게 변한 나를 상징한다.

단을 만드는 몸은 천지를 본 뜬 솥이다. 단순한 그릇이 아니다. 내단가의 몸은 외기를 필요로 하는 복식수행자의 몸도 아니다. 이미 그 안에 성스러운 기운의 가능성을 갖추고 있는 태식호흡가의 몸에 가깝다. 그러나 단순한 호흡만으로 성스러움을 이룰 수 있는 몸이 아니다. 내단수행자의 몸은 음양의 기운이 어울려 성스러운 씨앗을 만들어 내는 천지의 결합과 변화를 상징한다. 몸은 척추를 따라 기운을 상승시키지 않거나 단을 만들지 않으면 땅에 배속되지만, 내단수행을 통해 성화聖化될 수 있다.

요지는 변하지 않았다. 몸은 단절되고 개별화된 속된 존재이자, 우주의 잉태를 모방함으로써 우주화할 수 있는 성스러운 존재다. 속과 성이 공존하는 몸, 동아시의 수행론의 신체관을 관통하는 관념이다.

내단수행이 유행한 송대 이후로는 신체관에 관한 한 더 이상의 전개는 없었다고 해도 무방할 것이다. 그러므로 내단수행은 동아시아 수행론의 마지막 장이요, 내단수행의 신체관은 동아시아 신체관의 귀결이라고 할 수 있다.

그러나 두 가지 숙제 또는 가능성이 남아 있었다. 하나는 수행론적 신체관의 의학적 전개였고, 둘은 신체관의 역사에서 줄곧 배제되어 있던 유학의 기여다. 두 가능성 모두 조선에서 꽃을 피웠다. 내단수행론에 토대한 의학이 성립되었고, 유학의 의학적 신체관이 드디어 등장했다. 후자는 1900년에 있었던 일이다. 서양의 해부구조적 신체관이 도입될 준비를 하는 중이었다. 참으로 마지막 기회에 피운 꽃이다.

VIII

한국의 몸, 그 의미에 관하여

이 책의 앞으로 돌아가서 『동의보감』의 〈신형장부도〉와 백련사의 나한 도 그리고 『동의수세보원』의 신체관을 다시 보자. 무엇이 보이는가?

배후에 있는 동아시아의 수행사와 의학사가 눈에 들어올 것이다. 맨 아래에는 가장 오래된 심장의 이야기가 있다. 처음에는 심장만 있었다. 심장은 신이 거주하는 신전이었다. 오해는 금물! 신은 몸을 주재하는 존재라기보다는 신령한 생명력이라고 해야 한다. 동아시아의 몸은 심장이라는 샘에서 흘러나온 생명을 담고 있는 그릇과 그곳에 담겨 있는 생명을 총칭한다. 그릇으로서의 육체는 이성으로서의 심이나 생명과 다르다. 따라서 몸과 마음은 다른 존재라고 할 수 있다. 그러나 육체에 담겨 있는 생명인 기는 생리적이면서 심리적이다. 동아시아의 몸은 그릇으로서의 육체와 이성으로서의 심, 그리고 심리적이고 생리적인 영역에 두루 미치는 기의 세 가지 요소로 이뤄져 있다.

유학에서는 심을 중시했으나 도가에서는 기를 강조했다. 서양의 이성에 부합하는 심은 사려·판단 등의 기능을 하므로 실천이성을 중시했던 유학자들에 의해 중시되었으나, 자의식을 단단히 붙들어 매는 닻과 같았으므로 개체성의 극복을 주장하는 도가와는 어울리지 않았다. 우주와의 공명을 추구했던 도가는 기를 중시했다. 몸을 탐구하는 맥락에서 보면 당연히 기뿐만 아니라 기를 담고 있는 육체도 중요하다. 그러나 사실 육체는 별다른 의미가 없었다. 몸의 역사는 수행론과 의학의 합주라고 할 수 있는데, 수행론과 의학 어디에서도 육체는 그다지 중시되지 않았다. 동아시아의 수행가와 의학자가 갖고 있는 세계관 즉 끊임없이 변화하는 생명의 역동적 운행은 정지되어 있는 유형의 육체와 어울리지 않는다. 현대의 연구자들은 이 점을 자꾸 잊는다.

수행은 자신의 변화를 추구하는 실행이자 이론 체계다. 수행자의 목표가 되는 자신은 우선 성향을 말한다. 성향은 본성과 누적된 습관의 결합에 의해 생기는 것으로 생명의 경향이라고 할 수 있다. 그러므로 수행은 생명인 기의 질적 변화를 추구한다고 말할 수 있다. 육체에도 훈련 등을 통해 획득된 성향이 있기는 하지만 부수적이다. 의학은 생명은 순환하지 않으면 부패한다는 생각의 지배를 받았다. 의학자들은 부패가 질병의 원인이라고 여겼다. 수행과 의학의 경계선이 희미했고 의학과 수행에서는 모두 기를 중시했으므로 이런 생각을 수행자들도 공유했다. 결국 그릇으로서의 육체는 누구에게도 중시되지 않았다. 그릇에 담겨 있는 생명으로서의 몸이 동아시아 몸의 핵심이다. 그 결과 몸이 아닌 기를 변화시키기 위한 수행법이 발전했다.

수행가들은 기의 질적 변화를 유도하기 위해 다양한 방법을 취했다. 생명력이 넘치는 기운을 흡입하는 것은 가장 원시적인 그리고 직접적인 방식이다. 질적 변화를 이룰 수는 없지만 상태를 개선할 수 있었으므로 새로운 기운을 받아들이고 묵은 기운을 내보내는 것도 취할 수 있는 방법이었다. 여기에서 더 나아가 새로운 것으로 바꾸는 대신 기운 자체를 변화시킬 수 있다는 생각도 생겨났다. 정을 누설하지 않고 뇌로 올려 보내는 환정은 일종의 승화昇化로서 그런 생각을 구체화시킨 것이다. 그러나 가장 중요한 관념은 천지의 결합을 모방하는 것이었다. 외단가들이 이런 방법을 적극적으로 구현했다. 연단술사들은 마치 시루떡을 찔 때처럼 두 개의 솥을 이어 붙였는데, 윗솥은 둥글게 아랫솥은 네모나게 만들었다. 당연히 하늘과 땅을 상징한다. 솥 사이를 이어 붙이는 데 사용한 진흙 비슷한 것은 일곱 개의 재료를 사용해서 육일니라고 불렸다. 육과 일은 각각 땅과 하늘을 상징한다.

중금속을 재료로 사용하는 외단의 폐해 때문에 어느 순간 내단이 부각되었다. 학자들은 『주역참동계』가 후한대의 문헌이고 내단을 설명하고 있으므로 내단이 후한대에 있었다고 말하지만 명확한 오류다. 『주역참동계』에서 묘사하는 있는 수행법은 당대唐代의 분위기에 부합한다. 후한대에 『주역참동계』가 저술되었다면 동아시아 수행의 역사는 후한대에 구축되었던 내단이 이후 그보다 못한 모습으로 퇴보하다가 당대에 다시 본모습을 회복했다는 식으로 기술되어야 한다. 『주역참동계』가 수·당대에 저술되었다고 간주해야 이런 억지 설명을 폐기할 수 있다.

물론 『황정외경경』에도 내단의 모습이 얼핏 비치기 때문에 내단호흡은 이미 위·진 시기부터 있었다고 할 수 있다. 그러나 내용뿐만 아니라 형식도 중요하다. 외단의 개념과 이론에 의해 원형적 내단호흡법이 체계화되었다. 온전히 모습을 갖춘 내단호흡법의 몸에는 기가 흐르는 두 개의 노선이 그려졌다. 하나는 환정보뇌와 부합한다. 독맥을 따라 올라갔다가 임맥을 따라 내려오는 모습이다. 다른 것은 간의 기운을 따라 올라갔다가 폐의 기운을 따라 내려오는 모양이다. 외단술에서 말하는 용호교구를 본

뜬 것이다.

『동의보감』〈신형장부도〉에는 임맥·독맥의 순환만 그려져 있다. 사실 호흡수행에서는 용호교구가 중요하지 않다. 부차적 관념에 불과하다. 그러나 임맥·독맥의 순환은 동아시아 호흡법의 정수이므로 간과할 수 없다. 『동의보감』의 편찬에 참여한 정작鄭碏은 조선의 내단을 대표하는 『용호비결龍虎秘訣』의 저자 정렴鄭磏의 아우다. 아마도 〈신형장부도〉를 구상했을 것으로 추정되는 정작은 이 점을 간취했던 것으로 보인다. 정렴은 오랜 시간 동안 발전하면서 다양한 지층을 끌어안고 있던 내단호흡법에서 불필요한 요소들을 덜어 냈다. 그리고 정작이 그것을 당시까지 누적되어 온 경험 의학을 정리하기 위한 틀로 제안했다.

그 결과 수행론과 의학이 결합되었다. 몸에 관한 첫 이야기는 수행으로 시작되지만 곧이어 의학자들이 참여했다. 한대에 의학이 수행에서 독립한 이후 수행과 의학은 제대로 결합하지 못한 채 각자의 역사를 그려 왔다. 종종 만나기는 했지만 어설프게 엮일 뿐이었다. 본래 의학은 땅기운을 먹는 몸을 기반으로 하고, 수행은 하늘기운을 흡입하는 몸을 모델로 삼는다. 그러나 모두 기운과 기운의 그릇이라는 몸에 대한 원형적 관념을 공유했다. 그리고 정상의 회복을 목표로 하는 의학과 보다 나은 단계로의 고양을 목표로 하는 수행은 모두 기운의 변화를 목표로 한다는 점에서 일치했다. 그러므로 수행과 의학의 결합은 예견된 일이기도 했다. 그러나 『동의보감』에 이르러서야 양자의 질적 결합이 온전히 성취되었다.

수행론에 의해 심장과 감관 그리고 몸을 채우고 있는 기가 그려지던 몸의 성장기가 있었다. 한대에 이르자 『황제내경』이 저술되었다. 이 시기부

334

터는 의학이 몸의 주도권을 쥐었다. 의학자들은 의학의 체계 안에 수행을 일부 포섭하기도 했지만, 원칙적으로 수행과 무관하게 몸의 그림을 그려 나갔다. 수행론도 의학의 성과를 의식하면서 자신의 그림을 그려 나갔다. 이 단계는 이미 성립한 의학과 수행의 발전기라고 할 수 있다. 『동의보감』에 이르면 수행이 의학의 구도로 사용됨으로써 수행과 의학의 질적 결합을 성공적으로 이뤄 냈다. 〈신형장부도〉는 의학의 주변부에 있던 수행이 본연의 모습을 찾은 사건을 상징한다고 할 수 있다. 『동의보감』의 시기를 동아시아 몸의 역사에서 성립기와 전개기에 이은 성숙기라고 평가할 수 있을 것이다.

『성명규지』와 『혜명경』은 모두 내단 관련 문헌이라고 할 수 있으므로 이들 문헌에서 연원한 감악산 백련사의 도태도는 내단의 단을 의인화한 것이라고도 할 수 있다. 그러나 사실 도태와 성태의 태는 태식호흡에서 온 것이다. 『황정외경경』에서 확인할 수 있듯이 내단과 태식을 엄밀히 구분하는 것은 난해한 일이다. 게다가 태를 부처로 형상화한 것에서 존사수행의 영향을 읽을 수도 있다. 결국 백련사의 나한도는 존사수행과 태식호흡법 그리고 내단의 다양한 수행법이 뒤섞인 몸을 보여 준다고 할 수 있다. 사상사적 층위에서도 그와 같은 뒤섞임을 확인할 수 있다. 백련사의 나한도는 불교와 도교 그리고 소승과 대승을 종횡했던 이 땅의 자유로운 수행 문화를 보여 준다.

『동의보감』에 큰 영향을 준 『의학입문』의 저자 이천은 유학이 의학의 토대라고 말했는데, 사실 허풍이다. 『의학입문』 어디에도 제대로 된 유학의 흔적이 없다. 유학이 의학의 토대라고 한다면 최소한 신체관에 흔적을 남겨야 한다. 한의학사에는 유의儒醫라고 불리는 유학의 이념에 충실했을 이들이 있었다. 유의를 대표하는 금金·원元 사대가四大家가 그 시기의 한의학사를 주도했다고 할 수 있다. 그러나 그들의 의학체계에서도 유학이 진정 의학의 기본 구도로 사용되지는 않았다. 『동의수세보원』은 의학을 유학에 토대지우는 작업을 최초로 체계적으로 그리고 성공적으로 이뤄냈다. 도덕적 본성이 자리 잡고 있는 곳으로 규정되는 『동의수세보원』의 몸에는 유가 수양론의 이념이 반영되어 있다. 몸은 생리와 병리의 토대이므로 결국 이제마는 유가 수양론에 토대한 의학을 구성해 낸 셈이다.

이상 한국 몸의 과거적 의의를 살펴봤는데, 현재와 미래적 의의는 무엇일까? 이 질문에 답하기 위해서는 수행과 의학의 합주가 몸의 역사를 관통했음을 상기할 필요가 있다.

사실 도교와 도가는 다르고 내단을 도교도만 수행한 것은 아니지만, 내단수행이 도가 계열에 속한다는 통속적 생각을 받아들여 보자. 『동의보감』이 도가 수행자의 몸에 토대한 의학이라면, 『동의수세보원』은 유가 수행론에 토대한 의학이다. 『동의보감』을 통해 최초로 도가수행과 의학이 체계적으로 결합했고, 『동의수세보원』의 저술로 유학이 의학의 철학으로 구현되었다. 한국의 몸은 수행론이 선창하고 의학이 따라오는 합주를 보여 주는 동시에, 종교의 경계에 구애되지 않는 동아시아 수행 문화의 자유로움을 상징한다. 이것이 동아시아 수행론과 의학이 그려 온 역사다. 그런데 이 역사를 중국과 한국으로 대별하면 앞에서는 잘 드러나지 않았던 중요한 차이점을 읽어 낼 수 있다.

한국에서는 수행이 주도권을 쥐었다! 이 사실은 한국인이 단순히 질병을 치료하는 것에 만족하지 않고 자신을 더 고양시켜야 한다는 생각을 지니고 있었음을 함축한다. 이미 말했듯이 의학과 수행은 분명히 다르지만 경계는 불분명하다. 정상의 회복과 고양은 사실 같은 방향을 취한다. 고양을 추구하는 것이 회복을 수반할 수도 있고 회복을 위한 노력이 고양의 결실을 맺을 수도 있다. 이 사실을 분명히 알면서도 중국인들은 양자의 결합을 시도하지 않았다. 이상한 일인가? 오히려 수행을 중시하는 한국의 풍토가 독특했다고 할 수도 있을 것이다. 이상의 논의는 한국의 몸에 들어 있는 몇 가지 미래적 의미를 암시하는 것으로 보인다.

먼저, 수행과 의학의 영역에서 모두 육체로서의 몸이 아니라 몸의 생명력에 초점을 맞춰야 한다는 사실이다. 즉 근육과 같은 형질이 아니라 몸의 생명력에 초점을 맞춤으로써 그릇 안에 은폐되었던 생명의 공명을 유도하고 그럼으로써 세계와의 연대를 회복할 수 있을 것이다. 연대감의 회복은 질병을 보는 관점에도 영향을 미친다. 즉 질병을 유기체의 체내에 한정하지 않음으로써 인류는 생태론적 질병관을 지니게 될 것이고, 그것은 지구상에 존재하는 다른 생명체 그리고 궁극적으로는 인간종의 번영에도 기여하게 될 것이다.

둘째, 의학의 수행적 측면을 부각시킬 필요가 있다. 현대의 생의학은 질병의 제거를 궁극의 목표로 삼는다. 이런 생의학적 관점에 따르면 건강은 질병의 부재에 불과하다. 그러나 수행을 강조하는 한국적 전통에서 건강과 건강 유지를 위한 노력은 단순히 질병의 예방만을 목적으로 하지 않는다. 그것은 자신의 고양 즉 신성神性의 회복이라는 수행의 목적을 추구하면서 간접적으로 예방의학적 기능을 수행할 뿐이다.

세 번째 함의는 기술적 진보와 관련되어 있다. 현대 의학의 기술적 진보는 치료와 고양의 경계를 더욱 모호하게 만들고 있다. 치료를 위한 처치가 강화를 초래하는 경우를 쉽게 생각할 수 있다. 장애를 치료하기 위한 보조기구의 착용이 정상인보다 뛰어난 능력을 지니게 만들 수도 있다. 이것은 질적 변화가 아니므로 수행이 아니라는 지적은 적절하지 않다. 기술적 진보는 영속적인 변화를 가능하게 만들 것으로 보인다. 도덕성을 강화하는 기술적 진보도 불가능하다고 단정할 수 없는 상황이다. 우리는 어떤 태도를 취할 것인가? 고양을 중시함으로써 수행 문화에 기반한, 종교와 철학이 다른 나라에 비해 더 큰 호소력을 지니는 한국 사회는 이 문제를 어떻게 다룰 것인가?

지금까지 검토해 온 동아시아 몸의 역사는 수행과 의학의 결합에 누구보다 진취적이고 창의적이었던 한국인이 이 문제에 대한 논의를 서둘러야 한다는 것을 암시하는 듯하다.

참고문헌

『管子』　　　『孟子』　　　『難經』　　　『荀子』　　　『莊子』

『左傳』　　　『大學』　　　『史記』　　　『朱子語類』　　　『道德經』

『靈樞』　　　『陰陽脈死候』　『道德經想爾注』　『禮記正義』　『足臂十一脈灸經』

『淮南子』　　『論語』　　　『國語』　　　『漢書』　　　『脈法』

『睡虎地秦簡日書』　　　　　『奇經八脈考』　『八脈經』　　『抱朴子』

『素女經』　　『後漢書』　　『引書』　　　『十問』　　　『正統道藏』

『太平經』　　『備急千金要方』『新論』　　　『周易參同契』

가와하라 히데키, 『독약은 입에 쓰다』, 김광래 옮김, 서울: 성균관대학교 출판부,
　　2009.

김수일, 「의가와 내단학의 기경팔맥 비교연구」, 《도교문화연구》 27집, 2007.

김영식 엮음, 『중국 전통문화와 과학』, 서울: 창작과 비평사, 1986.

김영식, 「氣와 心, 朱熹의 思想에 나타난 물질과 정신」, 《철학》 35, 1990.

래리 로젠버그, 『일상에서의 호흡명상 숨』, 미산·권선아 옮김, 서울: 한언, 2009.

리사 펠드먼 배럿, 『감정은 어떻게 만들어지는가?』, 최호영 옮김, 파주: 생각연구
　　소, 2018.

리처드 슈스터만, 『몸의 의식』, 이혜진 옮김, 서울: 북코리아, 2010.

마르첼로 마시미니, 줄리오 토노니, 『의식은 언제 탄생하는가?』, 박인용 옮김, 서
　　울: 한언, 2019.

마크 존슨,『몸의 의미』, 김동환·최영호옮김, 서울: 동문선, 2012.

방성혜,『조선 종기와 사투를 벌이다』, 서울: 시대의 창, 2012.

신성근,『중국의 부곡, 잊혀진 역사 사라진 인간』, 서울: 책세상, 2005.

앙리 마스페로,『불사의 추구』, 표정훈 옮김, 서울: 동방미디어, 2000.

앤거스 그레이엄,『도의 논쟁자들』, 나성 옮김, 서울: 새물결, 2001.

葉德輝 엮음,『素女經』, 최형주 옮김, 서울: 자유문고, 2010.

窪德忠·西順藏,『중국종교사』, 조성을 옮김, 서울: 한울아카데미, 1996.

龍伯堅,『黃帝內徑槪論』, 백정의·최일범 옮김, 서울: 논장, 1988.

유정아·정창현,「기항지부와 기경팔맥의 관련성 고찰」,《대한한의학원전학회지》,
    2014.

이기훈,『내경도와 수진도에 대한 연구–한의학의 수승화강 원리를 중심으로』,
    경희대학교 박사학위논문, 2013.

이상선,「맹자의 신체개념과 호연지기」,《동서철학연구》64, 2012.

이시다 히데미,『기 흐르는 신체』, 이동철 옮김, 서울: 열린 책들, 1987.

이해영,「맹자의 마음과 기」,《동양철학연구》41, 2005.

임헌규,「성리학적 심신관계론」,《퇴계학과 한국문화》45, 2009.

임헌규,「朱子의 심신관계론과 현대 심리철학」,《온지논총》, 2008.

정우진,「연금술사의 솥단지」,《선도문화》17, 국학연구원, 2016.

정우진,『노자상이주역주』, 서울: 문사철, 2014.

존 헨더슨,『중국의 우주론과 청대의 과학혁명』, 문중양 옮김, 서울: 소명출판, 2004.

주재완,「심신문제의 주자학적 해결에 대한 과정철학적 고찰」,《화이트헤드 연
    구》25:25, 2012.

周一謀,『고대 중국의학의 재발견』, 김남일 외 옮김, 서울: 법인문화사, 2000.

최현석,『인간의 모든 감정』, 파주: 서해문집, 2011.

『中國法書選 11: 魏晉唐小楷集』, 東京: 二玄社, 2006.

高大倫,『張家山漢簡引書硏究』, 成都: 巴蜀書社, 1995.

金勝惠,「黃庭內景經的神之像與氣: 上淸派傳統中內在超越的體內神」,《道家文化硏究》16, 1999.

段玉裁,『說文解字注』, 上海: 上海古籍出版社, 1988.

戴思博(Catherine Despeux),『修眞圖: 道敎與人體』, 李强國 譯, 濟南: 齊魯書社, 2012.

廖育群,『岐黃醫道』, 遙寧: 遙寧敎育出版社, 1991.

李景榮 等 校釋,『備急千金要方校釋』, 北京: 人民衛生出版社, 2014.

馬繼興,「雙包山漢墓出土的鍼灸經脈漆木人形」,《文物》4, 1996.

馬繼興,『馬王堆古醫書考釋』, 湖南: 湖南科學出版社, 1992.

山田慶兒,『中國醫學の起源』, 東京: 岩波書店, 1999.

山田慶兒·田中淡 編,『中國古代科學史論 續篇』, 京都: 京都大學人文科學硏究所, 1991.

蕭登福,『六朝上淸派硏究』, 臺北: 文津出版社, 2005.

蕭登福,『正統道藏提要』, 臺北: 文津出版社, 2011.

鈴木由次郎,『周易參同契』, 東京: 明德出版社, 1977.

王卡,「黃書考源」,《世界宗敎硏究》2, 1997.

趙匡華,『中國煉丹術』, 北京: 中華書局, 1989.

周一謀,『馬王堆醫書考注』, 天津: 天津科學技術出版社, 1988.

陳國符,『道藏源流考』, 北京: 中華書局, 1963.

Cook, Scott ed., *Hiding the World in the World: Uneven Discourses on the Zhuangzi*, Albany, NY: State University of New York Press, 2003.

Harper, Donald, "A Chinese Demonography of the Third Century B.C.," *Harvard Journal of Asiatic Studies*, 1985.

Harper, Donald, *Early Chinese Medical Literature*, London: Kegan Paul International, 1998.

Jung, Woojin and Xiao, Dengfu, "Practice and Body of the Scripture of Yellow Court," *Universitas Monthly Review of Philosophy and Culture*, 45/2, 2018.

Kasulis, Thomas P., Roger T. Ames and Wimal Dissanayake eds., *Self as Body in Asian Theory and Practice*, New York: University of New York, 1993.

Schipper, Kristofer, *The Taoist Body*, Karen C. Duval trans., University of California Press, 1993.

Schipper, Kristofer and Franciscus Verellen, *The Taoist Canon*, The University of Chicago Press, 2004.

Slingerland, Edward, "Body and Mind in Early China: An Integrated Humanities —Science Approach," *Journal of the American Academy of Religion*, 81/1, 2013.

(재)한국연구원 한국연구총서 목록